CW00741919

Scrittori italiani e stranieri

Margaret Mazzantini

Splendore

ROMANZO

MONDADORI

Dello stesso autore in edizione Mondadori

Il catino di zinco
Manola
Non ti muovere
Zorro. Un eremita sul marciapiede
Venuto al mondo
Nessuno si salva da solo

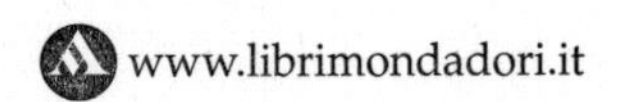

Splendore
di Margaret Mazzantini
Collezione Scrittori italiani e stranieri

ISBN 978-88-04-63808-7

I edizione novembre 2013

Splendore

A Sergio, ancora una volta

I was born like this, I had no choice
I was born with the gift of a golden voice

LEONARD COHEN, *Tower of Song*

Era il figlio del portiere. Suo padre aveva le chiavi di casa nostra, quando partivamo innaffiava le piante di mia madre. Per un periodo ci furono due nastri azzurri sullo stesso portone, il suo più scolorito del mio perché era più vecchio di qualche mese. C'incontrammo durante tutta l'infanzia, lui scendeva io salivo. C'era il divieto di giocare in cortile dove una grande palma spazzolava la quiete dei vecchi inquilini. Un casamento d'epoca fascista accanto al Tevere. Lo vedevo dalla finestra, mentre scivolava con il pallone sotto il braccio nel canneto lungo il fiume.

Sua madre faceva le pulizie negli uffici al mattino presto. Era organizzato, metteva la sveglia, apriva il frigorifero e si riempiva la tazza di latte. Calzava bene il berretto, si chiudeva il cappotto. Ci trovavamo più o meno allo stesso punto tutti i giorni. Io ero molto più assonnato di lui. Mia madre mi teneva la mano, lui era sempre per conto suo. *Ciao.* Si portava dietro un odore di cantina, di sottosuolo urbano. Faceva tre passi e un saltello. Tre passi e un saltello.

Non ho avuto fratelli, ho trascorso le ore solo. Steso su un tappeto con un pupazzo tra le mani, da far sparare, da far lottare. Il sabato pomeriggio mia madre mi portava in libreria o a teatro. Solo la domenica avevo entrambi i genitori. Mio padre comprava i giornali e li leggeva sui divani di cuoio del circolo dove pranzavamo. Ma a volte andavamo in bicicletta, si fermava lungo il fiume e mi faceva vedere gli uccelli che galleggiavano sulla corrente verso il mare.

Mangiavo in cucina, cibi senza sostanza e senza sapore davanti a una domestica di spalle che rigovernava. Cambiò molte volte, ma per me fu sempre la stessa, una figura mite ma nemica che consentì a mia madre di abbandonarmi durante tutta l'infanzia. Georgette era architetto ma non esercitava la professione, era attivista di Italia Nostra e preda di una convulsa passione verso ogni forma di volontariato culturale, così non aveva mai orari precisi.

Quando tornava a casa si toglieva le scarpe e parlava con mio padre dei suoi radiosi incontri, delle sue battaglie contro lo sventramento del centro storico. Era una belga di origini umili, figlia di italiani emigrati, così la sua fame da adulta era tutta volta verso quel pane squisitamente intellettuale che da bambina a casa sua, quella di un modesto casellante, le era così mancato.

Mio padre, al contrario, era un uomo silenzioso e monotono nelle sue attività. Per me un rivale senza attrattiva, con la spada spuntata. Amava intensamente mia madre, la guardava come me, allo spasmo di se stesso: un uccello esotico entrato per errore in quella casa, il tempo di sbattere un po' tra quelle mura, di toglierci il respiro.

Il pianerottolo era a pianta ellittica con marmi romboidali verdi e neri, la balaustra rifinita in bronzo, l'ascensore era una elegante cabina di ciliegio e vetri che saliva a vista lungo la tromba delle scale. I fili neri degli ingranaggi scorrevano lenti e oliati. Gli ospiti si guardavano nello specchio, si aggiustavano un bavero, l'espressione del viso, durante quel tragitto ascensionale che li sollevava dal mondo e li lasciava per un po' di fronte a se stessi in quella maestosa cabina che, con il suo odore di cera da legno, la sua luce fioca, pareva un confessionale. Il Palazzo di Giustizia era a pochi isolati, sul nostro pianerottolo c'era lo studio di un notaio e al piano sopra quello di un illustre avvocato. Passai l'infanzia a immaginare quella gente che saliva, le loro facce, i loro abiti, i loro sentimenti.

Mi soffermo su questo ascensore perché esso rappresentava

l'elemento meccanico che univa il basso all'alto, la strada al nostro appartamento, il rumore al silenzio dei luoghi vuoti. La famiglia del portiere non aveva ragione di usarlo. Erano gli unici inquilini del substrato, una buia rampa di scale scendeva verso le cantine, lì dove c'era l'ingresso della loro abitazione. Non li vedevo mai né entrare né uscire. Solo rare volte, il sabato pomeriggio, capitava di incontrarli di ritorno dal magazzino all'ingrosso dove facevano le provviste per tutto il mese, il padre portava sulle spalle le confezioni di pelati, di olio di semi. I bambini erano vestiti decentemente con giacche imbottite per il freddo, la bambina grande aveva un copriorecchie di pelo bianco. A differenza del fratello alzava gli occhi per guardarmi, lei sì che sembrava voler sfidare un altro mondo. Un coniglio curioso che annusa un avvenire oltre la gabbia. Costantino no, non ricordo di avergli mai visto il viso. Solo quella schiena curva, morbida e solida. Spariva. Aveva fretta di sparire. Doveva essere la loro giornata di festa, la loro allegria.

Immaginavo quella casa umida, quei cibi scadenti sparsi sulla tovaglia di plastica davanti al fremito azzurro del televisore. Il padre fumatore, con una macchia di psoriasi sulla fronte, la madre bassa come un cavatappi, l'odore fisso della varechina con cui puliva le scale del palazzo che ormai doveva esserle entrato nella pelle, dalle mani rosse su fino ai gomiti screpolati. Eppure alle sei di sera, ogni giorno, quando la portineria chiudeva, loro si rintanavano tutti sotto lo stesso neon, i compiti sul tavolo di cucina.

Io studiavo sul pavimento con la schiena incollata al muro accanto alla porta d'ingresso, credo di averci lasciato il segno, su quel muro, come nella stalla dove batte il culo il cavallo. Era semplicemente il luogo più vicino al mondo, al rumore della vita. La casa vuota, solo una stanza illuminata in fondo dove la domestica stirava. Una sagoma di donna che non era mia madre. Come quei fantocci che vegliano le vigne. Avrei preferito essere solo, accettare la crudeltà dell'abbandono invece che quell'inganno. L'Italia da Paese di emigranti cominciava in quegli anni ad accogliere i primi flussi migratori. Quando la vecchia domestica sarda tornò indietro, Georgette aprì la porta a somale, magrebine, eritree. Mi consegnò ai loro odori, ai loro sorrisi di maschere africane. Ero il bambino ideale per una domestica straniera, un corpo silenzioso, quasi invisibile. Se ne andavano verso la lavanderia afflitte dalla loro cupa nostalgia. Fu il primo esercizio umano che feci, affogare sotto quei grembiuli a quadretti, restare a distanza in compagnia di quelle vite distanti intere civiltà. Imparai che l'asse da stiro è il regno magico di queste vite, il calore unito all'iterazione del gesto consente loro astensioni totali dal reale, riagganciano il destino interrotto, una palafitta, un lurido mercato di semi e capre. A volte mi mostravano le fotografie dei loro figli, io guardavo quei musi messi in posa, incalliti di povertà.

Incollato al pavimento accanto alla porta, irremovibile, mi lasciavo trafiggere dalle ombre, coprire dal buio. Attendevo il ritorno di mia madre, i suoi polpacci slanciati, i lembi del suo cappotto, la voce dell'unica donna che aveva il diritto di abitare quella casa e occupava l'interezza del mio cuore. E se anche ero arrabbiato, il bisogno di lei, la sola idea di rivederla mi faceva sciogliere di lacrime, dei più teneri e sconfortanti pensieri d'amore. Giacevo accanto a quella porta come un vuoto guscio, svuotato da macabre congetture, nel pensiero fisso che potesse accaderle qualcosa. Ogni scatto d'ascensore era una lunga pausa, un doloroso sussulto seguito da un'apnea, in cui pregavo e diventavo un docile topo in attesa del formaggio. Oh, conosco così bene quel rumore di ferro che frena, di legno che si richiude mollemente! Mi seguirà fino alla fine dei miei giorni il languido rumore dell'attesa, e il suo diritto negato, sbarrato. Passi che sembrano avvicinarsi e poi si allontanano inesorabilmente, s'infilano in un altro luogo, in un'altra famiglia.

Mio padre mi trovava in quella posizione raggomitolata, credeva fosse un sistema mentale, quel modo mio di studiare per terra, i libri sulle gambe piegate. Era un dermatologo, tornava a casa pallido, ingrigito, simile a un pezzo di carne lessa senza più sostanza, avanzava nel brodo dei luoghi conosciuti, accendeva una luce, lasciava l'impermeabile.

– Raccontami qualcosa, Guido, cosa hai fatto oggi?

Non importava che io non rispondessi. Lo seguivo rincuorato dalla sua presenza, ma era come seguire insieme un corteo funebre, l'assenza di lei camminava davanti alle nostre vite. Sovente mangiavamo soli, quando gli impegni di Georgette si prolungavano oltre la sera.

Io lottavo contro il sonno, fino all'impossibile. Poi crollavo come un combattente sparato. Sapevo che anche nel cuore della notte lei non mancava mai di curvarsi sul mio letto e di baciarmi, di strofinare il naso nei miei capelli, di contare le dita della mia mano aperta. Sepolto vivo nel sonno, sognavo il suo amore che arrivava troppo tardi, quando già non riuscivo a svegliarmi, e piangevo al dolore di non poterne godere lucido, realmente.

Suo fratello Zeno abitava due piani sopra di noi, in un attico che ricordava una palude dorata, un basso impero.

Era un critico d'arte, un uomo alto, robusto, passionale ma tetro, gli occhi lucidi come due biglie d'acciaio, lo sguardo bruciante. La sua casa, sempre con le tende tirate, era un reliquiario di antichi cataloghi e tele ammassate, abitata solo da sculture e dalle loro ombre. Riceveva mercanti, artisti dallo sguardo folle, lacustri figure ecclesiali. Il Vaticano era lì, a pochi metri in linea d'aria, dal terrazzo del suo studio si vedeva la cupola di San Pietro, i suoi oculi sulla calotta chiara, il volo degli uccelli intorno.

Fu una delle prime lezioni d'arte che mi fece. Una giornata di vento ghiaccio mi tenne lì fuori a incimurrirmi, nessun dietrofront verso il calore dell'interno. Mi raccontò, agitando le mani nel cielo livido, il disegno originario del Bramante, poi il misero progetto del Sangallo con i suoi insulsi pennacchi, che Michelangelo scardinò per tornare alla centralità della basilica. Era scapolo e aborriva i bambini, ma quel giorno, avevo più o meno otto anni, dovetti sembrargli cresciuto abbastanza per una relazione intellettuale. Intendeva plasmarmi, quello che mia madre aveva sempre desiderato.

Aveva una compagna, alta e scheletrica, che gli girava intorno come una giraffa ferita e che zio non portava mai con sé nei pranzi di famiglia. Di lui si occupava Georgette. Non conosco bene la storia di questi due fratelli. La mia non è una casa nella quale si è mai parlato. So che restarono orfani molto presto, che Zeno fece un grosso affare vendendo un quadro proveniente da una canonica della Vallonia e si presentò dalla sorella con una Porsche decappottabile 550, identica a quella con la quale si schiantò James Dean, lasciarono il Belgio e fecero ritorno in Italia. Mia madre si sposò, ma rimasero sempre vicini, uno di quei legami indissolubili che si nutrono nell'oscurità dei ricordi. Georgette gli sbrigava la corrispondenza, organizzava la sua agenda, lo seguiva nelle conferenze che lui teneva negli atenei, nelle case d'aste, in alberghi montani e marini. Apriva la porta a nobili finiti in disgrazia con pezzi di collezioni di famiglia coperti da giornali sotto il braccio, ai galleristi del centro che venivano per un'expertise. Zeno si toglieva gli occhiali, avvicinava le pupille nude alle opere, le circumnavigava, le annusava letteralmente. Si fissava sempre lontano dal centro, su un dettaglio laterale, una pennellata persa nel fondo. Di fronte alla bellezza si commuoveva, ma era facilmente irascibile. Detestava i tagli di Fontana e tutti gli spazialisti. A volte urla imperiose si sollevavano da quelle stanze oleose, gente che indietreggiava inciampando nelle scale.

A parte una rigida mano posata sulla mia testa in fondo a qualche Natale, non ricordo alcun gesto d'affetto verso di me, il suo unico nipote. Il fatto che mia madre lo amasse così tanto suscitava in me una timorosa fascinazione e una muta gelosia. Anche mio padre aveva avuto un fratello, ma era morto giovanissimo. Gli restava una sorella, Eugenia, con i capelli corti brizzolati e vestita come un uomo, sposata ma senza figli. La nostra era una famiglia di adulti rigidi e stravaganti e di infiniti vecchi. Solitario bambino, ero guardato con timore come una sorta di insetto kafkiano che avrebbe potuto, ingigantendosi, divorarli. Ricevevo regali deprimenti, domini, ombrelli.

Una volta zio Zeno mi regalò un mosaico in pietra da comporre. Al culmine di un pomeriggio di tristezza sollevai quella scatola pesantissima e la scaraventai dalla finestra. Attraverso i listelli della persiana seguii il volo, vidi la scatola aprirsi e i pezzi rovesciarsi e spargersi nel cortile. Vidi il portiere accanto alle aiuole che guardava in alto e mi ritrassi. Erano gli anni in cui fantasticavo il suicidio. Non ho mai desiderato uccidermi così tanto come durante l'infanzia. Il lancio del mosaico era una prova del tonfo mortale. Il campanello suonò.

Il figlio del portiere era sulla soglia, la sua faccia squadrata e inerte si affacciava oltre la scatola ricomposta del mio mosaico.

– Mio padre dice che è caduto dalla vostra finestra.

Alle sue spalle la gabbia di ferro nera dell'ascensore era vuota, la cabina non era al piano. Era salito a piedi. Aveva il fiato grosso. Mi guardava, visibilmente felice di quella commissione, doveva essere uno di quei bambini solerti e apprensivi. Le spalle cascanti, le cosce robuste, le scarpe impolverate. Un piccolo portiere. Io ero magrissimo, in quegli anni vivisezionavo il cibo, passavo i pasti a spuntare striscioline di grasso, a tagliare bocconi sempre più piccoli. Me ne stavo lì lucido, spiritato. Era l'essere più lontano da me al mondo, un bambino senza nessuna attrattiva. Scolpito in una materia pesante, un respiro da batrace, convulso ma interno. Diede un'occhiata oltre la porta, nel taglio nero della casa alle mie spalle, colsi il suo rossore. Fui tentato di trascinarmelo in cucina, di tirare giù le tazze del latte. Era comunque un bambino, anche se poco allettante e così inespressivo. Un diversivo in quel pomeriggio piombato. Potevo mettergli in mano uno dei miei soldati, sconfiggerlo infinite volte, a pugnalate, a colpi di baionetta. Guardai quel mosaico che aveva ricomposto per me, che stringeva come un tesoro.

– Non mi è caduto, l'ho buttato.

Fece una faccia assurda, allucinata.

– ... Perché?

Spinsi la porta per scacciarlo.

– Non ne ho bisogno, devo fare spazio. Puoi tenerlo, se vuoi.

Sembrava indeciso se piangere di disperazione o urlare di felicità. Lo vidi camminare su quel mare che s'apriva, ma lo vidi anche richiudersi in fretta, composto e remissivo. Ringraziò, disse che se ci avessi ripensato mi avrebbe restituito il mosaico in qualunque momento. Inciampò sui gradini, e proprio in quel momento io stavo pensando di tirargli un calcio ed era come se gli fosse arrivato.

– Perché non prendi l'ascensore?

Scosse la testa, indietreggiò nelle luci economiche delle scale. Volevo chiedergli aiuto.

Tornavo dalla lezione di pianoforte, e non consentivo più alla domestica di tenermi per mano, ma le camminavo avanti di qualche passo (e quanto mi bruciava quella misera carceriera ai calcagni!). Mi fermai a sbirciare tra le grate impelucchiate dalla strada, dal pulviscolo vegetale, nella finestra posata sul marciapiedi della casa del portiere. Mi faceva accapponare la pelle quell'interrato, accanto agli sfiatatoi bui delle cantine, al magazzino della copisteria. Sapevo che da lì sotto risalivano i topi, quelli che il portiere decapitava con le tagliole.

Attraverso la grata vidi Costantino che ricomponeva su una tavola di legno i pezzi del mio mosaico di marmo. Mi abbassai sulle ginocchia per guardarlo meglio. Aveva delle pinzette e una specie di tampone con cui ripuliva la colla in eccesso. Era scrupoloso, provava i pezzi più volte prima di incollarli, li lavava in una bacinella, li asciugava. Ero irritato che trovasse tanto piacere in quel gioco inutile, volevo scendere sotto, strappargielo dalle mani. Diedi un calcio alla grata.

Sollevò la testa, si rizzò di colpo, salì su una sedia per aprire la finestra. In mezzo a noi c'era quella sudicia rete di ferro dove i cani si fermavano a pisciare. Urlò, per sovrastare il rumore della strada.

– Rivuoi il tuo mosaico?

Scossi la testa, feci un balzo indietro.

– Se ti va possiamo farlo insieme, vieni...

Era meno timido del solito, forse il fatto di essere ancorato con i piedi nel basso del suo luogo lo faceva sentire protetto. Sbirciai sua madre dietro di lui che mi faceva un cenno, mi invitava da loro. Stava friggendo patate, le scolava sulla carta marrone del pane.

– Vuoi cenare con noi?

Risaliva un odore buonissimo, nel quale le mie budella e il mio cuore si torsero e quasi ebbi voglia di piangere. Mi tirai su, rimasi un po' con i piedi fermi davanti alle loro facce prima di andarmene.

Portò il mosaico ad asciugare in cortile, posato su una sedia screpolata. Lo mise lì, nell'angolo dove il sole invernale entrava per poche ore. Forse voleva farmelo vedere. Era un guerriero acheo, mancavano parte del volto e dello scudo. Alcuni pezzi dovevano essere andati persi o rotti nel lancio. Guardai il solo occhio, guardai il vuoto dell'altro. Allora una immagine mi raggiunse, sbalzata fuori dalla retta del tempo, un'anticipazione che svanì prima che io potessi raggiungerla o decifrarla. Rimase solo il vuoto, la sensazione di un tuffo senza braccia, un vento che mi attraversò per andarsene a volare lontano, furioso.

Due giorni dopo buttai giù la tenda. Era l'unico regalo che avevo amato. L'ennesimo inganno. Nessuno mi avrebbe mai portato in campeggio. Avevo montato la tenda in camera da letto, ci rimase mesi. Divenne una casa nella casa, la domestica si chinava e mi lasciava il piatto. Lì dentro facevo i compiti, suonavo la pianola, dormivo. Mi svegliavo sudato in quel ventre di plastica con le cerniere chiuse, mi spogliavo nudo sotto quel cielo arancione. Una sera decisi di liberarmene e la buttai giù, nel cortile. Non so perché. Era la cosa più vicina a me.

Costantino la raccolse, guardò in alto. Aspettavo che salisse a restituirmela, invece non venne. Scesi in cortile, la tenda non c'era, non chiesi nulla.

Probabilmente se l'era portata sotto, sul Tevere, in quella melmosa spiaggia fluviale dove giocava con i suoi amici, figli di altri portieri, di garagisti, di piccoli commercianti di zona. La mia tenda sarebbe diventata la base per i loro divertimenti che d'estate duravano oltre il tramonto. Costruivano cerbottane, pescavano rovelle. Lo vidi un giorno che giocava ad asina, le gambe piegate, le mani sulle ginocchia, gli altri gli saltavano sulle spalle, una torre di carne sudata che barcollava sotto il peso delle risate.

Venne l'adolescenza, venne quel morbo. Per me fu rimanere un topo in un mondo giurassico. Le femmine salirono su per prime. In terza media sembravano tante maestre in una classe di bambini. Cominciarono a parlare di quelle loro cose, e lo sguardo divenne quello dei laghi e dei draghi, quei solchi meravigliosi che nascondono l'inferno.

Venne l'estate. Il condominio si svuotava. Restavano i vecchi, i negozi chiusi. Il figlio del portiere indossava una maglietta color cachi, lavava con un tubo il cortile. Sua sorella Eleonora giocava a palline clic-clac seduta sulle scale. Era cresciuta, si metteva i tacchetti e le cinte strette per cavar fuori meglio il nuovo seno dalla silhouette.

Al mare godevo di maggiore libertà. Mia nonna si teneva la domestica, la sfruttava in casa, nel giardino. Mi lasciava solo sulla spiaggia. Era un vecchio stabilimento recintato, tutte famiglie che si conoscevano da secoli, il bagnino aveva la pelle dura di un elefante e non muoveva mai lo sguardo dall'acqua.

Aspettavo i cavalloni, lo schiaffo fondo del mare, il suo vortice ingordo. Nel costume pieno di sabbia, il sesso microscopico rammollito dal freddo. Fu la prima estate che non mi divertii. I ragazzi si ritrovavano sotto lo stesso ombrellone, giocavano a pallavolo con le femmine, a flipper sulla terrazza dello stabilimento. Fino all'anno prima trascinavamo il culo di uno sulla spiaggia per fare la pista per le biglie, adesso nessuno voleva più saperne. Avevano occhiali da sole appesi ai nasi, si tenevano le mani in basso sui costumi Speedo, incollati al juke-box. Erano comparsi i primi frisbee, io trascorrevo le giornate a lanciare quel disco di plastica. Dall'alba al tramonto, come fosse un lavoro.

Accadde un episodio sessuale. Un giorno che avevo camminato sul bagnasciuga tanto a lungo da poter dire d'aver raggiunto a piedi un altro mare, mi ritrovai in una zona di barche abbandonate, la rimessa di una scuola di vela. Gli scafi spuntavano dalla sabbia come grossi ossi di seppia ingialliti dal sole. Da un pezzo non incontravo anima viva, era passato solo un tipo con un cane sanbernardo, ma era già lontano. Oltre la baracca c'erano dune di sabbia e alti ciuffi di ginestre marine. Guardavo in fondo, la linea del tramonto, dove il golfo culminava con alte rocce scure. La luce era quella del paradiso al tramonto, i tronchi di legno scavati erano d'argento. Mi tolsi la maglietta e feci il bagno, mi lasciai trascinare, sommergere, morire e vivere. Feci lo stronzo a galla e il pazzo furioso che piglia a schiaffi il mare. Me ne stavo lì, mezzo dentro e mezzo fuori, quando mi sentii chiamare. Vidi uno in piedi sul bagnasciuga, scrollava un braccio come un bagnino che ti chiama indietro, sembrava volermi avvertire di un pericolo. Mi voltai a guardare l'acqua dietro di me, cercando non so bene cosa, la pinna di uno squalo. Iniziai a camminare verso la riva disorientato, alzando le gambe nell'acqua, alla svelta. L'uomo era in controluce e gli schizzi mi sporcavano la vista, così me ne accorsi quando ero già troppo vicino a lui. Ma mi ci volle ancora un passo per capire. Non posso dire cosa fu, nemmeno una medusa che ti piglia in faccia mentre nuoti ti brucia così.

Non m'ero neppure accorto che fosse nudo, non guardavo lì. Vidi il gesto, e quel coso viola, grosso, in mezzo. Se lo menava davanti a me, la lingua di fuori, guardandomi fisso. Mi raggiunse la violenza sessuale, il cambio di scenario, il rovesciamento dal paradiso all'inferno. Colsi l'orrore con un solo battito di palpebre. Non so dire come fosse la sua faccia o il resto. Continuava a muoversi, ad ansimare. Eravamo vicinissimi, gli sarebbe bastato tendere un braccio. Guardai oltre, la spiaggia, la macchia dietro, per vedere se c'era qualcun altro. Ora m'accorgevo del deserto, dell'ora tarda, del ghiaccio addosso e del sudore su quel ghiaccio. Rimasi fermo. Puntai la morte, immobile, controllando il campo di battaglia intorno.

Era grosso da palestra e scuro, aveva uno straccio girato sul cranio calvo. Stava lì, impalato, il grosso cazzo in erezione. C'è qualcosa che non sapevo di me, che scopersi quel giorno di violento apprendimento. Ho coraggio, un coraggio che attraversa la follia e torna. Il coraggio dei masochisti. Dei violenti fermi.

Forse non era uno stupratore, forse soltanto un esibizionista, in ogni caso non gli diedi la possibilità di definirsi. Non lo allettai con i gesti inconsulti della preda. Non caddi, non urlai, non indietreggiai nell'acqua. Gli passai accanto come se non lo avessi visto, come se non fosse lì. Aspettavo che mi agguantasse. Mi sarei lasciato violentare e uccidere in silenzio come una pietra. E mentre gli passavo accanto si può dire che provai pena per lui, quel trasporto che la vittima illuminata dalla morte prova verso il suo assassino. Sentii alle spalle il vento di quella solitudine pornografica.

Adesso sulla spiaggia passava l'uomo con il sanbernardo. Forse fu lui a salvarmi. L'esibizionista si buttò in acqua e nuotò verso il largo senza uscire per un bel pezzo.

Poi seppi che quella era una zona di nudisti e di omosessuali che s'accoppiavano all'aperto dietro le dune.

Tornai a casa tramortito. Non dissi nulla a nessuno. La paura mi raggiunse, mi camminò addosso come granchi dopo la marea. I ritorni di quel cazzo enorme, strozzato, di quella punta viola. Mi chiedevo perché fosse capitato a me. Forse avevo un'aria strana, potevo sembrare un giovane diverso. Come una perfetta vittima di abuso, mi sentivo io l'istigatore.

Adesso avevo paura che altri mi guardassero, e trovandomi strano si tirassero fuori l'uccello davanti a me. Ricominciai a costruire castelli insieme ai bambini piccoli, a infilarmi nelle buche.

Un giorno ne scelsi uno, di quelli resi albini dal mare, la peluria gialla che sale sulla schiena scura. Cominciai a guardarlo, a tenergli gli occhi addosso, prima solo per gioco, ma poi cominciò l'esperimento. Lo fissai vitreo. Tutte le mie frustrazioni larvate trovavano appagamento in quel dominio. Un legame sotterraneo, violento. Voleva piangere ma non piangeva. Continuava a grattare la sabbia con la paletta ma sentivo che era disperato, si era separato dal gruppo degli altri bambini, era in mio potere. Sapeva di essere in trappola. Se mi fossi alzato mi avrebbe seguito senza ribellarsi. Lo tenni in ostaggio per una mezz'ora. Provai un piacere profondo a soggiogare quella piccola creatura inerme, senza nemmeno avvicinarmi. Poi abbassai gli occhi e lo lasciai andare. Camminò indietro, verso la madre stesa sulla sdraio, s'aggrappò a quelle gambe oleate, in silenzio. In ogni caso non avrebbe saputo cosa dire. Eppure era stato violato, scaraventato lontano, conoscevo bene quel terrore sottocutaneo. Guardai il mare, stavo diventando un tipo strano.

Il figlio del portiere d'estate partiva solo per pochi giorni, tornava nel paese d'origine in Puglia. Lì aveva una bicicletta e amici con i quali si sfrenava in dialetto. Si ripresentava in cortile incinghialito, con occhi più omertosi, come se tra quegli ulivi avesse imparato qualcosa di proibito.

Lo trovai nella gabbiola, seduto al posto di suo padre. Vidi una sagoma nel buio dell'androne, un ragazzo che usciva alla luce di settembre. *Ciao.* Stentai a riconoscerlo. S'era ingigantito durante quell'estate. La madre gli venne incontro, gli mise in mano due piatti accoppati, tenuti da un canovaccio annodato. Era l'una, era mercoledì. La trattoria all'angolo aveva il suo giorno di chiusura, la portiera mandava su il pranzo a zio Zeno che odiava il caldo, il carnaio, e d'estate non lasciava mai la città. Se ne restava lassù nel suo attico con il ventilatore e la vestaglia damascata che indossava anche sui vestiti, bordata di rosso come la toga di un antico re di Roma.

Chiamai l'ascensore che era fermo in alto. Rimase lì, a farmi compagnia. Parlammo un po' e in un modo diverso, senza disprezzarci a vicenda, come spesso era accaduto negli anni precedenti per timidezza, per difformi solitudini. Non eravamo mai stati veramente amici. Mi tormentava il pensiero che d'estate seguendo suo padre fosse potuto entrare indisturbato nella mia stanza, e ogni volta che durante l'anno non trovavo qualcosa dentro di me accusavo lui. Con mia madre non potevo certo lamentarmi. *Sono le persone più fidate della terra,* mi azzittiva.

– Sali con me?

Scosse la testa, ma poi entrò. Restammo chiusi nella cabina, mentre le funi scorrevano. Lo guardai nello specchio, un colosso stralunato, e io accanto a lui, un bambino senza più purezza. In mezzo c'era quel piatto coperto, quell'odore di sugo buono.

– Che gli porti?

– Gnocchi.

– Beato lui.

Cacciò un sorriso triste sul volto infantile ormai disgiunto dal corpo, sembrava turbato almeno quanto me. Sollevò la testa, guardò in alto tra le grate, vidi il pomo nel suo collo che si muoveva come per ingoiare.

A ottobre, inaspettatamente, ci trovammo in classe insieme. Era un liceo di quartiere, vasto e democratico. Un edificio a forma ottagonale scandito da corridoi, pullulante di vita. Costantino era seduto nella fila accanto alla finestra, qualche banco avanti al mio. Riuscivo a vedergli le spalle, il gomito che si muoveva quando scriveva e i piedi in basso, che teneva sempre rivolti all'indentro. Rimase più o meno in quella postazione per tutto l'anno. Continuammo a ignorarci. Il fatto di conoscerci ci creava un certo imbarazzo, non so dire bene perché.

Si era trasformato in un ragazzo massiccio, ma non così alto, un tipo normale. Vestiva piuttosto male, pantaloni senza marca e golf ruvidi che gli si erano ristretti addosso mentre cresceva. Così gli restava sempre scoperto un pezzo di schiena, troppo bianca e con delle smagliature come se fosse stato grasso, eppure non lo era mai stato. Anche la voce non era più la sua, robusta, metallica, ma con strani acuti da eunuco che però scomparvero col passare dei mesi. La voce si depositò e prese un corpo rotondo, piuttosto cupo. Alle interrogazioni parlava guardando in basso, le mani congiunte ma immobili, le gambe divaricate. Non eccelleva, camminava dignitosamente sul seminato dei libri di testo. Qualunque fosse il voto ringraziava i professori e tornava al suo posto, dondolando un po', il capo leggermente chino. Passammo un anno durante il quale appartenemmo a due mondi diversi. Ma proprio in quell'anno di macroscopica diversità imparammo ad annusarci. Come se ognuno di noi due facesse un tentativo per affacciarsi nel regno dell'altro.

Un giorno la pelle del viso cominciò a tirarmi da dentro. Mi ritrovai con il volto invaso di acne, un pianeta rosa, bitorzoluto. La poca barba mi cresceva a fatica in quel terreno dissestato. A casa studiavo con la faccia coperta da un preparato argilloso e maleodorante. Mi feci crescere i capelli per dilatare il campo visivo dei miei interlocutori, li muovevo di continuo e li tenevo sempre puliti. Nel giro di pochi mesi cambiai abbigliamento, optai per un look londinese, pantaloni a guanto, occhialetti azzurri. Ero basso e scheletrico, una zanzara travestita da John Lennon. Costantino portava i capelli rasati e spesso si strofinava la nuca con vigore come se avesse un fastidio da scacciare. Giocava a pallanuoto in una piscina rumorosa dalla quale io ero fuggito dopo il terzo brevetto. Aveva spesso la sacca con l'accappatoio e il costume sotto il banco. Mordeva un panino avvolto nella stagnola, camminando verso gli allenamenti. Era forte, dicevano. Uno che non ce la facevi a tenergli la testa sotto.

Percorrevamo lo stesso tratto di strada fino all'incrocio dove lui se ne andava in direzione della piscina comunale. Lo guardavo da dietro, ed è una delle immagini che sempre porterò con me, quel corpo grosso e acerbo, la testa sbieca, la mano libera inerte come un rastrello abbandonato contro un covone di fieno. Spiate da dietro le persone portano il peso del loro destino, come se nella parte che non possono vedere di se stesse si addensassero tutte le sofferenze, i pensieri, le speranze individuali e quelle di tutte le generazioni precedenti che paiono accanirsi contro l'ultimo testimone, lo spingono in avanti ma intanto sembrano ridere di lui, della sconfitta che egli ripeterà.

In classe lo prendevano in giro. Anch'io seguendolo venivo preso dalla voglia di ridere di lui. Camminava piuttosto deciso, eppure con un freno dentro. E se avessi dovuto stabilire l'epicentro di questo aratro frenato nelle zolle di quel corpo acerbo, l'avrei identificato, scendendo lungo il solco diretto tra le scapole, nel coccigeo, in quell'ossicino aguzzo dove un tempo si allungava la coda, prima che l'evoluzione ripulisse gli uomini. Il figlio del portiere mi sembrava il Minotauro prigioniero nel labirinto di Cnosso.

Mi dava fastidio che fossimo finiti nella stessa classe. Lo ignoravo e lui ignorava me. Se ne stava sempre per conto suo, e aveva legami solo fuori dalla scuola, vecchi amici delle medie che frequentavano istituti professionali, altri che già lavoravano. Era uno studente metodico, consapevole del proprio limite, una di quelle persone tenaci che non sperano di elevarsi ma soltanto di non subire umiliazioni. Riusciva a confondersi, a sprofondare in silenzio nel trambusto dell'aula. Era una classe vivace, un grappolo di creature in erba, fiere e malvagie. C'era già qualche punta, gente che avrebbe bucato la società e che già lo sapeva. Il dato formidabile era quello, si avanzava a balzi leonini, ogni forma d'innocenza era già lontana. Pur idealisti e rivoltosi nei modi, la maggior parte di quei ragazzi erano già radicati nel mondo adulto.

Se lo incrociavo lungo il corridoio, o mentre entravamo in classe, Costantino rallentava un po' e mi lasciava passare. Manteneva un atteggiamento minore, quel rispetto da usciere e quel controllo silenzioso con gli occhi, proprio come uno che con un solo sguardo controlla le tante finestre del condominio. Era ansioso, curvo sul suo banco percepiva ogni movimento della classe con la coda dell'occhio, ingoiava un po' d'aria e poi rilasciava lenti sospiri che probabilmente lo aiutavano a scaricare la tensione.

Perché aveva scelto quel liceo classico invece di un istituto professionale come i suoi amici? Faticava, si capiva lontano un miglio, non sapeva allargare il pensiero, arpionarlo con frasi incisive. Aveva un lessico limitato e un modo di esporre nozionistico. Interi paragrafi imparati a memoria e poi silenzi e balbuzie. Era uno di quelli che non avrebbero superato il ginnasio.

Invece a primavera, quando la classe cominciò a distrarsi sotto la pressione ormonale e ci fu il calo fisiologico, lui resistette nei suoi cinque, cinque e mezzo. Finché a fine anno il tozzo Costantino s'era accaparrato un po' di fiducia e fu premiato con la media del sei. Un giorno di inizio settembre lo vidi accanto a uno di quei camper di libri scolastici usati sul Lungotevere. Io non sapevo nemmeno quali fossero i testi per l'anno a venire. Lui aveva già la lista, sfogliava i volumi, controllava in che stato erano, se le schede di esercitazione erano già state riempite. Era così assorto che non si accorse di me. Si era portato una grossa gomma da cancellare e curvo sul bancale strofinava vigorosamente le vecchie sottolineature. C'era qualcosa di repellente in quella sua previdenza. Non era questione di quattrini, era una questione più alta. Camminavo bruciando la terra, disarticolato nelle allettanti scie del pensiero. Avevo letto Dostoevskij quell'estate. Il figlio del portiere apparteneva a quella cenciosa umanità che carica del suo peso la terra, rendendola un luogo afflitto, adatto ai pusillanimi. Come quei microrganismi che si riproducono felicemente nelle acque ferme degli stagni non avrebbe mai staccato la sua ombra dalla palude.

Un giorno Aldo lo fece cadere. Non era cattivo, Aldo, forse era uno dei migliori come pasta, anche se già si avvertiva che si sarebbe sciolto come cera al buio, ma era proprio questa luce zoppa, questa materia infruttuosa a renderlo affabile. Non avendo nessun tratto preciso attendeva l'atto per misurare la potenza, suscitava situazioni senza alcuna intenzione, solo per vedere come funzionava la vita, sapendo di esserle estraneo.

Tirò fuori una gamba, dura come un palo, tra un banco e l'altro mentre il figlio del portiere passava e lo tirò giù. Ridemmo tutti. Io fui dispiaciuto, ma per nulla al mondo avrei rinunciato a quei momenti di pura euforia, il becchime migliore nello sconsolo scolastico. E chiunque lo spargesse era il sovrano assoluto.

Il povero Costantino s'era fatto male alla bocca. Aldo lo soccorse con il suo fazzoletto profumato da dandy. Costantino lo mandò a quel paese, si rialzò, avanzò verso la classe. Restammo in attesa della denuncia, della sospensione collettiva per unanime cattiveria. Ma il figlio del portiere nobilmente sprofondò nel suo banco, non disse una parola.

Cominciò a uscire con noi, a ridere delle nostre battute, ma senza partecipare mai realmente. Non era il suo stato sociale a ricacciarlo indietro, ma una naturale riluttanza ad abbandonarsi alla spensieratezza, come se vedesse oltre la giovinezza una vita adulta di dovere. Adesso so che aveva paura a stare in compagnia dei maschi.

Una volta però a una festa di compleanno lo facemmo bere. Bevve molto meno di noi, ma perse la testa. La sua faccia impassibile si ruppe, cominciò a ridere sguaiatamente. E noi ridemmo di lui, come si ride allo zoo in una mattina d'inverno davanti alla bestia più triste. Vomitò. E per tutto il tragitto di ritorno non fece altro che scusarsi. Ci liberammo di lui come di un cane morto.

Mi piazzavo davanti allo specchio con i pantaloni calati, ma ci restavo davvero poco. Non avrei retto il confronto con nessuno. Sembravo la parodia del deperito, dell'uomo scartato dallo sviluppo. Il pisello non era altro che un dito senza osso. Però avevo un discreto senso dell'ironia, facevo avanti e indietro con le scapole, dalle spalle mi uscivano due ali d'ossa. Ero di una geniale bruttezza. Confortato dal mio look attillato, londinese, mi muovevo senza speciali complessi. Non ero né Narciso né Boccadoro, ma me ne fregavo, puntavo sull'inquietudine, dinoccolato nei movimenti, arguto nelle risposte spiazzanti. A scuola decidevo io quando andare bene, quando l'argomento era da premiare. Maestro nell'arte di arrangiarmi, mi ero fatto crescere le basette, con pochi peli, utilizzando i capelli.

Il ginnasio era finito, intorno era in atto il terremoto. I passi dei miei amici parevano zampe in fuga da un recinto. Alzavano polvere, spostavano peso. Molti adesso si sedevano al banco con il casco in mano e grosse catene adatte alla sicurezza o alla rissa. Le voci e le battute si erano fatte più grevi. Avevano preso quella posa, quella del maschio che suggella l'avvenuta trasformazione, si tenevano le mani a covone sull'inguine e dondolavano. Il puzzo certe mattine era insopprimibile, aspro e virile. A ricreazione le femmine sciamavano verso banchi che accostavano, si sedevano lì sopra una sull'altra come tante anatre su uno stagno. Avevano una loro lingua e risate impenetrabili, erano tutte più truccate. Studiavo il lento movimento dei maschi verso quello stagno. La divisione genitale era compiuta. Partecipavo alle discussioni sessuali dei miei amici, curioso ma senza strumenti, come i portatori di handicap davanti alla corsa campestre.

C'è un momento in cui senti che un dolore sta per venirti incontro come un muro. È il momento in cui freni fino a bruciare i freni. Ogni tanto cercavo qualche immagine porno, mi suscitava una eccitazione confusa e un senso di sgradevolezza e di morte. Il mio odore mi ricordava quello dei fiori al cimitero. Mi facevo infinite docce. Era cominciato il diluvio delle radio libere, passavo i pomeriggi a telefonare, a chiedere pezzi misconosciuti, a dialogare con il fricchettone al microfono citando pensieri di Marcuse che avevo ricopiato su un quaderno. Non soffrivo affatto, anzi fu un buon limbo. Avevo un'idea di me piuttosto elastica, prendevo in prestito vite e idoli.

Non avevo un vero interesse per gli altri, scrutavo quelli che ritenevo più allettanti, rubavo un taglio di capelli, un tic. Mi mostravo gentile con tutti, pur vivendo al chiuso in una rachitica alterità che non mi consentiva né generosità, né spensieratezza, né tutte quelle qualità emotive indispensabili alle amicizie sincere tra ragazzi. All'incrocio me ne andavo verso il palazzo, la fame in fondo allo stomaco era un ammasso nero di pensieri. Il deserto della casa adesso mi piaceva, mangiare solo davanti al frigorifero aperto.

Era cominciato l'incubo che frenò a lungo la mia partecipazione al mondo. Durante una pezzentissima festa di Carnevale sotto un tendone a Prima Porta, una cassa dell'amplificazione esplose per un salto di corrente. Stavo per andarmene, non ballavo, non mi ero nemmeno mascherato perché temevo di sembrare un bambino, avevo giusto un manganello di plastica in mano e finti denti da vampiro che tenevo in tasca. Fuori pioveva a dirotto. Ero accanto all'amplificatore quando ci fu quel botto spaventoso. Credetti che un fulmine mi fosse caduto addosso. Feci un salto, mi piegai su me stesso. Traballai, sordo, folgorato, le mani sulle orecchie infuocate. Donna Summer urlava, il dj aveva le cuffie, le streghe e i cowboy continuavano imperterriti a ballare anche con una cassa bruciata.

Una faccia grigia e purulenta da zombie si era avvicinata a me, mi diceva qualcosa che non potevo sentire, mi sorreggeva per un braccio. Lottammo per raggiungere l'uscita sotto il telo gocciolante. Lo zombie si era spostato la maschera sulla testa e adesso il figlio del portiere stava lì accanto a me, con il suo volto asimmetrico piantato nella pioggia.

– Guido... Stai bene? Guido...

Mi stringevo i pugni sulle orecchie. Continuavo a scrollare la testa per scacciare l'eco di quell'esplosione che mi trivellava. Volevo piangere, e forse piangevo, chiamavo mia madre come da bambino, *mamma*. Caddi sull'asfalto, Costantino si piegò accanto a me. Ero così preoccupato di rimanere sordo per il resto della vita che non feci caso a lui. Mi mise una mano intorno alla spalla, continuava a parlare e io continuavo a non sentirlo. Ero stato catapultato dallo shock nella nera dimensione del terrore. Mi aggrappai al suo braccio come a quello di un estraneo che venga a soccorrerci sull'asfalto dopo un incidente.

Mi ritrovai per terra, abbracciato a quell'amico che s'era lasciato macerare dall'acqua accanto a me. Continuava a muovere le labbra, e adesso riuscivo a udirlo. Il mio orecchio era tornato a registrare i suoni intorno, nell'eco di quel boato che persisteva come un diapason fondo. La nausea saliva a onde grosse e nella pioggia tutto pulsava di uno strano battito cardiaco accelerato e dilatato. Ero un pesce moribondo, di quelli che sbattono il dorso nella risacca, me ne stavo lì accosciato tra le braccia di quello zombie che non sembrava temere le intemperie. In quella luce vacua vidi la faccia di Costantino, la sua bocca che si apriva e si chiudeva, si muoveva. La maschera in testa era ormai disfatta. La pioggia gli schiacciava i capelli, gli lavava il grosso viso, dalla bocca usciva il vapore di un fiato dall'odore buono, d'erba fresca. Una mano ghiaccia mi stringeva il viso, mi carezzava. Lo vidi chinarsi su di me, come se volesse resuscitarmi con il suo alito. La sua immagine s'avvicinava, poi tornava a sbavarsi, a perdere i contorni. Di colpo mi parve che avesse un solo occhio come il mosaico del guerriero acheo, e subito dopo molti occhi che roteavano e si moltiplicavano.

Poi tutto tornò nitido e vidi una sagoma viva ritagliata nel fondale liquido dove correvano ombre scomposte e urlanti. Costantino era lì, solido, immobile, non eravamo mai stati tanto vicini. Il suo sguardo era arrendevole e schietto, materno e virile. Adesso non era più un soccorritore estraneo, era lui. Volevo scacciarlo. Lo feci solo più tardi, quando bruscamente mi misi in piedi. Ma in mezzo ci fu una pausa, un tempo durante il quale non mi mossi affatto, e lucidamente guardai quel volto stupito, inondato di timida gioia, come se tutta la vita avesse atteso quell'attimo di confidenza e di bontà. Incredulo ascoltavo una voce sommersa che mi implorava di andare, mentre mi invogliava a restare. Era la mia voce? O la sua che si era impossessata di me attraverso quel fischio vorace che aveva sturato il silenzio? Quel volto mi appariva violentemente bello e familiare. Sarei tornato a pensare infinite volte a questa dolorosa epifania immersa nel profondo di un ultrasuono.

Tornammo in silenzio verso il nostro condominio, accoppiati per la prima volta, credo. Mi tenevo una mano sull'orecchio, ero certo di essermi fottuto un timpano. La pioggia era più sottile, un velo lucido ravvivava l'asfalto, figure travestite passavano, parrucche, manganelli di gomma, maschi con le trecce di lana. Ci raggiungevano urtandoci, aprendosi tra gli schiamazzi e richiudendosi come banchi di pesci colorati. Era ancora presto, andavano tutti nella stessa direzione, verso il centro, sembravamo gli unici controcorrente. Fu una passeggiata greve, trascinata solo dalla voglia di separarmi da tutto in fretta. Costantino s'era rinfilato la sua maschera da zombie. Lo lasciai lì, davanti alle scale dove il muschio cresceva nell'intonaco, con quella faccia assurda.

Il terrore di restare sordo occupò interamente i miei pensieri, imbavagliò i miei gesti. Ricominciai a sentire tutte le frequenze, ma il fischio rimase. Il mio udito si era dilatato, come se l'incidente avesse divelto una porta, i cui cardini arrugginiti erano aggrappati al mio stesso orecchio. Oltre questa porta cigolante s'apriva uno spazio iperboreo dove i suoni arrivavano vergini, acuti, terribili. Un tale disagio cominciò ad allontanarmi dal mondo. Mia madre mi portò da un otorino, e in seguito da un luminare amico di mio padre. Non c'erano lesioni, il timpano era integro. Mi fu tolto il tappo di cerume, un grumo nero e liquoroso colò lungo il mio collo. Stetti bene per poche ore. L'ingresso meno ostruito sembrava allettare ancor più il fischio, che s'infilava come un'ambulanza a sirene spiegate in un tunnel.

Cominciai a limitarmi nelle uscite, a monitorare i luoghi chiassosi. Temevo un'esplosione interna. Il fratello di papà era morto per un aneurisma, aspettavo in silenzio la replica. Avevo sedici anni ma ero già in grado d'interrogarmi sul senso profondo della mia vita. Mi guardavo allo specchio e accettavo la condanna, guardavo il mio cadavere da vivo, il lungo fiume delle cose che mi aspettavano e che mai avrei raggiunto. Non avrei mai avuto una famiglia, una casa mia, non avrei mai gettato il mio progetto nel mondo. In pochi mesi ero cresciuto violentemente. La testa mozza del mio destino rotolava alle mie spalle, nel deserto di visi e di luoghi. Sollevavo una lancia spezzata, lanciandola lontano in quella eternità dove tutte le cose si ripetono, ognuna con il proprio valore, il proprio labirinto di dolore. I giorni mi passavano accanto e io ero come una statua greca, un giovane Apollo che s'innalza sopra le sofferenze dei mortali, abbracciavo la fredda materia che sigillava la mia ipotesi di vita.

Avevamo cominciato lo studio della filosofia. Il principio delle cose, l'acqua, l'aria, il divenire. La sostanza e il fine. Il pensiero fu una cura, riuscivo ad assentarmi. Eraclito si era lasciato sbranare dai cani, io da un'aragosta agonizzante. Quel suono inudibile agli umani ormai era quanto di più vero esistesse in me. Chiudevo i libri nell'elastico, mi vestivo, entravo in classe. Un cono buio cadeva dall'alto sul mio banco. Il fischio colava soffice dalla mia testa come sabbia in una clessidra. I nervi che schizzavano erano elastici rotti. Mi riempii di tic, arricciavo il naso, strizzavo gli occhi. Anche il mio aspetto mutava, andavo a letto semivestito, uscivo con il giubbotto sulla maglietta gualcita, ero diventato più scostante. Ognuno aveva le sue storture in quell'età di bordura, così nessuno in classe faceva caso al mio degrado. Erano i virulenti anni delle gambizzazioni, degli zingari felici. Mi tenni un passo indietro, temevo gli eccessi acustici, le sirene, gli altoparlanti.

Ad aprile andavo ancora malissimo in greco, ero antipatico all'insegnante d'inglese e in fisica cominciavo a rotolare. Una triplice alleanza era un rischio grosso. Mia madre ai colloqui parlava ai professori del mio sviluppo ritardato. Mi dava fastidio che spifferasse con quella sua faccia di velo bianco la mia minorità. Ero diventato più volgare. Un tardo pomeriggio entrai in una chiesa, mi piazzai davanti all'altare soltanto per bestemmiare. Le mani sull'uccello. Un intero rosario.

Il cambiamento ormonale avvenne in questo squilibrio, finalmente il corpo spigò, il naso crebbe affossando gli occhi. I capelli divennero un cespuglio opaco. Vidi il mio sperma per la prima volta e non mi sembrò così diverso dalla cera liquida d'una candela. Cominciai a bere. Vino rubato a mio padre, che aprivo sul letto con il coltellino svizzero. Mi stordivo e la risacca alcolica macinava tutto insieme, rumore interno e rutilante compagnia. Finalmente mi addormentavo. Nel cuore della notte mi svegliavo con un salto convinto di precipitare, l'aragosta mi accompagnava nel baratro. Facevo fatica a studiare, il pallore sembrava esplodere da dentro, da un cuore sempre più svogliato e anemico. Anche gli occhi si erano fatti più opachi. Conobbi la vera tristezza. Conobbi il corpo come un nemico che poteva contenere nemici, orde di guerrieri che affilavano le loro armi dentro il mio padiglione. Dopo sei mesi di quella storia ero un barbone di sedici anni.

Ci furono avvicinamenti, sensazioni, presagi? Non riesco a ricordare niente con esattezza. Quel fischio mi allontanava dal mondo e io vagavo in uno spazio intimo, doloroso. Adesso forse posso dire che fu un sintomo per affossare altro. Adesso posso dire molte cose che mai pensai quando semplicemente vivevo.

C'era assemblea quel giorno, me ne tornavo a casa. Costantino ritardò il passo, mi aspettò. Non l'avevo più visto fuori da scuola. Mi dava fastidio, la sua presenza sollecitava quel disturbo che ormai si accompagnava a me come un coro di barattoli a un lebbroso. La sua stupida faccia mi fissava.

– Oggi ho la partita.

Stava mangiando il suo panino con la frittata, ne strappò un pezzo e me lo offrì.

– Non l'ho toccato con la bocca.

La mano gli tremava. Addentai il panino, la frittata, ingoiai per strozzarmi. Sorrise.

– Avevi fame...

Non avevo fame, a casa non avrei mangiato nulla.

– Vieni?

– Dove?

– Ci serve il tifo.

Mi ritrovai senza sapere come e perché sotto quella bolla di plastica, pesante di vapore caldo e cloro. Sudavo nel pullover. Costantino s'era tolto l'accappatoio e saltellava in costume, si scioglieva i muscoli. S'infilò la calotta con i paraorecchie, gli occhialetti, entrò in acqua senza uno schizzo, fece una vasca a delfino, alzò un braccio per salutarmi. I giocatori si schierarono a semicerchio, cominciò la partita. Costantino era centroboa, forte davvero, camminava nell'acqua a forbice, quel corpo grosso pareva galleggiante e quasi nessuno riusciva a buttarlo sotto. C'era un rumore infernale. Due ragazze accanto a me urlavano come forsennate, a ogni azione offensiva applaudivano e battevano i piedi. Per un po' mi tenni le mani sulle orecchie, ma poi mollai, iniziai a seguire il gioco. Non conoscevo le regole, capii che non si poteva tirare con due mani né trattenere la palla sott'acqua. Mi tolsi il pullover, allungai le gambe. Cominciavo a divertirmi, ad arrabbiarmi.

Gli sfidanti appartenevano a un club di periferia, ragazzi massicci, veri e propri gladiatori acquatici, tatuaggi cattivi sulle braccia, sulla schiena, camminavano a pelo d'acqua come alligatori, i corpi unti scivolavano via, guizzavano fuori di colpo con sciabolate di reni, menavano ceffoni sull'acqua per smarcarsi dagli avversari, e sotto l'acqua scorrettezze d'ogni tipo. L'arbitro fischiava, la ragazza accanto a me chiedeva l'espulsione per brutalità del centrovasca. Costantino affondò due reti, ma la squadra perse, fu umiliata da un distacco enorme. M'ero messo a fare il tifo. Avevo voglia di sputargli in testa a quei cazzi tatuati, ero pieno di rabbia. Mi ritrovai in piedi accanto alle ragazze, due dita in bocca, fischiavo. Per due ore non avevo pensato ai miei problemi.

Costantino era uscito dall'acqua e s'era messo seduto su una sedia di plastica, non s'era nemmeno asciugato, la testa bassa tra le mani. Gli altri infilavano gli accappatoi, le ciabatte, camminavano verso gli spogliatoi. Lui non si muoveva. Mi avvicinai per salutarlo.

– Oh, io me ne vado.

Non si spostava, non alzava la faccia. Sembrava un muro.

– Che c'hai?

Se ne stava lì, come un grosso rospo palpitante. Un attimo dopo lo vidi saltare dalla sedia e avvinghiarsi a due gambe pelose che gli si erano avvicinate troppo. Il cristo che lo marcava nell'acqua fuori vasca faceva ancora più paura, s'era tolto la calotta e sotto aveva un cranio venoso, spruzzava muco e acqua dalle froge. Costantino era riuscito a buttarlo a terra. Cominciarono a lottare con una violenza inaudita, come alligatori sul greto di un fiume. Costantino era più agile, sembrava avere mille tentacoli, urlava.

– Ripeti quello che hai detto!

– Io non ho detto un cazzo...

– Meglio così.

Costantino mollò la presa, il colosso tatuato si riprese la ciabatta che galleggiava in piscina, fece due passi, sputò. Disse qualcosa che non riuscii a udire e subito dopo rise di gusto. Costantino gli andò incontro con le mani alzate della resa, scherzò un po' con lui. Poi di colpo, dal nulla, frustò il collo e tirò una testata fortissima. Il marcatore barcollò, inciampò indietro, cadde in acqua. Riaffiorò con una mano sul naso dove cominciava a scendere il sangue.

– Ma che sei matto?

Si guardava intorno sfocato, avvilito, un birillo ammaccato.

– Ma questo è matto, è matto...

Lo aspettai fuori, Costantino uscì profumato di doccia e cloro, con la testa bagnata e le gocce che gli colavano nella camicia. C'era freddo, gli dissi che si sarebbe preso un accidente, scosse le spalle.

– Io non m'ammalo mai.

Era vero, non ricordavo d'aver mai visto il suo banco vuoto. Parlammo della rissa, ero eccitato, non immaginavo che potesse essere così violento. Nei suoi occhi brillava qualcosa di selvatico, il residuo di quel pasto di sangue.

– Potevi ammazzarlo...

– Sì, potevo.

Gli camminavo accanto. Quella violenza aveva suscitato in me un'onda di piacere.

– Che t'aveva detto quello?

– Lascia stare.

Immaginavo qualcosa di truce.

– E dài...

– M'ha detto di succhiargli il cazzo.

Scoppiammo a ridere, piegati su noi stessi. Camminammo un po', a un certo punto si fermò. Tirò fuori lo Zippo dalla tasca, accese la fiamma, poi la spense soffiando forte.

– È il mio compleanno.

Allargai le braccia e gli battei forte le mani sulle spalle. Si lasciò stringere, inerte come un sacco.

– Auguri.

Decidemmo di andare al cinema. Contavamo di vedere *Lo squalo*, ma non c'era nemmeno un buco in prima fila. Camminammo fino a un altro cinema, guardammo i manifesti, entrammo solo perché faceva freddo. Una sala scadente con sedie di legno rumorose e poche persone che fumavano. Non sapevamo niente di quel film e all'inizio ci sembrò lento e l'attore irritante. Poi alzammo le ginocchia sulle sedie davanti e sprofondammo nella visione. Uscimmo in silenzio, rovesciati dentro. E per un pezzo non riuscimmo nemmeno a organizzare il movimento dei pensieri, che erano tanti e inusuali, come dopo una rivoluzione. La diversità, la condanna della società, la rivolta... parlammo di tutte quelle cose insieme, e fu la nostra prima conversazione culturale. C'era qualcosa di noi in quel nido del cuculo, una vita che non avevamo vissuto e che pure sembrava appartenerci. Fu davvero un elettroshock. Non la smettevo di parlare, ero io l'intellettuale. Ma tutte le mie parole non riuscivano a toccare la verità di quello che sentivo. Pensavo a quell'uomo lobotomizzato... al mio cranio... a quella testata che Costantino aveva tirato in piscina. Mi sentivo emotivamente resuscitato. Costantino taceva come un finto muto, bagnato di lirismo e di dolore. Io ero Randle, lui era Grande Capo. Aveva quella forza lì, di uno che può staccare un lavandino dal muro e spaccare un vetro per fuggire dalla menzogna.

E venne un altro inverno, e noi fummo cresciuti ragazzi in cerca di quella poca gloria che la città offriva. Invece della pagella ricevemmo la nostra prima scheda di valutazione. Molta gente all'improvviso dichiarava di aver avvistato gli Ufo, in ogni parte del mondo. Anche John Lennon aveva ricevuto la visita degli alieni umanoidi. Camminavo sospeso in attesa che un disco volante si fermasse ai miei piedi per portarmi in un superiore mondo meduseo, senza sentimenti, senza l'inutile fragore delle emozioni. Costantino aveva cominciato a fumare. Aspirava nicotina con i suoi grossi polmoni da pallanuotista.

Adesso avevo un motorino, ogni tanto accompagnavo a casa una ragazza, la mollavo a destinazione come un pacco di posta celere.

Scoprii che ero piuttosto corteggiato, che il disprezzo aveva la fila allo sportello. Avevo ereditato l'autismo emotivo che caratterizzava i maschi della mia famiglia. Questa ritrosia fece di me una sorta di mito locale, che io accrebbi con citazioni a effetto e un cappotto napoleonico appartenuto a mio zio. Mi disegnavo sul mio ennesimo diario Vitt come un giacobino, i capelli incollati al viso, neri tagli del destino. Puzzavo. La mia igiene personale adesso era pessima. Mi sanguinavano le gengive e il fischio continuava a mitragliarmi alle spalle.

Così mi formavo. Un'accozzaglia di spinte e repulsioni. Visto da un gradino appena superiore, appena qualche anno lontano da quell'età, vedo un patetico ragazzo, un fantomatico uomo.

Quando Moro fu rapito, un boato di giubilo si sollevò dai cessi profumati di marijuana. Poi quella telefonata registrata, che mio padre ascoltò non so quante volte con le spalle sempre più curve, quell'opaco gerundio, *eseguendo la sentenza*. La prof di lettere ci mise davanti un foglio protocollo da riempire. Pochi giorni più tardi partimmo per la gita di fine anno.

Ormai eravamo un gruppo collaudato, con i suoi psicopatici, i suoi leader, i suoi gregari, una massoneria di buffi ceffi che si proteggono dall'interno. Robertino stava dall'altra parte, lo sapevano tutti. A turno si era innamorato di quasi tutti i maschi della classe. Era mediamente maltrattato, ma solo perché petulava. Non ricordo nessuna vera cattiveria. Eravamo rudi, diretti: partiva un pugno e piangevi, partiva una scoreggia e ridevi. Una bella classe, dinamica, colta. Con metodo.

Una Grecia surreale, piovosa e sporca. Atene colava. La salita con gli ombrelli verso l'Acropoli, le fotografie davanti al tempio di Athena Parthénos con le femmine abbracciate e le corna dei maschi dementi dietro alle loro teste. La professoressa d'arte che tenta la sua lezione sulla pietra del monte Pentelico mentre ci sfondiamo di battutacce davanti ai cazzi minuscoli del classicismo dorico. Avanziamo compatti come l'esercito ateniese.

Ma poi ognuno cerca un posto alla luce davanti a quel tempio gocciolante, e alla fine facciamo anche discorsi seri, filosofiamo sotto quelle colonne. Mio zio mi ha fatto una delle sue lezioni sulle metope di Fidia, piazzo un paio delle mie sorprendenti rivelazioni sulle vene pronunciate nelle centauromachie degli altorilievi.

La sera si parte con il tamburo sul tavolo durante la cena, poi si va avanti nella notte, passando da una camera all'altra. Balletti in mutande, gente nuda appesa ai cornicioni, canne come candele in chiesa. Suono la chitarra, alla cazzo di cane ma simulo da dio sotto il bercio dei cori, *extraterrestre portami via, voglio una stella che sia tutta mia... extraterrestre vienimi a cercare, voglio un pianeta su cui ricominciare*. Anche le femmine fidanzate si lasciarono stendere.

Ma il meglio era divertirsi tra maschi, scoreggiare, ruttare, disarcionare uno scaldabagno. Non ricordo di aver mai riso tanto. Al mattino avevamo ancora i muscoli contratti dallo sganascio. Mai stanchi, neppure provato a dormire, il gel in testa, le magliette scambiate, gli occhiali da sole e via fuori sotto la buriana della Grecia più insolita della storia, uno scolo perenne. Lì ho imparato che il tempo meteorologico non influisce affatto sull'umore dei ragazzi felici. Le mani in tasca, le spalle nei giubbotti. Maschi di diciassette, diciotto anni. Un gruppo invincibile, non perché lo fossimo di solito, ma perché scoprimmo lì di esserlo. Un'iperbole che non smise di stupirci. Ogni tristezza sfanculò, ogni bellezza aggallò. In quella settimana che rimase la più bella della nostra vita.

L'ultimo giorno venne il sole. Sparpagliò le nubi, scacciò i piovaschi. Ci buttammo nel mare freddo, nudi, arrangiati, qualcuno ancora con i jeans e la cintura. C'era uno di quei baracchini sulla spiaggia, un ristoro chiuso, di tavole azzurre e stinte in quel maggio in attesa dell'estate. Appeso a una catenella ballava un cartello VENDESI punteggiato di ammaccature arrugginite, usato come bersaglio per sassate. Anche noi facemmo una gara di lancio di sassi al tramonto contro quella latta con la scritta in greco e sotto in tedesco, ZU VERKAUFEN. Aldo passò una canna ma Costantino non tirò, fece una specie di scultura con i sassi.

Eravamo stesi sulla spiaggia, i capelli rappresi di sale, la pancia che respirava. C'era la luce del dopopioggia, un aldilà arancione pieno di venature, Costantino sembrava fatto di bronzo lucente.

– Io me lo comprerei.

Non risposi, non sapevo nemmeno cosa dicesse, boh.

– Io ci vivrei, qui.

– A fare cosa?

– A cucinare per i turisti, a pescare, a non fare un cazzo.

Avremmo potuto comprare quel bar per due lire, riattarlo, restare lì a tagliare pomodori e feta, a spargere origano sui piatti dei tedeschi. Noi e gli altri, chi voleva restare... una specie di comune. Disse che Roma gli faceva schifo, che quel palazzo era un carcere e un obitorio, disse cose che non aveva mai detto. Aveva occhi che non aveva mai avuto.

Più tardi si aggirava con il viso impiastricciato di marmellata, quella della prima colazione, se l'era messa come schiuma da barba, e Robertino voleva dargli una leccata, e Costantino gli diceva *lecca 'sto cazzo*, e tutti ridevano come ciclopi. Il giorno dopo si partiva e c'era già quel dolore oscuro, la voglia di abbattere ogni pensiero di ritorno, di nave indietro. Terrorizzati alla sola idea di deporre le armi, continuavamo a colpirci con gli asciugamani bagnati. Di colpo sembrava che avessimo perso la battaglia. Le borse sfrante, boli di roba usata, jeans chiari anneriti, puzza di scarpe da fossa. Eravamo parecchi nella camera comune a cinque di noi, si faceva la fila per la doccia, c'era acqua dappertutto. Costantino aveva un vecchio accappatoio con lo stemma della piscina, corto di anni e senza laccio. Corpi che cozzavano... chiazze di piedi e teste bagnate sui cuscini. Un registratore acceso sul letto mandava Ivan Graziani, *e sei così scema che più scema non c'è, ma sei così bella che per te morirò*... Cantammo tutti contro tutti. Facemmo un lento tra maschi, muovendoci come finocchi, passandoci la scopa che in realtà era una stecca della tenda. La testa di Costantino gocciava sulla mia spalla, continuava a ridere, a grufolare con il suo naso schiacciato da pallanuotista, da pesce, sempre chiuso. Cademmo sui letti, precipitammo a turno ridendo. Francone Bormia lanciò l'ultimatum, *spariamoci una sega collettiva prima di cena, vediamo chi becca il lampadario*. S'aggrappò alla spugna, rosa dal cloro, di Costantino, lo tirò giù. L'accappatoio s'aprì. E non sapevo come fosse fatto e guardai quel manganello tra i peli. Erano già tutti con l'uccello in mano, pazzi di gioia. E *tu ce l'hai storto*, e *tu ce l'hai barzotto*, e *chiamate Robertino*... Latrati di risate folli, su distese di effervescenti oscenità. Costantino rotolò fuori dal mucchio, coprendosi davanti.

– Basta, fuori dalla nostra camera, avete rotto il cazzo, fate schifo.

Scendemmo per cena, per mangiare l'ultima moussakà con l'acido alla gola, spruzzando le ultime stille di stronzate. Ma ormai la tristezza s'ingrossava insieme al mare, l'indomani in nave avremmo vomitato. Le femmine avevano richiuso le cosce, erano tutte con la febbre, strette nei maglioni, un po' pentite, alcune mezze innamorate. Odore di casa, di ritorno, di disgraziati pensieri sul futuro. Eravamo come fuochi d'artificio bagnati, starnuti di zolfo in rovina.

Facemmo una passeggiata notturna, qualcuno si perse. I professori sembravano reduci, i capelli di quella di greco parevano un avvoltoio morto sul cranio. Erano già tornati quelli di prima, pavidi e deprimenti.

Ci rifugiammo in camera, nessuno aveva ancora raccolto niente, camminammo su quella discarica di indumenti. Lanciammo un phon dalla finestra, fu l'ultimo scherzo, ci passammo l'ultima bottiglia di ouzo in quel fuoco bagnato. Nella camera accanto qualcuno si dava ancora da fare. Probabilmente Veronica, che sarebbe diventata una giornalista sportiva, di quelle con il microfono e i piedi nel freddo davanti ai campi di calcio. Aveva una resistenza marziale. Poi rimase solo il vasto fragore del mare. Sembrava fosse dentro la camera, il mare. Solo una luce, quella di un faro che beccheggiava sulle schiume da uno scoglio lontano. Costantino si era fatto la borsa, era l'unico.

– Non dormi?

Si muoveva piano, come un calabrone prigioniero nel buio. Cadde qualcosa, la sveglia di qualcuno che prese a trillare. Ci ritrovammo carponi a ridere sottovoce, non riuscivamo a zittirla. Ci stendemmo sul letto, intorno c'era quel dormitorio, un olezzo caldo di respiri pesanti, di sogni scontrosi. I corpi nudi nei lenzuoli sembravano tante diverse deposizioni. Chi di noi avrebbe retto alla vita? Il mare che sbatteva sotto la finestra ripeteva all'infinito la malinconia di quella vacanza finita, quando le cose, tutte le cose paiono salutarti e dirti *mai più sarai qui così, con queste sculture umane intorno, questo sentimento nel cuore.*

Costantino nel buio divenne loquace, inanellava pensieri uno dietro l'altro, con quella voce corposa poco adatta al sussurro. La sua pancia nuda si muoveva appresso a quella parlantina allucinata. Cominciò a raccontarmi di quando da piccolo lo mandavano in colonia con le suore e quelle lo menavano, andando verso il mare gli facevano cantare *faccetta nera bell'abissina*... Sembrava volermi raccontare tutta la vita che io non avevo visto. Aveva paura che potessi distrarmi, cedere al sonno. Ma anch'io non potevo più dormire e dopo un po' provavo il suo stesso timore di restare solo, l'unico sveglio in quel mare di corpi sognanti. Così per un pezzo restammo sospesi sul ciglio del sonno nel timore di essere abbandonati uno dall'altro. Ma più il tempo passava più era chiaro che avremmo trascorso la notte svegli. Pianificammo un lungo viaggio con l'interrail, Berlino, Amsterdam...

Era quasi l'ora della luce quando chiudemmo gli occhi, dalle finestre cominciava a entrare l'aria più fredda.

Sul traghetto non parlammo, uno da una parte, uno dall'altra. Io a sentire i Pink Floyd dal registratore di Aldo, lui tra le femmine a guardare polaroid. Fin dal mattino c'eravamo ignorati, in camera e poi nella hall in mezzo al casino dei bagagli. Forse lui mi guardava, cercava la mia schiena aspettando che mi voltassi. Di sicuro io non cercavo lui. Che cazzo voleva da me.

Sul ponte qualcuno cantava, volevano che io prendessi la chitarra, ma avevo lo stomaco nelle orecchie e feci di no con la testa. Sembravamo bestiame che va al macello, gli ultimi colpi di coda per scacciare gli ultimi moscerini. L'umorismo fiacco, da camomilla. Battute volavano come uccelli marci che nessuno raccoglieva. Gli occhiali da sole scuri, la nausea del mare, di quelle onde come tende scure gonfie di vento, quella sensazione assurda di rabbia e di disagio che non se ne andava.

La casa mi fece orrore, avevo assaggiato la libertà e volevo andarmene, ero un uomo. Svuotai la borsa per terra, la domestica fece la lavatrice, mi buttai a letto. Rimasi tutto il giorno successivo di un umore strano, sospeso ma concentrato come uno che cammina sul filo e deve arrivare dall'altra parte. Pezzi luminescenti di quella gloriosa settimana formavano sempre nuovi disegni come in quei tubi di cartone con i vetrini colorati dentro. Mi mancavano i miei amici, mi mancavano tutti, ma non feci nessuna telefonata. Rimasi lì, in posizione fetale, assorto in un dolore assoluto. Che senso avrebbe avuto parlarsi in un filo, ricordarsi il paradiso? Da allora ho sempre temuto i ricordi. Sono fuggito milioni di volte, non ho mai avuto care abitudini, così da non doverle rimpiangere. Perché da quel giorno niente mi sembra più atroce di un ricordo magnifico.

Guardavo il soffitto dell'infanzia, mi sentivo aggredito dentro, nei nervi, nei muscoli. Rivedevo le singole imprese, quell'armonia senza tregua, il climax di noi tutti insieme, un unico corpo erogeno. Avevo fatto un salto in avanti, ero un altro. Come sarei potuto tornare indietro alla vita di prima?

Mia madre venne ad accarezzarmi, per la prima volta non provai alcun sollievo. Avevo assaggiato la vita, la sua pienezza, il suo scompiglio. Adesso avevo un parametro, una vetta raggiunta, avrei dato tutto me stesso per tornare davanti a quella vertigine.

Costantino mi aveva fatto una sega. Gli altri dormivano da un pezzo e noi attraversavamo la soglia. Spumeggiava ancora nel pensiero quel gioco di gruppo... tutti quei maschi sul letto, a ridere, a menarselo. E tutto quel parlare e bisbigliare altro non era che inquietudine, allungare la notte affinché le cose così com'erano ordinate scomparissero e un nuovo ordine arrivasse alla soglia dell'alba, un luogo nel quale entrare furtivi. Chiusi gli occhi in quella fessura tra il buio e la luce, una sacca soffice, silenziosa, dove ogni materia sembrava inerte. La sua mano era lì accanto. La sua calda, tozza mano di servo. La notte finiva. La nostra ultima notte da pirati.

La sua mano si posò sul mio ventre teso, una lastra pulsante di muscoli e sangue. Da poco non parlavamo più. Feci finta di dormire. Respirai, svuotai i polmoni, e quello fu il segnale. Scivolò verso il mio sesso. Sentii il caldo della sua mano. Era quello che facevo da solo quando non riuscivo a dormire. La sua mano era liscia come farina. E non timida. Non era la mia mano, era un'altra storia. La stessa dolcezza, lo stesso vigore di quando arrotolava il tubo dell'acqua in cortile. Faticai per non tossire, per non respirare troppo forte.

Sentii quel gesto come se cadesse dall'alto, da quel mosaico che io avevo buttato e lui aveva raccolto e composto per me. Quell'acheo senza un occhio. Quell'orbita vuota che ora ci guardava da molto lontano. Sentii che tratteneva il respiro con un rutto interno. Era più lento di me, e qualcosa m'insegnò, come se ci fossimo scambiati i membri, sembrava conoscermi. Gemevo e rabbrividivo. Il cuore compresso nei polmoni. Nel filare delle ciglia socchiuse vidi la sua erezione. Per tutta la sera non avevo mai smesso di pensare al suo accappatoio aperto.

Restammo così, armati nel buio, come due guerrieri trafitti. Mi ritirai dalla mia parte con un respiro forte, di pietra che deve scendere. Quando venne la luce gli guardai la nuca e i capelli attaccati lì sopra. Pensai che mi sarebbe piaciuto continuare a vivere con gli occhi chiusi e la sua mano che si muoveva mentre fingevo di dormire.

Non lo degnai d'uno sguardo, gli lanciai una delle sue scarpe rimaste sotto il letto, mi misi gli occhiali da sole, gli voltai le spalle. E se per un attimo i nostri occhi si sfiorarono, provai rigetto verso quello sguardo pettinato di dolcezza, come quello di una fidanzata il giorno dopo. Mi aveva fatto una sega, e allora? Avevo provato un'altra mano, e allora? Molti dei maschi si toccavano l'uccello insieme agli altri, se lo fotografavano con la polaroid grosso e sporco.

Non tornai a scuola il lunedì. Ugualmente mi alzai alle sette e attesi che Costantino passasse nel cortile. Puntuale lo vidi, con i suoi libri, la sua borsa da nuoto. Non guardò in alto, tirò dritto.

La sua gentilezza adesso mi dava sui nervi, gli passavo accanto con la voglia di spingerlo, di dargli una spallata. Non gli avevo più rivolto la parola, se non malamente. Sentiva che gli ero ostile. Se ne stava lì, seduto al solito posto, con quel pezzo di schiena scoperta, le sue smagliature, immobile come un insetto mimetico. Il suo collo al massimo faceva una leggera torsione come se non avesse il coraggio di voltarsi, d'incontrare i miei occhi. Mettevo la pila dei libri sul banco per non vedere quel pezzo di testa di caprone rasato.

Era cresciuto dai preti, nel loro centro ricreativo, non c'era domenica che prima di pranzo non succhiasse l'ostia benedetta accanto ai suoi familiari, mi sembrava che avesse addosso quella ipocrita farina, la luce fioca di una gentilezza piena di spavento. Avevo voglia di sputtanarlo, di raccontare a tutti che sotto quel corpo massiccio, quell'aria virile, si nascondeva un pipparolo, un finocchio cresciuto all'ombra dei preti. Era lì che dovevano averlo istruito, in sagrestia. La mia era una famiglia atea, mio zio era un mangiapreti convinto. Gente limpida, illuminata. Perché gli avevo concesso una cosa simile? Il fischio trivellava un odio antico. Lo detestavo, l'avevo sempre detestato, una di quelle persone che ti restano tra i piedi, che da qualche parte ti seguono.

Una ragazza grassa lo aspettava davanti alla scuola, capelli crespi, una maglietta rosa con i brillantini. Era un tipo manesco, lo spingeva, gli strappava le cicche dalla bocca, lui rideva ma si capiva che era scocciato. Una sera li vidi contro il muro, nella galleria accanto al mercato ortofrutticolo imbrattata di scritte e di affissioni abusive. Non mi ero accorto che erano due che conoscevo, che era lui. Costantino la teneva per i fianchi, le era addosso come un sacco. Non mi sembrarono così diversi da due cani.

Mi feci un cane. Non lo comprai, lo trovai. Lo portai su in casa. Nessuno osò dire nulla. Mio padre aveva avuto un labrador, ma era già vecchio quando io ero nato. Avevo desiderato un cucciolo per tutta l'infanzia, e adesso che guardavo quel muso da finto spinone senza trarne alcuna gioia ce lo avevo. Me ne occupavo con maniacalità. Un giorno d'estate, mentre lo portavo a cagare sul lungofiume, Costantino si affiancò a noi. Si accucciò, si mise a carezzare il cane, a farsi leccare le mani e la faccia e il cane sembrò apprezzarlo. Ci mettemmo a parlare, era innamorato dei cani, disse, al paese suo nonno ne aveva sette, da caccia. Pensai a quelle gabbie dove tengono i cani nei paesi, a quell'abbaiare costante, a quelle fughe ululanti nella nebbia dell'alba. Pensai che eravamo diversi e che doveva lasciarmi in pace. Ci appoggiammo al muretto. Mi disse di quella ragazza, mi disse che aveva scopato. Restammo a guardare quei flutti color zolfo, i suoi detriti di legno e lamiere. Una lavatrice si ergeva immobile nel fango, un occhio arrugginito finito lì sotto da qualche Capodanno.

– Comunque ci siamo lasciati.

– Perché?

– Era una troia.

Sentii il fuoco dentro, colava dalla testa ai piedi come lava gorgogliante. Mi voltai a fissarlo stravolto, pieno di gioia. Esaltato da quella parola laida ed eccitante. Avevo voglia di farmi raccontare molto di più. Di nuovo mi sentii vicino a lui, partecipe di quel codice maschile, insultante, meraviglioso. Il garbuglio delle mie viscere gemeva di una soddisfazione profonda, guardavo Costantino inebriato da un capogiro sessuale.

– Una troia?

– Una grossa troia.

Attraversammo un altro inverno, l'ultimo di quella classe. Il cane sparì, la domestica lasciò la porta aperta. Lo cercai per giorni, poi mi arresi. Temevo che fosse finito male. Sapevo che i ragazzi della marana si divertivano a seviziare animali. Una volta avevo visto il figlio del garagista con un sacchetto di nylon gonfio d'acqua e un gatto vivo chiuso lì dentro che tirava le cuoia.

Ci lanciammo bustate d'acqua addosso per strada, sputtanammo montagne di uova. Organizzammo la festa di fine anno in un garage. Ero triste e non avrei saputo dire perché. Ormai sapevo di appartenere a quel tipo di persone che scivolano facilmente oltre la forza gravitazionale e nulla e nessuno riesce a trattenerle. Staccano la spina e basta. Mentre aspettavo la metropolitana avevo avuto paura di me stesso, mi ero allontanato dai binari. Di fatto ero stressato come un cane di quelli che alzano la gamba di continuo per segnare un territorio troppo aperto, infestato da troppi cani. M'ero fatto la doccia, vestito al meglio: maglietta rossa sotto una giacca di velluto chiazzata a varechina. M'ero riempito di alcolici, fino a sentirmi un viscido serpente. M'ero scatenato in mezz'ora di rock, mi piaceva ballare da solo, interpretare. Ubriaco e mezzo sordo ero un fenomeno. Se catturavo una ragazza era tanto per trascinarla un po', mi piaceva dare spettacolo di me stesso a me stesso. Gli altri erano solo uno specchio.

Costantino sembrava un vecchio, quella sera, indossava un blazer come Peppino Di Capri. Mi era passato davanti aggrappato a qualcuna nei lenti. Anche se si muoveva pochissimo aveva ritmo, spostava il peso mollemente da una chiappa all'altra. Lo avevo visto scherzare e fumare.

– Oh, che c'hai una sigaretta?

Mi sedetti accanto a lui e fumai. Stavo sudando, gli occhi vitrei di canne, di porcaio alcolico. Aprii la bocca per liberare le mandibole da una morsa.

Una ragazza passò, Delfina, mi strofinò i capelli, si prese la mia faccia tra le mani, mi baciò sulla bocca torcendomi il collo.

– Ciccio, come stai?

– A pezzi.

Era passata a sedersi sulle mie ginocchia, a bere un po' dal mio bicchiere. Mi piaceva, una di quelle facce candide e disperate che sapevano scalfirmi. L'avevo guardata ballare, allungare le braccia nude come rami invernali. Cominciai a coccolarla, le avevo scostato una bretella del reggiseno e le avevo baciato le ossa bianche sotto la pelle bluastra.

Costantino non sembrava farci caso, guardava giù nel suo bicchiere. Pensava, o forse moriva come uno di quei grossi pesci che affiorano da mari lontani su una spiaggia affollata. Pesci che hanno sbagliato qualcosa durante la traversata, sono usciti dal branco attratti da una luce, da un anemone sul fondo, e quando hanno desiderato tornare era troppo tardi, hanno vagato nel silenzio e nel buio inseguendo l'eco di un movimento lontano.

Aveva cominciato a muovere la gamba, forse nemmeno se ne accorgeva. La sua coscia dura tremava accanto alla mia. Era un tic, lo faceva anche a scuola, metteva ansia, dava fastidio.

Lasciai andare la bretella elastica di Delfina, sapevo di farle male. Il suo collo si piegò, la sua pelle frustata rabbrividì. Le andava a genio quel gioco di piccole carezze e allettanti ferite. S'avvicinò al mio orecchio con la bocca aperta, e non mi andava che mi mordesse lì, dov'ero debole. Le strinsi la vita, davvero piccola, davvero ossuta, passai il pollice lungo la sua spina dorsale, le tolsi i capelli dalla spalla, tirai fuori la lingua e le diedi una leccata sulla cicatrice dell'antivaiolo. Poteva sembrare chissà che, l'inizio di qualcosa, ma in realtà ero un sollecitatore erotico senza alcuna volontà di andare oltre la simulazione. La gamba di Costantino tremava come se tenesse il ritmo, era completamente staccata da lui, da tutto.

Lasciai andare Delfina, le diedi un colpetto sul sedere, mi ripresi il mio bicchiere, *ci vediamo*, si alzò e si inabissò.

Costantino guardava in quel fango di corpi, di moti, quella festa che adesso pareva così lontana da lui... il pesce che avvista la spiaggia notturna, la luce in superficie, e troppo tardi s'accorge che l'acqua è poca, che il mare non è infinito.

Guardai quella gamba che ballava nervosa, sfogatoio di tutte le sue ansie, di tutte le sue frustrazioni di ragazzo. Allungai un braccio, misi una mano su quella gamba, la tenni con forza.

– Stai fermo.

Gliela strinsi, conficcai le dita nel suo muscolo teso.

– Fermati.

Rimasi a sentire quel muscolo che lentamente si quietava sotto la mia mano come una groppa domata. Mossi le dita, uno strofinio simile a una carezza. Sospirai forte, fino in fondo. Per dirgli qualcosa, non so cosa.

Va bene, volevo dirgli, *vedrai andrà bene per entrambi, cresceremo e un giorno saremo grandi e più sicuri di noi, assomiglieremo alla nostra gente, tu alla tua e io alla mia e soffriremo meno. Perché è solo la giovinezza che mischia il mare, poi ognuno si ritirerà dalla sua parte. Ci separeremo amabilmente e un giorno ci rincontreremo con grosse manate sulle spalle, come due cugini alla lontana: come stai? Sto bene, lo vedi, non mi sono buttato da una finestra.*

La mano di Costantino si posò sulla mia, la coprì.

Restammo un po' così, a guardare il nulla, la sfocata scenografia umana. Un televisore mandava una partita di rugby. Restammo a guardare quelle prese, nella prima, nella seconda casa. In quello stato di grazia, la sua mano sulla mia era già un corpo nudo.

Feci un gesto, uno di quei gesti che sapevo piacere alle ragazze, mi tolsi i capelli dalla faccia, li tirai dietro l'orecchio, sapendo che sarebbero ricaduti. Sorrisi, abbassai la testa, anche Costantino si insaccò nelle spalle. Rimanemmo un po' a scrutare il mondo intorno dal basso, di sbieco, gli occhi vigili, come quelli dei cani sotto il pelo.

– Poveracci – dissi.

– Chi?

– Questi, tutti questi...

Costantino rise, annuì. Mi carezzava la mano, la stringeva.

– Guido.

Il mio brutto nome nella sua bocca mi sembrò limpido.

– Ti voglio bene, sai.

Avvampai dentro, sentii un tale beneficio... Feci passare un po' di pensieri e un po' di tempo. La sua mano adesso sudava addosso alla mia. S'aspettava qualcosa, ma io non dissi nulla. Mosse la testa verso di me e si piantò a guardarmi, da così vicino.

– Usciamo?

– Per andare dove?

– Dove vuoi tu, fuori.

Sollevai lo sguardo nel suo. I suoi occhi erano cambiati, di colpo accesi e imploranti. Completamente arresi. Mi fecero paura.

– Guarda che io non sono così... – gli dissi.

Sorrise, aveva le labbra umide come gli occhi.
– Così... come?
Robertino era passato, avevo colto il suo sguardo allusivo. Sollevai il mento verso quel culo magro che adesso ballava. Mi sembrò la peggiore immagine del mondo.
– Come quello lì...
Come potevo non fare pensieri così? Ero perseguitato da pensieri così, dopo quella notte. Maschi che si saltano sopra... Rivedevo quell'uomo nudo sulla spiaggia che mi chiamava a sé.
Mi ripresi la mano, la strappai dalla sua, dai suoi jeans con un gesto convulso. Mi misi a braccia conserte. Lo sentii ruttare e trattenere quel rutto nella gola. Unì le mani, le annodò come se non sapesse più che farsene, scrocchiò le dita.
Una sera di un anno prima mi aveva messo una mano sul cazzo e mi aveva fatto venire, più bravo di una puttana. E io glielo avevo permesso. Gli occhi chiusi, mi ero lasciato prendere dalla sua mano che avevo visto tante volte sudicia rinfilare la catena della bicicletta, quel nero cardine di ferro che lui maneggiava con tanto amore. Non avevo più potuto liberarmi del pensiero di quella mano. Ogni volta che... ogni volta, nonostante facessi uno sforzo assurdo... ogni volta tornavo a pensare a quella mano, allora in un attimo soffocavo e morivo. Era un anno che lo odiavo e adesso lo sapevo, vedevo quell'odio prendere forma. Capita che le parole che tante volte ci siamo rovesciati nella testa, tirate nelle viscere prendano d'un tratto forma.
– Io non sono frocio.
Ecco, era detto. Ricevette il colpo. Vidi i suoi occhi svuotarsi di tutto ciò che conoscevo, esplodere vitrei all'interno come quelli dei folli. Sentii un moto di gioia e crudeltà sbrigliarsi in me. Era quello sguardo che aspettavo. Non poteva immaginare quanto quello sguardo mi somigliasse e ci unisse. Non avevo forse temuto di diventare pazzo in tutti quei mesi? Gli stessi occhi che aveva dopo quella sconfitta a pallanuoto, quando era saltato al collo di quel grosso ragazzo tatuato e lo aveva buttato in acqua con una testa-

ta, gonfio di quella rabbia improvvisa, terribile. Aspettavo che mi colpisse. Era un anno che volevo fare a botte con lui.

Velocemente si portò un pugno prima su un occhio, poi sull'altro, per sbarazzarsi delle lacrime prima che uscissero. Un muso da suicida come il mio poco prima. Vedevo il calpestio della morte sul suo viso.

Una volta avevamo visto un cadavere ripescato dal fiume. Eravamo rimasti parecchio lì sotto, c'erano molti curiosi, gente scesa dalle macchine, dagli appartamenti, intorno ai gommoni della polizia fluviale che tirava su il corpo, lo ripescava come il migliore dei pesci per noi. Avevamo visto tutto, i piedi senza scarpe, il ventre di marmo, il volto mangiato.

Forse anche lui vedeva quel cadavere, adesso.

– A me piacciono le ragazze.

E com'era d'altra natura il mio imbarazzo, se soltanto lo avesse immaginato...

– Lo so.

Cosa sapeva, lui, di me che non sapevo più nulla? Più nulla! Era così lontano, precipitato in quella solitudine da cadavere. Galleggiava senza più vita. Provai a toccargli una spalla, ma non si mosse. Ero annientato. Se soltanto fossi potuto tornare indietro a pochi istanti prima, a quella mano calda sulla mia... Perché non ero uscito con lui nella notte per una passeggiata? Che male ci sarebbe stato? Che male, peggio di questo che sentivo? Respirai nel profondo, nella pancia, nei visceri bui, mi mancava qualcosa di indicibile. Costantino s'accese una sigaretta, sorrise.

– Anche a me piacciono le ragazze.

Tornò in classe con la solita gentilezza, parlammo del più e del meno. Un grosso herpes gli era spuntato sulla bocca, come un fiore cattivo. Prese a coprirselo con un cerotto. Ma doveva dolergli parecchio, perché certe volte lo vedevo stirare la bocca in un urlo muto. Cominciò allora a fare quel verso che poi gli sarebbe rimasto negli anni, quello di qualcuno che soffoca e irrigidisce a scatti la mandibola. Avevo voglia di farmi perdonare, ma lui non sembrava affatto arrabbiato. Non voltava più il collo nella mia direzione. Anche quando mi interrogavano non alzava la testa dal banco, scarabocchiava sul diario.

In ogni caso ormai era finita, cinque anni fumati, pisciati. Il caldo era l'ultimo oppiaceo, portavamo tutti le maniche corte.

Ormai si parlava solo degli esami finali, delle materie che sarebbero uscite, si facevano tesine e gruppi di studio, si simulava di essere già all'università. Eravamo pronti a salutarci. Di lì a un mese ci saremmo divisi, ognuno guardava già la sua strada. Finito il tempo dei vetrini, dei germogli nell'ovatta bagnata, finito il tempo di *laudabamus* e *cantami o diva*, finite le corse in palestra nelle giornate di pioggia, i cazzi sulla lavagna, il puzzo del cuore sotto le tute. Un giorno diremo *siamo stati giovani, tutti.*

Mio zio mi dava indicazioni sul mio futuro.

– Se mi portano un falso mediocre, brutto, sono capace di spaccarglielo in testa! Ma se il falso è così vero da trarmi in inganno... allora è ineguagliabile! Nulla m'importa della sua origine balorda! Sono pronto a dire *sì, è un Vermeer...*

Sedevo accanto a lui sulla terrazza davanti al suo studio in quelle sere di prima estate con gli uccelli che impazzivano nel cielo lussureggiante di nubi rosse. Sarei dovuto diventare uno straordinario falsario, era questo il consiglio?

– Tutto nel mondo è replica, Guido. Non c'è nulla da inventare. Copia al meglio di te stesso una vita che ti soddisfa.

– Firmerai l'autentica?

– Certo, con la mia firma. Falsa.

– E non ti sentiresti colpevole d'inganno?

– Mai.

Rideva con la sua risata spregiudicata e fonda come la sua mente, che però pareva affacciarsi in un buco dove nulla si muoveva più.

– Vedi quegli uccelli, come volano... Loro sono l'inganno.

Costantino si fidanzò. Una Rossana spuntata dal nulla, dalle magistrali, da un altro quartiere. Li vedevo tornare la sera, attraversare il cortile mano nella mano. Non era brutta, non era bella. Di sicuro non somigliava a un uomo. Formosa e languida, di quelle che camminano lentamente come se un peso misterioso le trattenesse indietro. Costantino si fermava ad aspettarla, accendeva la luce con il timer delle scale e scendevano insieme a casa di lui. Laggiù da dove risalivano le voci del televisore e il gorgoglio dei piccioni che di notte covavano tra le grate.

S'infilano in quella casetta. La ragazza di Costantino saluta la madre, annusa la cena, scherza con la sorella, bacia la guancia al portiere che già tratta come un suocero da sedurre con smorfie, con le sue ascelle giovani e in carne. Vuole dargli quel brivido. Perché alle giovani donne piace blandire gli uomini anziani di famiglia, ai quali un giorno faranno da infermiere. Il giorno in cui avranno tutto in mano loro, la cura e la rabbia, e saranno indispensabili in quella famiglia dove adesso si affacciano appena. A Rossana piace l'idea che il mondo si ripeta identico, che i vecchi lascino il posto ai giovani, che i letti dei morti vengano lavati e riproposti ai nuovi amanti. Così è da sempre e lei affonda nell'avvenire pacata. Quando escono il sabato, si ferma davanti alle vetrine di mobilio minore, di ammennicoli. Costantino è costretto a fermarsi, a guardare con lei. Ignora che se la faccenda dovesse andare avanti avrà una casa carica di inutilità e che molto probabilmente anche la sua vita gli risulterà inutile come il resto. Ma intanto stanno insieme da poco e lei è già benvoluta. Abita in una mezza periferia prima della Tuscolana, quando fuma mastica una gomma, sua madre è infermiera al Santo Spirito. Si sono conosciuti lì, nel cortile dell'ospedale, con i bicchierini di plastica del caffè in mano, Rossana aspettava che sua madre finisse il turno, Costantino andava a trovare il padre operato di calcoli. Adesso lei è di casa. Si siedono a tavola, mangiano tutti lì intorno sulla vecchia plastica fiorata. Poi restano incollati a guardare "Portobello". Il padre fuma l'ultima sigaretta, la sorella è in pigiama, le pantofole sono di pelo sintetico con occhi e baffi da gatto. Rossana posa la testa sulle spalle del suo futuro, guarda il corpo del ragazzo, i suoi jeans, le sue mani, la maglietta che lascia fuori la pelle. È così fiera di quel maschio.

Una sera li vidi baciarsi, lei lo teneva per il cranio con una posa un po' voluta. Si spiaccicava dentro la sua bocca. Mi diede fastidio, sembrava che mi stessero aspettando per fare quella scena.

Costantino me la presentò, lei mi tese una mano molle con la faccia di un agnellino che la sa lunga. Che ha già mangiato il lupo e se lo tiene stretto in pancia sotto le zizze appuntite.

– Ah, tu sei il famoso Guido...

Costantino sorrise, era tornato quello di sempre, pacato, senza ombre, come se non fosse mai accaduto nulla. Solo giochi di ragazzi, alleanze maschili che con l'affermarsi delle donne scomparivano. Rossana aveva preso in mano la sua vita e lui la guardava gratificato ma negligente, forse prossimo a fuggire. Però s'era fatto più bello, le spalle aperte, la vita più sottile. Gli tirai un cazzotto per gioco.

– Cosa le hai raccontato?

Gli diedi un altro pugno prima di scoppiare a ridere, e ridemmo sguaiatamente piegandoci davanti alla sua fiamma. Rossana rise con noi, scosse i capelli. La guardai con l'intenzione di sedurla, le feci un mezzo complimento e uno dei miei sorrisi erotici. Lei sembrò starci. Volevo ristabilire violentemente i pesi tra noi, maschi amici da una vita, e lei, un impiastro colorato che se voleva durare un po' avrebbe fatto bene a starsene al suo posto.

Era una discreta faina. Era molto vicina ma mi guardava da una strana distanza da esploratrice. Mi tirai i capelli dietro le orecchie.

– Ti sei messo l'orecchino?

Costantino avvicinò la mano al mio lobo, ma poi non mi toccò, annuì.

– Fico.

Rossana sbuffò.

– A me non piacciono gli orecchini sui maschi.

Cominciò lì quella diffidenza che sarebbe rimasta, anzi che forse aumentò quando ci conoscemmo meglio. Adesso parlava a ruota libera di stronzate, muoveva i capelli, le braccia ferrate di bracciali, il culo largo di un water.

– Te la scopi?

Glielo chiesi a bruciapelo, gli avevo messo un braccio intorno alle spalle, scendevamo le scale. Curvò la testa, sorrise.

– E dài...

– Ancora non te la dà?

Gli diedi una manata su quella nuca curva da caprone ubbidiente.

– E com'è? Te lo succhia, se lo strofina tra quelle grosse tette...

– Piantala.

Lo sentii irrigidirsi.

– Scherzavo, dài...

Ma poi lo presi per il culo con gli altri, al muretto.

– Ragazzi, tutti sull'attenti!

E partirono le pacche sulle spalle, le prese basse, e il coro alla Ivan Graziani per Costantino in love... *e sei così troia, che più troia non c'è... e ce l'ho così gonfio che più gonfio non c'è...*

Presi sessanta, sbaragliai. Non festeggiai. Rimasi solo sul terrazzo condominiale con tre birre, un pacchetto di sigarette, a guardare le stelle dietro lo sporco. Di amorini ne avevo, salivano e scendevano dal motorino. Ormai sapevo fare tutte quelle cose che fanno impazzire le ragazze, e le portano a schiacciarsi come insetti, a staccarsi rosse e a guardarti come il guardiano di un faro nel mare. Mi annusavo le dita. Doveva essere quello l'odore della felicità. A tratti mi credevo innamorato. Non ero adatto alla normalità, lo sentivo, ero troppo cerebrale. Guardavo i miei gesti come sotto un vetro. Sentivo che volentieri avrei camminato su un filo teso nel vuoto, e che nessuna donna sana di mente mi avrebbe mai seguito.

Che bisogno avevo di interessarmi a Eleonora? Non c'avevo mai pensato, per me era un fantasma di cantina. Mi dava fastidio che lui avesse una sorella, che nei pomeriggi di pioggia giocassero a briscola con le carte napoletane nella guardiola.

Negli anni è cresciuta alta, magra sotto e con un seno grande e duro. La trovo seduta nel bar all'angolo del palazzo, quel puzziterio dove in famiglia ci infiliamo solo per comprare il latte. Eleonora invece lì è di casa, prende il caffè e fuma, seduta a uno di quei tavolinetti di metallo. Sta leggendo un libro celeste. Rallento per sbirciare il titolo.

– Lo conosci?

È patetica. Se ne sta qui in questo angoletto muffito dove non batte mai il sole con le gambe infreddolite nelle calze sottili a dare scena di sé come una giovane esistenzialista in un bar di Montparnasse. Cartacce che volano, la vecchia scritta sul muro che recita QUI SI È PERSO DEL TEMPO.

– Ti va un caffè?

Ma sì, perdiamolo questo tempo perduto. Poso il latte sul tavolino, ordino un succo di frutta. Mi dice che le piace il punto in cui Siddharta torna indietro dal vecchio barcaiolo sul fiume e si mette a traghettare bramini. È un ponte per parlare di se stessa. Non somiglia affatto a suo fratello, ha la faccia del padre, il naso schiacciato che a lei però sta bene. Penso a Govinda, il caro amico di Siddharta, che lascia tutto per seguirlo, che lo ammira e lo ama più della sua stessa vita. Un amico umile e devoto, pronto a trascorrere la vita nei boschi elemosinando, mangiando vermi. È per colpa di Govinda se mi sono seduto davanti a questa inutile Eleonora.

Pago, mi riprendo la busta del latte.

– Ciao, ci vediamo.

Non l'ho mai incontrata, adesso la incontro sempre, è evidente che mi aspetta, che si è stampata in testa i miei orari di sortita e rientro. Così un giorno me la pomicio. Sta lì accanto all'ascensore con la sua giacca di pelle finta, la faccia agitata, i capelli morti dall'umido. Fuma una sigaretta, seduta sul gradino.

– Ehi, ciao...

– Mi hai fatto paura.

– E perché?

Mi guarda implorante. Lascio cadere il casco sul gradino, non faccio in tempo ad avvicinarmi che già si butta addosso. Deve avere un cuore gonfio, e una testa strana. Mi picchietta la faccia di baci con una bocca violenta come una grandinata. Ha un odore di farina umida, di qualcosa che eccita. Mi prende i capelli, mi tira a sé nel suo petto duro e grande. Preferisco di gran lunga i seni piccoli. Sono sfinito, se potessi, se mi lasciasse per un attimo, scivolerei via come un pesce. Siamo anchilosati in un angolo buio sulla scala di marmo. È calda, è tanta, è una lunga cosa affannata e viscida che si strofina. È sua sorella e non sono minimamente interessato a lei, dovrei farle una carezza e mandarla via. Da piccola faceva la baby-sitter a tutti i bambini del quartiere, li metteva in fila e giocava a fare la maestra.

La tiro io per i capelli, le infilo una lingua dentro, le scopro le zinne, le spingo la pancia gelida. La calza finisce e comincia la gamba, ci metto un po' a capire che sono giarrettiere. Quelle del liceo non le portano, sono le prime che vedo, che tocco. Ha solo tre anni più di me, ma io l'ho sempre vista distante come una donna. Quelle giarrettiere mi disorientano, mi creano uno scompiglio triste, che ha origine in un mistero triste e mi mette in affanno. Lei sospira, butta la gola all'indietro.

– Vieni, vieni qui...

Devono piacerle i film, deve essersi studiata certe scene. Anche a me piace il cinema d'azione, ma di genere diverso. Però ci provo, mi butto nella mischia dei suoi baci carnivori. Vorrei urlare e ridere, chiamare qualcuno a gustarsi la scena. Sono un budello fradicio nelle mani di una donna che sa cosa fare di me. Costantino potrebbe arrivare all'improvviso, affacciarsi dal buio, il pensiero mi rattrista come le giarrettiere, ma poi quel pensiero mi scende dappertutto come lava che scorre e brucia, le strappo le mutande. Eleonora fa un piccolo urlo.

– No, no...

Ho le gambe rigide di un epilettico, adesso ho voglia di fottermi il mondo. Invece Eleonora si divincola, si dimena per liberarsi dal mio peso. Si copre le gambe, le tette.

– Matto, che fai?

Uno stupido gambero che cammina all'indietro. Tossisce, s'aggiusta i capelli. Mi guarda liquorosa, come una fidanzata virtuosa. Non ha più nulla dello straccio affamato di poco fa, l'esistenzialista sul baratro dell'esistenza. Come un'attrice che ha fatto la sua scena madre, ha simulato e adesso si ricompone. Si accende una sigaretta. Ecco la vera Eleonora, una stratega pugliese, dotta di millenni di tarantolate. Detesto le donne e il loro liquore. E semmai m'innamorerò sarà di una diversa, un'aliena senza zinne e senza strategie scesa sulla terra con l'unico scopo di soccorrermi.

– Io non l'ho mai fatto...

Faccio un passo verso di me. Mi stringo al mio corpo. Quanti passi verso di me farò nella vita? E ogni volta sentirò lo stupore marcio di questo istante senza senso, il fiato di questa faccia maldestra che tenta di sedurmi trascinandomi in un pensiero carnale tutto sommato orroroso. Cosa vuoi che m'importi del suo imene, del suo buco di fango intatto, quando tutta la mia vita è un deserto di argilla rotta? Non c'è niente che mi respinga più della verginità. Lo scopro adesso e mi basterà per tutta la vita. Il solo pensiero di deflorare mi rende impotente.

Penso a Candido di Voltaire, a quel suo argomentare vano e gentile. Penso a questa ragazza umile e astuta, bagnata di lacrime e pioggia come in un romanzo scadente.

Un sabato uscimmo insieme. Lui e Rossana, io ed Eleonora. Un quartetto ridicolo. Andammo a piazza Navona, c'era quella cagnara di turisti ubriachi, di ritrattisti e cartomanti. Camminammo nel buio, le femmine scherzavano. Per un attimo credemmo di essere in salvo. Non era male l'idea di avere due donne alle spalle, pronte a rimboccarsi le maniche, ad apparecchiarci la vita.

Eleonora mi lasciava biglietti, mi faceva la posta. Voleva darmi se stessa, insisteva per trovarci da soli. Avrei potuto approfittarne molto di più. Era sfacciata, puzzava di miseria e ambizione sessuale, era il classico mangime per ragazzi in golf di cachemire. Suonò a casa mia, sapendo di trovarmi solo.

– Che bella casa, non c'ero mai stata...

Bugiarda.

Si affacciò alla finestra della mia camera e guardò sotto, in direzione del portierato. Si schienò sul mio letto.

– Vieni?

S'era aperta i capelli sul mio cuscino, come un grande ventaglio nero. Era bella, non posso dire diversamente. Pronta per un uomo che non potevo essere io. Per me era semplicemente la morte.

– Ho provato molte volte a suicidarmi.

– Davvero?

Le feci un elenco preciso di tutti i modi che avevo escogitato per uccidermi. Le offrii una Coca-Cola. Si guardava intorno in quella casa foderata di cultura e lusso sciatto, incerta se credermi, se riderci. Posai i piedi sul tavolo da cucina, feci un grosso rutto.

– Prima o poi ce la farò.

Presi le forbici del pollo e me le piantai tra le dita della mano. Un'illusione ottica, ma seppi renderla molto credibile. Adesso facevo il mio film, mi sentivo quel geniale aspirante suicida di *Harold e Maude*.

– Lo fai apposta, vero?

Si guardò intorno sconsolata.

– Che peccato...

Adesso era sincera, le dispiaceva che quell'appartamento luminoso e ampio fosse abitato da un minorato di cuore. Sollevò un libro, uno di quei grossi manuali medici orrendamente illustrati. Si fermò su un eritema, un fungo rosso, escrescente.

– Dio che schifo...

– È un libro di mio padre.

– Lo so.

– Davvero sei vergine?

Mi guardò con una faccia bovina e disgraziata.

Bugiarda. Avrei dovuto metterla giù e darle il suo. Mi fece solo un pompino.

Non so cosa disse al fratello. Lo trovai seduto sul cofano di una macchina al buio, la faccia sudata, la maglietta bagnata. Mi prese per un braccio.

– Cos'è successo con mia sorella?

– Dimmelo tu.

– Come ti sei permesso?

– Niente, non è successo niente.

Discutemmo un po', volò qualche parola. Ma anche lui non sembrava così convinto. Era fiacco, mi pareva che simulasse. Doveva dimostrare qualcosa, dare una prova a qualcuno, a quella famiglia meridionale appostata lì sotto dietro finestre a gabbia sul marciapiedi. Non era certo quello l'onore da difendere. Era patetico in quel ruolo virile.

– Lasciamo stare, dài.

Avevamo una storia a parte, noi due. Il nostro onore era altrove, rotolava in quel sentimento che sentivamo entrambi, quell'attrazione che ci respingeva.

– Non m'interessa tua sorella.

Mi faceva tenerezza con quella faccia torva e un po' mi veniva da ridere, perché eravamo ridicoli. Di colpo ero eccitato... in qualche assurdo tassello del mio carattere ero felice di quella complicazione sessuale, di quel piccolo sfregio. Alzai le braccia, mi sentivo in colpa per quell'unico pompino che m'ero fatto fare.

– Scusa, dài...

Sorrisi e lui cominciò a fare sul serio.

– Chi ti credi di essere? Chi ti credi di essere?

E adesso sembrava convinto, gli occhi accesi e violenti, sembrava nutrirsi e gonfiarsi da dentro, da altri pensieri, da una rabbia resuscitata... Cominciò ad agitarsi, ad alzare la voce. Divenni serio anch'io.

– Che vuoi da me, Costantino?

Mi prese per la maglietta, la strappò, prese a strattonarmi. Tirava su dal naso, parlava sbavando, spruzzandomi in faccia schizzi di sudore e saliva.

– Ti sei approfittato... Ti sei approfittato... Siete una famiglia di merda...

– Che c'entra la mia famiglia, imbecille?

– Chi cazzo vi credete di essere... Noi c'abbiamo la nostra dignità, la nostra dignità...

– Chi te la tocca la tua dignità...

Mi diede una spinta, mi trovai contro il muro.

– Stai fermo con le mani, fermo con le mani...

E io sentivo che era una vecchia spinta... e un'onda di coraggio e violenza mi investiva.

– L'ho messa in ginocchio, e allora?

– T'ammazzo...

Da sempre avevo voglia di fare a botte con lui.

– Cercava il cazzo...

Fui più veloce, come lui quella volta in piscina. Stirai il collo e tirai la prima testata della mia vita, sulla sua faccia abbovata. Mi feci un male cane anch'io, ma lo centrai, e il sangue adesso gli usciva dal naso. Mi diede due pugni. Sentii il sangue nella bocca...

– Cercate tutti il cazzo a casa vostra...

Mi prese per la gola e mi buttò per terra, e io vidi nei suoi occhi che aveva perso la ragione, che avrebbe potuto davvero strangolarmi. E non posso dire altro, soltanto che ero felice, e che era una felicità sessuale e metafisica, una felicità assoluta e assurda. Avevo visto il suo sangue, il suo furore. Avevo risentito il suo profumo e lui il mio, quel profumo che nasce da dentro, come l'acqua dalla roccia. Mi sputò negli occhi e io li riaprii. E per un attimo sperai che m'uccidesse per non vedere il mio futuro.

Quello che seguì fu l'anno più inatteso della mia vita. Mia madre si alzava la notte e camminava come se la casa non le bastasse mai. La raggiungevo di spalle, dolcemente le prendevo un braccio, ma lei non sentiva la mia presa, come se la carne che stringevo e trattenevo a me non fosse la sua. Di giorno dormiva per ore, s'accasciava sulla poltrona, un corpo fetale.

Per tutta l'infanzia avevo sofferto di solitudine. Al mattino presto era già perfettamente vestita e truccata, dava disposizioni alla domestica e usciva di corsa come se la casa intorno bruciasse. Avevo speso colonne di tempo gessoso a immaginare la sua vita lontano da me. Quando uscivo allo scoperto fissavo il mondo come una palude nella speranza d'incontrarla. Al parco, salendo e scendendo dalla casa di legno, ero sempre in cerca di lei... di vederla staccarsi dal mucchio anonimo delle altre madri, con la sua figura superba, la sua bellezza selvatica. Per nulla al mondo avrei scambiato Georgette per una di quelle donne accaldate, irascibili, amorose. Nella disgrazia, sapevo di essere un privilegiato. Non le rimproveravo nulla. Era un idolo, e gli idoli non si mettono in ginocchio a pulire il moccio ai propri figli. Mi sembrava normale che lei non sentisse il desiderio di spendere il suo tempo con me in quelle attività mediocri, ripetitive. La immaginavo intenta a scalare ben altre meraviglie, colmo di devozione come mio padre. Vivevo ai piedi di un altare, di un simulacro incendiato di promesse, mi specchiavo beato per riverberare una goccia del suo splendore. E a ripensarci tutte le mie stranezze altro non furono che un modo per trovare una strada verso di lei, per rendermi interessante ai suoi occhi. L'unica cosa che volevo era somigliarle. Crescendo imparai a provocarla, e quando la vidi arrabbiarsi con me con la stizza di chi riconosce un proprio insopportabile difetto, sorrisi appagato. Sapevo che dovevo meritarmelo quel cuore, che nulla era scontato per lei. Il suo ventre era teso e ligneo come la sua fronte, e avevo bisogno di guardare e riguardare la sua unica fotografia da incinta per rincuorarmi e credere che davvero mi avesse partorito, perché spesso avevo il dubbio di essere stato recuperato nel fondo di un magazzino di bambini abbandonati. Ma mai, nemmeno per un attimo, cercai la sua compassione. Era gentile d'animo, generosa con le persone bisognose, ma in fondo sentivo che il suo cuore sussultava, e la sua intelligenza si ribellava davanti a quella folta umanità senza meriti che, come ultima leva, tende a suscitare pena, a colpevolizzare la fortuna degli altri. Era atea, refrattaria a ogni odore rifugiato, a ogni vile congrega. Era limpida e sola, detestata e invidiata dalle altre madri. Un freddo astro nel più ustionante dei cieli.

Improvvisamente era in casa, fragile, quasi intontita. Le prime volte non ci feci caso, ero troppo preso dal resto. Rientravo e la trovavo già lì, senza tacchi, il trucco sbiadito. La sua bellissima figura appena leggermente gualcita. Una gamba ciondolava abbandonata oltre il bracciolo della poltrona, un libro aperto sul petto, gli occhi rivolti a uno dei suoi solenni infiniti. L'avevo amata nella distanza e adesso la sua presenza mi risultava ingombrante e minuscola nello stesso tempo... troppo umana per accettare che si trattasse veramente di Georgette.

Poi la cosa cominciò a ripetersi molto spesso, finché divenne un'abitudine tornare e trovarla sul divano, spesso addormentata. Pensai che fosse stanca, che stesse invecchiando, che fosse una delle sue pause di ricarica prima di riprendere vita, di ributtarsi nel mondo rigenerata. Non so cosa pensai. Ero distratto. Certe volte mi raggiungeva, bussava alla porta della mia camera e restava un po' lì appoggiata al muro, le mani dietro la schiena, il suo sguardo grigio, screziato di lamelle violacee, sfocato di stanchezza, di pensieri che sembravano trascinarla come ruote nella polvere. Era lì, ma non era davvero lì. E diventava una strana presenza, a tratti addirittura inquietante. Si sforzava di sorridere, ma sentivo che lottava contro il malumore che quei lunghi riposi diurni e squilibrati le lasciavano nel sangue, ristagni di ombre di cui cercava vanamente di liberarsi.

– Posso sedermi sul tuo letto, Guido?

Volevo urlare per la più grande delle ingiustizie.

Tirava a sé le gambe, si stendeva con il suo corpo snello, i suoi modi sensuali. Era lì sul mio letto dove l'avevo desiderata per una vita. Chiudeva gli occhi, le labbra leggermente aperte vibravano. Pensai di ucciderla, di soffocarla con il mio cuscino. Ma non lo feci. Rimasi ai piedi della bella addormentata. Sudava. Dov'era il suo ventaglio? Le facevo vento con un mio quaderno.

Era emofiliaca da sempre. Un donatore le aveva lasciato l'obolo di un'epatite sommersa. Inaspettatamente, infiniti anni dopo, il fegato cominciò a ribellarsi, a saltare i turni di depurazione. Le tolsero le proteine, le consigliarono di mantenere l'intestino sempre pulito. Affrontò un ciclo di interferone, un medicinale massiccio, più adatto a un grosso cavallo che a una donna.

La letargia diurna al tramonto si trasformava in una sorta di solenne stupore. Mio padre nel cuore della notte preparava la macchinetta del caffè, Georgette lo scacciava, urlava che preferiva stare sola, che lui il giorno seguente avrebbe dovuto lavorare. La sentivo tramestare, aprire gli armadi, trascinare cose. Poi sbatteva la porta, attraversava il cortile di corsa zoppicando sui tacchi. Nessuno seppe mai come trascorse quelle lunghe notti di fuga. Girava intorno ai suoi amati monumenti, alle chiese barocche con i grandi portali sbarrati nella città deserta, fosforescente nel buio.

Una notte la seguii, la vidi entrare in un bar poi uscire, trascinarsi lungo i muri, camminare fino a un altro bar. Infine salì su un autobus notturno. Le porte si chiusero e un lembo del suo cappotto rimase prigioniero. Corsi dietro l'autobus, digrignava i denti mentre tentava di riprendersi quel pezzo di cappotto. Non posso dire se vidi una faccia folle o cosa, la scomposizione accadde in fretta, come una grandine violenta ruppe il vetro della serra, ferì le foglie, buttò a terra i vasi.

Forse mia madre aveva sempre bevuto. Da adulto, quando cominciai a dedicarmi sistematicamente agli alcolici, mi ricordai qualcosa... quando in fondo a ogni ebbrezza sentii sollevarsi quel dolore sempre identico, quello che cercavo... il sapore del suo fiato quando rientrando di notte si avvicinava al mio letto e si chinava a baciarmi in un sussulto di compassione materna.

Le crisi di ammonio la riempivano di un veleno che si portava via la sua coscienza. Un giorno la trovarono per strada, persa, chiusa fuori dalla porta di casa senza chiavi, coperta solo con una maglietta, scalza, le gambe nude chiazzate. Non so quanto aveva vagato. Fu il parrucchiere a trovarla, Gino. Tornava dal mercato ortofrutticolo e vide mia madre ferma davanti ai garage. Riconobbe quella signora elegante alla quale aveva acconciato tante volte i capelli, la prese per un braccio e gentilmente la riportò verso casa.

Tornavo dall'università. Alla fine mi ero iscritto a Scienze politiche, così, per esclusione. Una grigia placenta per allontanare la vita di altri quattro anni. Trovai mia madre seduta nella gabbiola del portiere con una coperta addosso. E un'arancia in mano. E sempre mi tornerà in mente quell'arancia che forse il parrucchiere le aveva dato, e non so davvero per quale ragione. Uno di questi gesti che le persone compiono quando non sanno cosa fare, per ristabilire una normalità.

La portiera saliva a farle le punture, con il suo passo svelto, il suo odore di varechina, *permesso, come sta signora?* Mia madre restava in piedi, s'appoggiava alla libreria, tirava giù un pezzo dei collant, non cambiava espressione. Poi la portiera saliva in casa di mio zio. Adesso era lei a portargli da mangiare, non più il figlio.

Costantino era partito militare, era salito su un treno con la testa rasata e uno zaino sulle spalle. Avrebbe potuto aspettare. S'era iscritto ad Agraria e aveva già dato gli esami del primo semestre. Invece era fuggito. Io non avevo dato nessun esame, ma ero stato riformato, avevo quel testicolo mobile.

Volevo parlare a mio padre, quel giorno. Non andavo mai nel suo studio, c'ero entrato rarissime volte, quindi non so perché mi trovai lì sotto. Scesi dal motorino, entrai in quell'edificio moderno, di cemento e vetri bruniti. La porta dello studio era aperta, pazienti che erano appena usciti. Entrai direttamente, camminai verso la sua stanza.

Furono davvero pochi secondi. Di profonda percezione. È così che muoiono i sistemi solari, in un attimo. Sequenze bruciate che non puoi essere sicuro di aver visto, eppure sei subito sicuro. Il corpo parla per te. Il corpo di un ragazzo che cammina verso suo padre in un giorno qualunque, per chiedergli un consiglio. Non lo hai mai fatto in tutti questi anni e oggi invece hai voglia di sederti lì davanti alla sua scrivania come un paziente, hai voglia di vederlo in camice, sai che è un uomo molto considerato nel suo ambiente. Tu non lo hai mai considerato. Oggi vorresti provare a farlo. Per questo sei lì, nel luogo dove lui è qualcuno. Magari gli chiederai di guardarti quel neo che ti prude sotto l'ascella. Lui prenderà la sua lente, si avvicinerà a te, ingigantirà quella innocua patacca marrone.

Non è niente, Guido.

Tirerai giù la maglietta, vi guarderete. Vuoi parlargli di tua madre. Non avete mai parlato di lei. Tuo padre parla di albumina e bilirubina, di cirrosi ed encefalopatia epatica. Lui ha le parole. Tu non ne hai nemmeno una. Forse vuoi piangere soltanto. Immagini di trovarlo in piedi accanto alla finestra, le braccia dietro, come le tiene spesso, la mano sinistra che stringe il polso destro, il camice lungo sul corpo magro. Gli occhi arrossati che guardano fuori.

Invece non lo troverai così, è seduto.

Il tuo corpo di colpo è una cava aperta, dove passa il vento più gelido. Non sai perché pensi a quei cinema all'aperto dove proiettano i film d'estate. Riconosci la fitta del dolore sessuale. Nessuno sta violentando direttamente il tuo corpo. La violenza avviene altrove, traslata su quello schermo da drive-in dove adesso passa la tua vita. Vedi proiettati quei filmini di te che cammini ancora incerto e Georgette giovane che ride e ti aiuta e fate ciao al papà che vi sta filmando.

Chi fosse la donna me ne accorsi solo quando si voltò, quel tanto da catturare un pezzo di naso, una lingua di sguardo: che non si incenerì, anzi sembrò fiammeggiare. Doveva essersi appena chinata, forse per posare qualcosa sulla scrivania... Lui l'aveva cinta con un braccio con la stessa faccia che faceva quando Vichi, il suo vecchio labrador, gli ubbidiva, gli riportava la pallina da tennis in una di quelle riprese amatoriali.

Ero io che adesso filmavo con gli occhi di Georgette quella scena che rendeva scadente tutto il suo passato.

Forse la loro vita matrimoniale non era stata così felice. Mia madre amava le stratificazioni delle grandi città pulsanti. Era bellissima e Alberto non era un uomo interessante. Però era sessualmente vigoroso e più in forma di lei, d'estate camminava in verticale sulla roccia. Era il classico uomo che prima della vecchiaia cerca un ultimo volo in deltaplano. Ma nonostante gli anni siano passati e di questo signore alla fine timido, un po' fuori dal tempo, io non possa dire che bene, mi chiedo ancora perché non abbia aspettato. Come non provò vergogna? E perché la vita mi condusse a essere testimone di uno scandalo che tutto sommato si poteva evitare?

Dopo due mesi sarebbe rimasto vedovo, non avrei potuto obiettare nulla. Sarei stato io stesso a spingerlo fuori casa, verso una ricostruzione. Un uomo di cinquantatré anni.

Invece mi è toccato odiarlo e odiare indietro. Rileggere tutta la storia della nostra famiglia come una bruciante menzogna.

Eleonora si voltò e mi venne incontro con quella faccia che conoscevo da sempre, quell'espressione sospesa degli uccelli che cercano l'approdo migliore.

– Ciao, Guido.

Il camice aperto sopra un abito corto alle ginocchia.

Nemmeno ricordavo che lavorasse lì. Era stata mia madre a insistere, la vecchia segretaria se n'era andata. La figlia dei portieri. Georgette l'aveva vista crescere, le aveva fatto regalini per il compleanno e a Natale, voleva darle una opportunità. Gliel'aveva data.

Papà si era alzato di scatto, aveva fatto un gesto assurdo, agitato le braccia come un vigile stradale. Eleonora invece non sembrò affatto turbata. Mi passò accanto pacifica, come se nulla fosse accaduto. Una creatura solerte che sapeva tutto da molto tempo e da molto lontano. La sua vita fin lì era stata un lungo appostamento.

Tornai verso casa come una bestia che lascia tracce di sangue e poco per volta perde la vita. Passai davanti alla gabbiola dei portieri con un furore da lupo. Gli occhi di sua madre mi sembravano imbevuti di guasto, i pantaloni di suo padre facevano schifo... la sua faccia chiazzata di psoriasi, il naso rosso, la fronte biancastra... gente maligna, avida. Gente che uccideva i topi, sgorgava fogne. Gente che si era approfittata di noi, della sbadata generosità di mia madre, della mia incertezza sessuale, e di quel cavallo di Troia di mio padre che s'era trascinato nel suo studio quella ragazza abietta che indossava giarrettiere, quella bambina con il copriorecchie di pelo che mi fissava vispa e tetra. Quei due, fratello e sorella, intenzionati a risalire il fondo arrampicandosi sui corpi della mia famiglia. Solo l'odio sembrava consolarmi del dolore.

Tornò l'estate. Rientravo da una partita a tennis. Georgette aveva lasciato le chiavi nella serratura, all'interno. Avevo provato a infilare le mie chiavi, avevo suonato il campanello. Adesso aspettavo che il fabbro aprisse la porta. Il disastro fu quello, quell'uomo sudato, il rumore di quel trapano. Durò a lungo, non mi mossi da quella porta. E per la prima volta desiderai che quel trapano non la smettesse, che restasse l'unico rumore della terra. Forse era soltanto stordita, non volevo separarmi da quella speranza. Non ero stato buono con lei, gli ultimi giorni ero diventato un secondino. Il suo disordine, i suoi occhi melmosi mi sbattevano addosso un'atrocità che non potevo accettare. Non era quello che mi sarei mai aspettato da lei, disattendeva ogni mia idealità. Doveva mantenere gli intestini puliti, l'ossessione era quella, quelle feci bianche. Aveva acqua nel ventre, nelle gambe. La pelle tesa come gomma pompata divorava tutte le espressioni che conoscevo del suo viso. Vedevo oltre quella porta allungarsi un campo nero, uno di quei luoghi terribili di contenzione, il lungo corridoio e le porte dalle quali usciva un solo respiro affannato. Era la mia mente che cercava un luogo dove fermarsi.

Il rumore cessò ed entrammo. Ed entrai nel vuoto. Il mio fischio nell'orecchio cessò quel giorno, il preciso istante in cui il blocco della serratura cadde e l'uomo fermò il suo trapano. E adesso mi sembrava di capire perché. Avevo sentito questo rumore in anticipo. Questo dolore che mi cercava.

Era accanto al lavandino, mi bastò vedere i piedi. Mi sedetti in corridoio davanti alla porta del bagno aperta dal suo corpo, con la racchetta in mano. Guardavo la scena attraverso quella grata di budelli.

C'era lo sciopero dei netturbini quel giorno, nella vampa estiva fermentava quell'odore terribile di pattume che marciva. I cassoni erano pieni, mucchi di sacchetti aperti, alcuni trascinati dai gatti randagi. Non so che cosa avrei dato per vedere quella strada pulita, gli idranti con le loro energiche pompe. Pensavo a quei sacchetti, a tutto quello che c'era dentro, vaghi d'uva marcia, gusci d'uovo, scheletri di pesci, carta, spaghetti scotti, il grasso della carne, l'olio sporco.

Non le avevo detto nulla. Naturalmente avevo immaginato di avere ancora del tempo, molto tempo.

Salii da mio zio Zeno, non ci parlavamo da tempo, non sopportavo più la virulenza dei suoi insegnamenti, ero stufo dei suoi tranelli intellettuali, quando mi attirava nella sua ragnatela e mi teneva lì paralizzato. Lo trovai in terrazzo, sulla sua poltrona di corda. Guardava anche lui in basso il degrado delle immondizie.

– Georgette è morta. Mia madre è morta.

Lasciò cadere le braccia, aprì la bocca e rimase così, senza ingoiare più aria. Non si mosse, solo i suoi occhi metallici si torsero in giro, si fermarono in alto, per un attimo raccolsero il riflesso delle nubi che si spostavano velocemente nel cielo.

Chiamai zia Eugenia, lei e suo marito presero un taxi e arrivarono alti e frusti come becchini. Per la prima volta ammirai la famiglia di mio padre, la calma dei modi, le voci pacate. Nessuna alterazione, organizzarono tutto in silenzio con brevi telefonate. E non mi lasciarono mai solo. La zia volle vestirla, non le andava che fossero degli estranei a toccarla. E così vidi gli indumenti intimi di mia madre e il resto, e il fatto che essendo diventata dura era difficile infilarle le maniche e spostarla, così imparai molte cose sulla resistenza della morte. Quando a un certo punto perdemmo il senso della cosa e sudammo con quel corpo che sembrava incaponirsi contro di noi e lo scuotemmo e tirammo, ma in ogni caso lasciammo i bottoni aperti sulla schiena e anche le calze furono messe storte. Dalla bocca le uscì una schiumetta bianca, velenosa. Vidi il passaggio dalla carne al marmo, il gonfiore sparì, risucchiato. Rimasi accanto alla mia cara madre fino alla fine, piegato sul cuscino a guardare il suo volto, la pelle tesa come fredda stoffa nel tombolo delle ossa.

La bara attraversò il cortile.

Una commemorazione funebre laica in pieno agosto in una stanza afosa, senza prete e con pochissime persone accaldate che si sventolavano con la fotografia di Georgette che mio padre aveva fatto stampare e aveva distribuito all'ingresso.

Dopo l'applauso mi voltai, seguii la bara passare dal buio alla luce, attraversare la porta, e anch'io fui accecato. C'era una sagoma d'uomo ritagliata nel controluce. Costantino era lì, le gambe larghe, la testa china.

Quando fummo vicini scoppiò a piangere. Io avevo il viso asciutto e gli occhiali neri come un attore. Ci abbracciammo. Mia madre se ne andò verso il crematorio e noi restammo.

Camminammo sotto il sole. Non l'avevo mai visto in divisa, sembrava più alto e più impettito. Aveva chiesto ventiquattr'ore di licenza, aveva viaggiato di notte sui treni. Sudava sul collo. Ci sedemmo sul bordo di una fontana asciutta, con i nastri di plastica dei lavori in corso intorno alla statua. Gli raccontai com'era successo, lui mi disse *sembri tranquillo*. Ed era vero. Mi guardavo intorno sotto gli occhiali da sole, non avevo più niente davanti a me e non m'importava. Mi tolsi i calzini e camminai scalzo nella fontana. Gli chiesi di lui. Aveva sopportato un po' di violenza, di nonnismo, mi disse che era pieno di esaltati.

– Ti fregano un anno, questi bastardi.

Però era contento di essersene andato. Gli dissi che ero stato riformato. Sorrise. *Ti hanno raccomandato*. Gli raccontai del varicocele, di quel testicolo mobile che ogni tanto usciva dallo scroto.

– Capitano tutte a te.

– Il fischio se n'è andato.

Gli raccontai del trapano che aveva forzato la serratura e del corpo di mia madre. Del silenzio totale dopo. Non avevo ancora pianto e mi ritrovai a tremare. Restammo a gironzolare nella fontana, io a piedi nudi, lui con gli scarponi. Grondava nella divisa e non s'apriva nemmeno un bottone. Attraversammo la piazza, comprammo due birre fresche e tornammo a berle nella fontana. Gli dissi che non me ne fregava più un cazzo di niente, che ero intenzionato a fare il barbone, a girare scalzo come quel ragazzo tedesco ai giardinetti di Castel Sant'Angelo. Mi disse che anche lui non voleva tornare a casa dai suoi, che c'erano le mele lassù, dove faceva il militare, che si sentiva l'odore, voleva fermarsi a fare la raccolta, dormire nelle capanne con altri ragazzi, campare alla giornata. Tornai al bar, comprai una bottiglia di Ballantine's. Il sole incocciava e la sua testa rasata brillava di sudore che nasceva e colava sulle tempie. Succhiavo dal collo della bottiglia, Costantino non voleva che bevessi così tanto ma io ero intenzionato a ubriacarmi, a onorare mia madre. Mi stesi a terra e finsi di nuotare.

– Andiamo al mare.

Aveva ancora poche ore. Salimmo sul mio motorino. Ci fermammo sotto il palazzo, corse dentro, uscì dopo pochi minuti, cambiato, con una maglietta blu e lo zaino gonfio sulle spalle.

Le scarpe le avevo perse, la camicia me l'ero legata sui jeans, la cravatta volava sul petto scoperto. C'era un deserto da vampa, surreale. Sulla Colombo le cicale sembravano aerei al decollo. Guidavo come guidano i negri nel deserto, senza meta, senza prestigio, solo perché c'era la miscela, posavo i piedi scalzi sull'asfalto bollente, stavamo sempre per cadere, Costantino diceva sempre *che cazzo fai*, rideva e ripartivamo come due cicale con un motore sotto il culo.

Arrivammo alla spiaggia libera dopo la pineta. Ci buttammo in acqua subito, saltammo dentro, io risalivo e cadevo giù di botto come un corpo sparato. Lui nuotava molto meglio di me, s'allontanò, si mangiò il mare con le braccia fino a lontano lontano.

Ci ritrovammo sulla sabbia, e ci buttammo di nuovo, non avevamo nemmeno i costumi, il mare trascinava le mutande.

– Quanto tempo hai?

– Fino a domattina alle sei.

– Torniamo.

– Torniamo, sì.

– Così ti fai la doccia.

Ma ero ubriaco e mi addormentai a pancia sotto con la faccia nella sabbia. Quando mi svegliai lui aveva montato la tenda. Camminai verso quel fantasma.

– Te la ricordi?

In un attimo ero triste come un morto. Ricordavo tante cose e nessuna. Lì dentro avevo sognato e i sogni non rimangono.

– Non l'ho mai usata.

– Non ci sei mai entrato...

– Te lo giuro.

Faceva caldo, ma un po' meno. Il sole era piegato all'orizzonte, stanco anche lui del suo lavoro. Certi uccelli passavano, in fondo accanto alla foce del fiume, neri grappoli affamati s'abbassavano e picchiavano i capi nel mare. Dunque ricorderò questo, di quel giorno, un attimo prima. Il tramonto e la fame degli uccelli. Mi piegai per entrare nella tenda. No, tutto era già accaduto, molto tempo prima. E davvero non c'era bisogno di coraggio.

Mi stesi e respirai quell'odore di plastica, fermo da dieci anni e più, guardai il tessuto con i segni delle pieghe, le zip. Fuori era blu, dentro era arancione, una canadese. Mi stesi sotto quella volta arancione come sotto il più grande dei cieli. Me ne stetti lì beato come un neonato in quel ventre di plastica, stesi le braccia e toccai le pareti, ero cresciuto.

L'acheo era lì, scolpito, impolverato di sabbia, il cranio nudo come un elmo e quella faccia da bambino. Non entrava. Fui io a chiamarlo.

– Entra.

– Posso?

Si chinò e scivolò dentro, accanto a me. Restammo un pezzo così, l'uno accanto all'altro. Mi sollevai e tirai giù la zip, tornai a stendermi. Gli presi la mano e gliela tenni, ed era bagnata perché faceva molto caldo. Aveva montato quella tenda, aveva saputo cosa fare.

Ci fu un silenzio grave, eppure spensierato, perché nulla più era difficile per me.

Mi voltai appena con il collo e ci guardammo con nuovi occhi, svelati e assolutamente perfetti. E io sollevai la mano e gli carezzai il volto e ci baciammo e assaggiammo uno la saliva dell'altro e il calore della bocca e il fresco dei denti e io sentii come muoveva la lingua, con più pace di me, e io divenni più lento, ed era esattamente come doveva essere, come il rifugio, un lungo tunnel che arrivava direttamente al centro di me stesso e tirava tutto il corpo e tutto quello che c'era oltre il corpo, e tutto era risucchiato e aveva un posto preciso. E non so come andammo avanti, ma non fu affatto difficile. Il suo collo si tese come una frusta, come frustato, come il lungo collo di un cavallo senza più redini e uomo, la sua bocca s'aprì, e non avevo mai visto una bocca più grande, un urlo più silenzioso e travolgente. Mi teneva la mano sulla nuca, batteva la sua fronte contro la mia, rideva e piangeva, e diceva il mio nome e *amore, amore mio*. E sentivo che niente, mai più, sarebbe stato uguale a quel momento. E non sapevo che fosse così domestico e così selvatico.

E davvero accadde, e fu contro natura, e davvero vorrei sapere cos'è la natura, quell'insieme di alberi e stelle, di sussulti terrestri, di limpide acque, quel genio che ti abita, che ti porta a fronteggiare a mani nude le tue stesse mani e tutte le forze del mondo.

Allora fu natura, la nostra natura che esplose e trovò l'espressione più dolce e benevola. Ci trovammo. Come il vento che organizza il mondo, lo rade al suolo e lo riedifica lentamente. Costantino non voleva, neppure io volevo, almeno così credo di ricordare. Ma cosa so io, che poi la vita e il suo desiderio non abbiano contraddetto? Dolcemente caddero i suoi abiti come armature che si liquefanno. I suoi ruvidi vestimenti di ragazzo. Lui grosso, io magro, lui povero, io figlio di misera gente benestante. Mi guardò, i suoi occhi parevano cadere, appartenuti a molti altri uomini prima di lui, soldati morti in battaglia, monaci, assassini, eremiti. E adesso solo i suoi.

– Ti amo – dissi, – ti amo.

– Anch'io ti amo, Guido, da sempre.

Stupiti ci sollevammo in quel cielo di plastica arancione, ci piegammo come uomini sulle messi e raccogliemmo il nostro grano in quell'immenso splendore.

Quando uscimmo dalla tenda la spiaggia era un nuovo pianeta. Ero semplicemente io, ricongiunto a me stesso. Facemmo il bagno e ormai imbruniva e le nostre gambe erano delicate, come due animali messi dritti da poco, e fu un bagno lenitivo, ci lasciammo cullare e l'acqua sembrava il nostro universo.

Poi restammo vicini sul bagnasciuga, a toccarci le mani nel mare che scendeva e saliva. E furono momenti infiniti perché ogni cosa tornava e passava, perché le nostre mani nell'acqua venivano sepolte dalla sabbia e poi pulite, e quella sabbia era la vita, la prima volta che arrivò dal mare e si depositò: era lì nelle nostre dita.

– Adesso siamo noi.

– Noi, sì.

E non dicemmo altro, passammo il tempo a guardarci e a sorriderci. Ci si innamora quando si fa l'amore, la carne è l'unica spiaggia che le anime hanno. La sabbia era vergine alle nostre spalle e noi l'avevamo attraversata. Potevamo vedere le impronte lasciate dai nostri piedi, una colonna di palme e dita su quelle dune che adesso sembravano davvero la luna.

Non facemmo nessun piano, fu subito tardi e lui perdeva il treno, e gli avrebbero dato i giorni, tolto le licenze. Si rinfilò la divisa sulla spiaggia, inciampando, la sabbia nelle scarpe. Sradicammo la tenda e la buttammo nello zaino. Poi quel viaggio di ritorno, pieno di moscerini e di luci e di sbandate sulle strisce dei tram, e io non avevo nemmeno la miscela e i distributori erano chiusi. Arrivammo col singhiozzo in fondo a via Nazionale, lui saltò giù e corse e basta. Tornai verso casa a piedi nudi spingendo il motorino. Nella camera di mia madre c'era ancora il copriletto gualcito del mattino quando era stata portata via, mi stesi esattamente lì, sulla sua forma. Presi il suo cuscino, me lo misi tra le gambe e mi addormentai su quel fianco, beato.

Ero arrivato pieno di speranze. Il viaggio era stato lungo e bellissimo. In treno avevo letto, e di tanto in tanto sollevando gli occhi dalla pagina mi ero fermato a guardare il panorama che cambiava, prima la luce, poi la bruma su pianure che mi parevano sommerse dall'acqua, vecchie coloniche scolorite, passaggi a livello. *Il bene è certo e definito, il male è incerto e indefinito.* Ripetevo quella frase che avevo appena letto, che si staccava dall'inchiostro come una chiave da un mazzo e mi sembrava destinata a noi, a lui, ad aprire la porta di una nuova esperienza, di un infinito possibile. Era lui che mi definiva, buono, umano. Lui che nutriva speranza in me.

Non era quello che volevamo? Allontanarci dal mondo conosciuto, dal fango dell'incertezza, per cercare una vita altrove, lontano. E quel viaggio mi sembrava una prova, un assaggio del futuro che ci aspettava. L'odore del treno, la gente che saliva... soprattutto nell'ultimo tratto, dopo la stazione di Mestre, quella linea secondaria tra le erbe alte, donne imbacuccate, studenti sporchi d'inchiostro, ferrovieri in transito verso altri treni. Scendevano in quelle stazioni che apparivano nel deserto dei campi, chiudevano le porte, davano un colpo al dorso di ferro della locomotiva. Più volte mi ero alzato ad aiutare qualcuno, un uomo anziano, una ragazza, a issare un pacco sulle grate sopra le teste. Un vecchio treno, un secondario mondo, quasi fuori dal tempo.

Una donna teneva in una borsa una gallina viva, immobile, con pendule creste rosse, del tutto simile a lei. Erano la riproduzione viva di un quadro fiammingo. A poco a poco sprofondai nella visione di quel dipinto che mi circondava e che io stesso sembravo dipingere con la foga e il disperato bisogno di verità di un artista... il paesaggio acquoso tratteggiato a china e le figure incise dei miei compagni di viaggio, con i loro stridenti dettagli. Non mi sembravano figuranti, ma persone scelte, a una a una, da un nobile pittore, un Brueghel. Potevo sentire l'odore dei colori, quello del fango attaccato alle scarpe, quello della natura immersa nell'umido oltre il vetro dove tenui goccioline lottavano contro la forza del vento. Una commossa percezione di me stesso, come il più umile degli uomini... un'armonia che mai avevo sentito così profonda e tangibile col mondo creaturale.

Il treno viaggiava su vecchie rotaie, magre come nastri, attraversava la roccia, l'immensità di strapiombi silvestri... In profondità si vedevano minuscoli villaggi montani, case come pietre staccate dalla roccia e rotolate laggiù. Tutto era mio. Tutto era nel mio cuore, rimbalzava libero, tremavo di felicità, come un neonato che ride per la prima volta e ogni sua singola cellula gorgoglia. Il treno si fermava e ripartiva. Mangiai un panino avvolto in un pezzo di carta, e ancora ricordo quel sapore di pane impregnato di grasso, grandi morsi di fame. Era l'altitudine, il capogiro della giovinezza che finalmente gode. Mi sembrava d'impazzire di felicità, il sangue ossigenato, il cuore pulsava nella testa, dilatato. Andai nella toilette e mi masturbai a occhi aperti guardando le montagne, quella roccia fosforescente imbevuta di silenzio... In lontananza si vedevano ancora pezzi di trincee della Prima guerra mondiale.

Ero sceso nel paesaggio gessoso, avevo camminato fino alla caserma, avevo visto quel grande, imbronciato edificio. Avevo aspettato un po' in una saletta gelida. I due di guardia scherzavano sottovoce, mi avevano sorriso e trattato con gentilezza, li avevo guardati come ormai guardavo i ragazzi, con un pudore che mai avevo avuto.

Nell'ultima lettera raccontavo a Costantino il mio calvario.

So che le cose non sono mai uguali, così noi non siamo eguali a nessuno. La distanza da te è la più inumana delle ingiustizie. Ma a chi posso dire io tutto questo? Sento mio padre di là, si è affacciato poco fa e l'ho mandato via bruscamente. Trascorro notti sbandate. La fiacchezza di questa città mi appare tutta, senza di te, uno scatafascio di ore senza ristoro. L'altra notte alcuni ragazzi incendiavano un cassonetto, lo smuovevano, lo rovesciavano con un vigore che non avevo mai visto. Violenza liberata che mi è apparsa come un prodigio. Ho sperato che le fiamme raggiungessero tutto, che anche il fiume fosse fatto di benzina. Ha piovuto senza tregua. Le piogge hanno gonfiato il Tevere, l'acqua ha superato gli argini sotto i ponti, ha trascinato le chiatte e gli imbarcaderi. Canoe capovolte hanno viaggiato verso il mare tra vortici violenti come sorgenti. Ora tutto è ricoperto di quel fango grigio, così simile a quello che riveste i neonati alla nascita. Ho paura. Non so quanto ancora riuscirò ad aspettarti. La nostra tenda è scomparsa. Dovevamo fare il giro del mondo, ricordi? G.

Firmavo solo con l'iniziale, e non parlavo mai di me al maschile. Immaginavo che le lettere potessero essere aperte, la caserma non era un carcere, ma quasi. Un edificio impaurente, orlato di filo spinato.

Aspettavo le sue lettere con trepidazione. Era l'unica ragione per cui quella distanza valeva qualcosa, quel francobollo con il timbro, la busta gualcita dagli uffici postali. Mi sentivo proiettato in un'epoca eroica anteriore alla nostra dove le parole avevano il sapore del sangue. Annusavo quelle buste sottili. Lunghe lettere dal fronte nelle quali Costantino annoverava piccole inezie quotidiane, sempre deludenti. Il rancio era mangiabile e aveva imparato a strisciare e a sparare. Sembrava davvero uno stupido soldato con uno scopo più grande, indifferente verso la sua stessa vita. Temeva le mie intemperanze. Di cosa aveva paura, che gli spedissi una polaroid del mio cazzo in erezione con una dedica? Quando mi telefonava, sempre dalla stessa cabina telefonica, con l'incalzare sordo dei gettoni che scivolavano troppo in fretta, e io osavo lamentarmi di quelle lettere freddine, s'incupiva, mi rispondeva che lui non era come me, non sapeva scrivere. Lo immaginavo mentre si lavava la biancheria da solo, mentre mangiava Oro Saiwa seduto sulla branda, le briciole sui pantaloni, la nuca rasata. Sollevavo quei fogli fini che in controluce si riempivano di fosforescenze, le parole si mischiavano. Restava quel filo d'inchiostro, la sua calligrafia come un ricamo finissimo... Immaginavo nascondesse un'altra lettera, più intima, più impetuosa, scritta con un inchiostro simpatico che solo a me si rivelava. Era quella che cercavo di decifrare.

In quella sala d'attesa pensavo questo, avrei parlato con mio padre. Mi figuravo la sua faccia quando gli avrei detto *amo un uomo*. Non tutti gli uomini, no, soltanto uno. Lui. Il mio ragazzo. Il mio tenero, generoso, intrepido amico. Il mio Govinda.

Non sarebbe stato facile convincerlo, avevo frequentato ragazze, me le ero portate in camera, avevo chiuso la porta a chiave, acceso la musica a tutto volume. Sarebbe scoppiato a ridere, *mi prendi in giro, Guido?* Non avevo nulla dello stereotipo omosessuale, non ero timido, non ero emotivo, non avevo mai toccato gli abiti di mia madre. Hai visto, papà, i figli dei portieri che scalata nei nostri cuori avvezzi alla solitudine, al rimpianto.

Costantino era di guardia, c'era da aspettare un'ora, forse più. Feci una passeggiata da solo sotto i portici di quella città di provincia ordinata, tirata a lucido. Nella piazza si ergevano i banchi del mercato natalizio, nella nebbia saliva il profumo dello zucchero che bolliva, delle salcicce che colavano nelle griglie. Sul fondo, oltre i palazzi austroungarici, le cime dei monti parevano soffiate nel cristallo. Le luminarie correvano da una parte all'altra delle strade, filari di angeli che si baciavano, piogge di stelline. Mi fermavo davanti a piccole vetrine addobbate, profumerie, negozi di articoli da montagna, giacche di montone, golf pesanti... cose che sembravano parlarmi di una vita calda dove sarebbe stato facile ripararsi dal freddo. Mi strofinai le mani, soffiai nella sciarpa colmo del piacere per quel gelo terso, che puliva il mio spirito. E se anche avevamo sofferto, adesso eravamo così lontani da quella sofferenza. Avremmo smesso di sfuggirci e maltrattarci, io non avevo più intenzione di farlo, volevo dirgli questo.

Tutto di colpo mi appariva chiaro tra quelle stradine benevole illuminate da luci vibranti nella nebbia come chierici con i ceri intorno all'altare. Era bastato partire, lasciarsi indietro il nodo di quella città arrugginita. Chi avevo creduto di essere per tutti quegli anni? Un piccolo eroe confuso, un guascone senza talento. Ma adesso tutto sarebbe cambiato. Costantino mi aveva generato alla coscienza. Il mio petto s'apriva come quello di un nuovo angelo. La nebbia scendeva, si addensava in fondo alla strada nel portale di pietra che davvero sembrava l'ingresso di un altro mondo. Il paradiso è aperto, pensai.

Mi trovai in una laguna dove l'impiantito di pietra disposto a sbalzo formava strisce longitudinali che come per un inganno ottico parevano muoversi intorno alla cattedrale dalla facciata romanica. Attraversai il sagrato, spinsi una porta laterale. Dentro c'era la vastità delle chiese, sempre inaspettata, la navata centrale e le grandi colonne, il pulpito sollevato. Una scala conduceva ai sotterranei.

Mi ritrovai in una stanza foderata di ossa fino al soffitto, crani e omeri dentro teche di vetro. Presi una candela, misi i soldi e la pinzai nel gancio di ferro accanto alle altre ormai liquefatte. Una distesa bianca, esanime, che nessuno aveva rimosso. Rimasi un po' a guardare quella cera che colava, pensai alle anime, a come tutti ce ne andiamo dopo aver lottato. A come per alcuni è più facile raggiungere il proprio scopo sulla terra, e a coloro i quali vivono nell'incertezza e nel rimpianto muoiono... opachi passaggi di un progetto che ha bisogno di una lunga filiera creaturale prima di trovare il suo fulgore, di applaudire la propria esperienza. Pensai a mia madre, alla sua figura nobile, sembrò voltarsi ancora una volta e chiamarmi per nome. Avevo deciso di vendere i suoi gioielli, li avevo mostrati a un orafo del ghetto. Soprattutto l'anello aveva un grande valore, un rubino sangue di piccione che Georgette portava sempre al dito e nel quale io da bambino riconoscevo la profondità pulsante del suo cuore. Con quei soldi Costantino e io avremmo potuto vivere un bel po' e intanto cercare un lavoro.

E in quel campo di cera io vedevo il dolce volto di mia madre che mi invitava a farlo. E quella perdita, che mai avrei accettato, per la prima volta, forse, affondava nel mio cuore come una matrice silenziosa che avrebbe impresso la mia vita nel segno del suo coraggio.

Guardai l'orologio, camminai ancora un po', insaccato nell'attesa trepidante di quella vigilia. Mi sentivo il corpo, ogni muscolo, ogni vena, l'agilità del tallone che si sollevava, il suo osso bianco sotto il calzino.

Ora sarei andato a prendere Costantino. Il suo amato viso sarebbe apparso in quella stanza con la guardiola di vetro che adesso conoscevo. Avevo visto una vineria, passando, un posticino minuscolo con pezzi di carta sui tavoli di legno e due vecchietti seduti davanti a una bottiglia, avevo appiccicato il naso al vetro per curiosare. Potevamo entrare lì, occupare uno di quei tavolini sotto una vecchia stampa della città, ordinare un po' di formaggio, una bottiglia di vino. Ma forse era stanco e voleva soltanto dormire. In quel caso saremmo andati subito in camera, lo avrei lasciato dormire appoggiato al mio petto e avremmo rimandato tutto all'indomani, non c'era fretta. Non c'era più fretta. Avevamo tante di quelle cose di cui parlare. Mi aveva mandato una fotografia verdognola, gli occhi sgranati di un arrestato, il colletto rigido della divisa... scattata dentro una di quelle cabine con la tenda. L'avevo guardata per ore, me l'ero tenuta sul petto. Il mondo improvvisamente mi opprimeva con il suo carico di figure aggressive e ciarliere. Avevo bisogno di guardarlo... il naso deformato, la cicatrice sul mento... di vedere se i suoi grandi occhi buoni volevano dirmi qualcosa, muoversi verso di me. Lo sforzo di imprimermi i suoi tratti era vano. Non era accaduto lo stesso con mia madre? Sapevo che è sempre così, volti inutili diventano stampe indelebili e le persone che ami misteriosamente hanno il viso bruciato.

Tornai davanti al grande edificio della caserma, sollevai gli occhi sul reticolo di piccole finestre, molte spente, alcune illuminate. Dove dormiva lui? Per telefono mi aveva detto che divideva la stanza con altri cinque, tre sardi, un ragazzo di Ancona e un siciliano.

Entrai di nuovo nella piccola stanza di attesa. Adesso c'era un altro ragazzo di guardia, riempiva con la biro un registro dietro lo sportello di vetro. Avevo comprato un regalo per Costantino, un golf rosso, di lana doppia. Ero entrato in uno di quei preziosi negozi e ci avevo perso un po' di tempo. La donna gentile, di mezza età, era salita su una scaletta e aveva svuotato gli scaffali, aveva aperto infiniti maglioni, ma io avevo deciso fin dall'inizio per il golf sul manichino in vetrina e non avevo più cambiato idea. Adesso non vedevo l'ora di darglielo, di vedere quella lana stupenda attraversare il suo collo, aggiustarsi intorno ai suoi muscoli dorsali.

Aspettai ancora un bel po' stringendo quel pacco, e davvero mi sentivo una madre in attesa di una visita carceraria. Il ragazzo mi chiese chi aspettavo. Pronunciai prima il cognome e poi il nome, come a scuola.

– Cherubini Costantino.

Cherubini Costantino, e sentii quel nome calarmi nelle ossa mentre lo dicevo, e il mio stesso corpo calava in una fossa fonda come la galleria di un pozzo, dove quel nome rimandava all'infinito la sua eco. Cherubini Costantino. Un nome che avevo ignorato o peggio deriso. Un nome che adesso, in quella sera di dicembre, era tutto per me, l'aggancio ferrato sulla roccia più dura.

– È tuo fratello?

– No, è un mio amico.

E quella parola mi risuonò così minuscola, così falsa. Presi a camminare su e giù fischiettando l'inno d'Italia, il ragazzo mi disse che non si poteva fischiare. Cominciavo a stranirmi. Mi tolsi l'elastico dal polso e mi legai i capelli. Tirai su con il naso. Il militare adesso mi guardava fisso.

– E tu l'hai fatto il militare?

– Mi hanno riformato.
– E perché?
– Sono schizofrenico.

Due ragazze si erano sedute accanto a me, parlottavano tra loro. Una aveva lunghi capelli sciolti su un collo di pelo, che mandavano un buon odore, l'amica era una figurina strizzata in un soprabito troppo leggero, non la smetteva di strofinarsi le braccia. Avevano salutato, erano uscite a fumare una sigaretta poi erano rientrate. Avevano tutta l'aria di essere delle habitué in quella sala d'attesa, prossime mogli magari.

Stringevo il mio pacco di bellissima carta lavorata in rilievo, seduto lì, accanto a quelle due fidanzate, con il mio chiodo, i miei jeans, mi venne da sorridere. Mi sentivo un purissimo angelo che aveva superato i gretti confini di un mondo sessualmente definito da tali donnine diligenti, da tali soldatacci, come un ufficio di imposte e tributi.

Costantino uscì in mezzo a un gruppetto. Saltai in piedi, alzai il braccio. Mi fece un piccolo sorriso, mosse appena gli occhi intorno. Era molto dimagrito, sotto le ossa le guance erano ombrate. Si chinò per firmare, la penna gli cadde dalle mani, la riprese, firmò. Ero lì immobile, attraversato da tutto.

– Ohi, ciao.

Mi abbracciò velocemente con un solo braccio, mi presentò ai suoi amici. Scodinzolai qualche ciao, una battuta: *fa un cazzo di freddo. Dentro è peggio*, uscimmo ridendo.

La tipa con il cappottino leggero non perdeva tempo, era saltata addosso al suo ragazzo che la sorreggeva mentre si baciavano. L'altro militare intanto stringeva la ragazza con il collo di volpe spelacchiato, che era molto più bassa di lui, sicché doveva chinarsi parecchio. Restammo a guardare quelle schiene appaiate di fidanzati, coppie regolari composte da un corpo grande e protettivo e da uno più piccolo arrampicato sui tacchi, impiumato per il richiamo sessuale.

Mi strinsi nel giubbotto, ero imbevuto di quel mio profumo al sandalo che a Costantino piaceva. Aveva sollevato il volto verso di me, *vieni Guido*, e adesso guardavo il suo fiato che usciva bianco nel freddo.

Ci tirammo appresso per un po' un terzo ragazzo, l'unico solo, quel siciliano basso e loquace, che non la finiva di parlare, di raccontare storielle. Trasudava già la tristezza che di lì a poco, quando sarebbe rimasto solo, lo avrebbe raggiunto. Guardavo la mano di Costantino, abbandonata come una zampa rotta. Morivo dalla voglia di stringerla. Il siciliano si infilò in un bar per comprare le sigarette e ci perdemmo nella piazza.

La nebbia era più greve e le luci adesso sembravano nascere direttamente dal cielo, appese nel nulla, senza fili né pali. Camminavo dietro di lui, ma non così tanto da non sentire il suo respiro e il suo odore così prossimi a me. Avvicinai la mano alla sua, se la lasciò prendere, mi tenne forte. E per un pezzo ci muovemmo così in quel candore di latte, con lui imbracato nella sua divisa che mi tirava come un poliziotto con un ladruncolo spiritato e inquieto. Quando fummo al sicuro ci abbracciammo, non avremmo più potuto resistere oltre, e il sicuro fu una saracinesca abbassata appena fuori dal viale principale. Sentii la sua bocca fresca, il suo cuore che batteva sotto il costato. Ci stringemmo come due sacchi caduti l'uno sull'altro dall'alto, senza mai alzare le teste dall'odore. Scivolammo contro il metallo che tuonò. Restai per un bel pezzo aggrappato al suo collo, mentre lui mi carezzava la testa.

– Guido, Guido...

E il mio nome pronunciato da lui, con la sua voce roca e fonda, il mio nome che nasceva dalla sua pancia e passava attraverso la sua gola era il più bello del mondo, infondeva coraggio alla mia misera persona, scivolava dentro di me e mi definiva, mi dava luogo e tempo, e un'origine certa.

Dalla piazza del mercato si diffondeva un jingle natalizio, seguitammo a sfiorarci come due animali in una danza d'amore nella nebbia, un corteggiamento languido e ferino lungo le strade dove adesso la gente si affrettava e i negozi chiudevano. Saltai addosso a Costantino, gli tolsi il berretto, lo lanciai in mezzo al selciato, rimase con la testa nuda e rasata.

– È vietato toglierselo, cazzo.

Si chinò a raccogliere il berretto, glielo rubai di nuovo.

– Se mi vede un superiore mi chiudono in caserma a pulire cessi!

Me lo misi in testa, e doveva starmi piuttosto bene quel berretto militare sui capelli lunghi. Vidi Costantino fermarsi e dondolare come se all'improvviso avesse perso l'equilibrio. Allora sentii che era ancora innamorato di me.

– Che c'è?

– Sei il ragazzo più bello che abbia mai visto.

Comprammo uno zucchero filato, attendemmo che levitasse caldo e spumoso intorno al suo stecco e strappammo ciuffi dolcissimi che ci fecero ridere e impiastricciare, che subito si scioglievano in bocca deludenti come il nulla... la quintessenza dell'inganno più dolce, non era questo l'amore? Un pugno di zucchero che cambia le sue molecole, si gonfia e ci alletta, poi, al contatto con la cavità calda delle membra, svanisce come l'illusoria sostanza dei sogni.

Ci fermammo a guardare quelle montagne che si stagliavano incombenti e dolorose, come acquosi stracci. Lì erano morti tanti ragazzi, la roccia impastata con la polvere delle loro ossa emanava una sua fosforescenza. Lassù c'erano i camminamenti e le croci, le vecchie garitte abbandonate. E li vedemmo, per un attimo nella rarefazione udimmo il loro canto alpino, il battito dei loro passi, perché le nostre anime erano così trasparenti... Quei giovani fantasmi perduti nella neve che si lamentavano, invocavano le loro madri... I morti della Prima guerra mondiale, l'ultima guerra del vecchio mondo, la prima del mondo nuovo.

Nella basilica di Aquileia Maria Bergamas, lei per tutte le madri di soldati dispersi, fu chiamata a scegliere, tra le bare allineate, un figlio per tutti quelli insepolti. Il milite ignoto fu portato al cospetto della dea Roma e lì vegliato per tutti gli anni che vennero.

Una di quelle storie lugubri e romantiche spazzate via dalla modernità. Le giovani leve di guardia all'Altare della Patria forse non l'avevano mai sentita. Ma Costantino sì, la conosceva fin nei dettagli quella storia così umana, così lontana. E adesso me la raccontava, in un impeto di patriottismo, il petto gonfio nella divisa, il profilo dritto nel cielo come quello di una statua. E mi ricordavo che era sempre stato affascinato dalla Storia, la materia nella quale eccelleva, forse perché bastava memorizzare. Io la trovavo monotona, un ingordo serbatoio di sopraffazione, lui sapeva date, schieramenti sui campi di battaglia. Adesso credeva di essere da qualche parte nella Storia con la sua ruvida divisa, le mostrine, il berretto. Provai pena per lui, perché era così diverso da me, così ingenuo. Era per questo che lo amavo. Apparteneva a un mondo migliore, morto prima di noi. A un bene definito. I suoi occhi si riempirono di quel pathos infantile che me lo rendeva così caro.

La vineria chiudeva, l'uomo con il grembiule color vino era dispiaciuto, ma anche per lui era la notte di Natale, così comprammo un po' di formaggio, del pane, una bottiglia di vino.

Era una pensioncina aggraziata, con un arco in pietra aperto su un cortile interno dove d'estate doveva esserci una vite vigorosa che adesso era una frusta ramificazione simile a un grande ragno stecchito. Aspettammo la chiave, lasciammo i documenti. Un ometto in vestaglia accese le luci su una scala buia di piccoli gradini scadenti ma puliti, ci accompagnò in camera. Chiudemmo la porta. Era la prima volta che ci trovavamo soli in una stanza con un grande letto davanti. Avevo paura che qualcosa non andasse per il verso giusto. Non avevamo quella confidenza, forse non l'avremmo mai avuta. Eravamo due uomini e tali saremmo rimasti. Ma volevamo sentirci diversi. Dichiararci fedeli a quella diversità.

Ero sempre stato io il meno timido, il più sfrontato tra noi due. In quella stanza la musica cambiava. Pensai di dover essere io la donna. Pensai che dovesse essere lui la donna. Pensai che se avessimo continuato avremmo dovuto trovare un codice romantico, i riti non solo nei luoghi di culto ma anche in cielo tra gli uccelli seguono un ordine stabilito dall'esperienza. Quale sarebbe diventata la nostra esperienza?

Sollevai le braccia, mi trascinai dietro la camicia, il golf, strappai i bottoni. Mi denudai il torso con un unico gesto, un unico mucchio di stoffa. Non feci niente altro. Stetti lì seduto su quel letto a infreddolirmi, a sentire i capezzoli che diventavano noccioli duri. Non ero certo uno spogliarellista, ma volevo mostrargli la mia piccola merce. Capire se ancora lo allettavo. Non avevo seni caldi, né astuzie, né belletti. Mi sentivo rimpicciolire. I capelli però erano lunghi come quelli degli angeli. Erano l'unico regalo che avevo per lui. Rimasi lì esposto in attesa che si avvicinasse.

Ci guardammo e forse pensammo la stessa cosa, che quello sarebbe stato il primo di tanti alberghi, il primo del lungo calvario che ci aspettava.

Poi rimase la sua divisa infilata sulla sedia, perfettamente sistemata. Si era spogliato così, sotto i miei occhi, scrupoloso come un sarto, aveva unito i lembi dei pantaloni e adagiato quella stoffa patriottica che adesso ci guardava. Era molto più sfrenato di me. Lo guardavo incredulo, non potevo sospettare che fosse così pazzo. Io ero un povero avanzo, lui era già tornato quello di prima, un maschio nudo che fuma.

Aprimmo il mio regalo, e lui sembrava non aver mai ricevuto un dono più bello. Vidi il suo collo passare in quella lana rossa, esattamente come avevo immaginato. Mangiammo sul letto, finimmo la bottiglia e poi scherzammo con quella bottiglia come due volgari commilitoni, lui che mi inseguiva e io che urlavo, salivamo sul letto, saltavamo giù e di sicuro ci avrebbero cacciati da quella timorosa pensione dopo tutto quel casino.

Più tardi uscimmo.

Ci ritrovammo davanti alla chiesa romanica. La nebbia era cresciuta e il paesaggio notturno adesso era irreale, magnifico... la gente che si affrettava sul sagrato per la messa di mezzanotte, bambini imbacuccati, coppie di giovani sposi, vecchietti, pareva uscire dal nulla, da un orizzonte metafisico... creature incolonnate nel fumo lattiginoso di un giudizio universale.

Costantino si tolse il berretto, infilò la mano nell'acquasantiera e si segnò. Io non ero stato battezzato. Mi era mancato quel battesimo, il resto no, solo quello. Mi ero sentito più nudo e più esposto degli altri. Avrei dovuto esprimermi sulla terra, soltanto qui, nel fango e nel mosto della mia coscienza. Quella scelta, che avrebbe dovuto rendermi più libero, fin da bambino mi sembrò prevaricante. Quasi che la mia famiglia avesse voluto assumermi nella sua visione fredda e dominatrice del mondo, lasciandomi solo fin da subito davanti alla responsabilità della mia vita come poi di fatto era accaduto. Un giorno, uno degli ultimi di mia madre, rotto di dolore, avevo camminato fino a Borgo Pio e lì in uno di quei negozietti di libri sacri e Madonne luminose avevo comprato un rosario a buon mercato. Di notte avevo infilato quel rosario di grani di plastica nel nodo di dita bluastre e fredde della mia amata signora: l'aveva stretto, nascondendolo quasi. Sprofondata in una delle sue assenze mentre i denti battevano come tagliole, Georgette aveva cominciato a pregare, e io mi ero stupito di come ricordasse ancora parole pronunciate forse solo durante l'infanzia, poi mai più per tutta la vita.

Restammo accanto alla porta. Credo di essermi sempre seduto così nelle chiese, in fondo, dove l'incenso sfoca la visione e la voce del prete è un rumore lontano. Attratto dal culto, dal ristoro dei molti, ma pronto ad andarmene, sospinto indietro per indegnità o per superbia. Ci sedemmo con l'intenzione di non restare. Ma poi la funzione cominciò con la sua processione di bambini bianchi, i suoi cori, l'organino suonato da una suora con una minorata faccia scimmiesca. La chiesa s'era riempita, e quel gregge caldo, sazio della cena natalizia, ci scaldava nel torpore degli incensi. Posai appena la testa sulla spalla di Costantino, ci tenemmo la mano nella sua tasca, seduti accanto a una pallida vecchina chiusa nel suo astrakan come in una bara.

Lessero i vangeli e la vecchia storia della stalla e delle bestie dal fiato caldo e del bambino nato dallo sperma del cielo. E Costantino quasi piangeva, ubriaco forse, stordito da troppi pensieri. La colpa ardeva nella nullità della carne... Nei ceri bruciava qualcosa di noi, lontani da tutto in quel nostro Natale. Circondati da una comunità di ignoti volti montani che ci sembrò la migliore della terra. Nessuno ci conosceva, nessuno ci amava, nessuno ci odiava. Eravamo due sodomiti, stanchi, impantanati... il corpo scosso di spinosi spasimi. Costantino aveva aperto la bocca come un bambino e cantava *Dio del cielo se mi vorrai amare scendi dalle stelle vienimi a cercare...*

Ci scambiammo il segno della pace, stringemmo le mani a tutte quelle persone benevole che adesso parevano accoglierci come una coppia di giovani sposi. Restammo fino alla fine quando ci incamminammo con i bambini, insieme alla nostra vecchietta imbacuccata di astrakan, verso la cappella dove era stato appena posto il bambino Gesù nel presepio. Scendemmo verso l'ossario. Costantino s'inginocchiò e cominciò a mormorare una preghiera, io rimasi in piedi a contare i crani, ma erano davvero troppi e mi stufai.

C'era un vento terribile. Costantino camminava più lentamente, sembrava che gli mancasse il fiato, che stentasse a tagliare l'aria davanti a sé. Attraversammo il piazzale della ferrovia e il vento pareva volerci sollevare, strappare i vestiti. Avevo freddo alle gambe, alle orecchie.

Il bar della stazione era ancora chiuso, due figure, forse un uomo e una donna, dormivano in terra. Passammo accanto a quei due corpi chiusi in luridi sacchi a pelo che sembravano morti.

Ci fermammo davanti alla cabina fotografica dove Costantino si era scattato quella foto in divisa da spedirmi, ci sedemmo uno sull'altro sul panchetto e aspettammo il flash abbracciati.

Nella sala d'attesa la porta era rotta, non faceva altro che sbattere con il vento, lasciava passare il freddo. Avevo quelle fotografie in mano, soffiavo per farle asciugare. Costantino aveva detto *sono venuto male*, non era affatto vero.

Si guardava intorno, quasi impaurito, teneva le mani in tasca chiuse a pugno e io potevo vedere quei pugni nel rigido tessuto della sua divisa. Erano i suoi pugni da uomo, ma erano anche i suoi pugni da bambino. Se ne stava così, in quella sala d'attesa di seconda classe, con la testa bassa, tormentato da pensieri che non voleva dirmi, perché forse ci umiliavano.

Non era quello che avevamo desiderato, se mai avessimo desiderato una felicità insieme, una vita in comune. Chissà quanto doveva averci pensato. Ma di sicuro non aveva trovato nessuna soluzione accettabile.

Si infilò in bocca una sigaretta, ma dalla parte sbagliata, sputò un pezzettino di tabacco. Presi la sigaretta, l'accesi io poi gliela rinfilai tra le labbra. Buttai lentamente il fumo che trattenevo nella gola sulla sua faccia. Aprì la bocca, irrigidì la mandibola, fece di nuovo quel tic, come di uno che soffoca.

Non si sarebbe mai presentato da suo padre e sua madre, da quella brava gente, per dargli un dispiacere così inimmaginabile.

Adesso penso che se fossi stato più forte, se fossi rimasto a dormire in quella sala d'attesa come quei due ragazzi nei sacchi a pelo, se non mi fossi mosso da lì, forse le cose sarebbero andate diversamente. Avrei dovuto piantarmi davanti a quella caserma e lasciar passare i giorni, la pioggia e il buio, in attesa che lui decidesse. Ma eravamo cresciuti insieme e se da una parte questa antica conoscenza ci univa, dall'altra ci rendeva sconfitti e rudi, in un attimo. Diffidando di noi stessi, tornavamo a guardarci con diffidenza.

Chi ha detto che i ragazzi sono coraggiosi? Il coraggio io l'ho trovato con gli anni, insieme a ogni sbaglio, a ogni pezzo mancato di strada. Non ero abbastanza disperato, forse. Avevamo poco più di vent'anni, tutta la vita davanti. E lui apparteneva all'infanzia, a quella parte decrepita. Anch'io da qualche parte pensavo che si potesse tornare indietro. Potevamo anche restare così, buoni amici... che si sono conosciuti un po' meglio.

Gli avevo detto di Londra. Finita la leva avrebbe potuto raggiungermi, dividere una casa con me, avremmo potuto starcene insieme, lontani da tutto, in quella città libera e ambiziosa. Lì avremmo trovato la nostra musica. Mentre parlavo l'emozione si era affievolita e infine mi ero distratto. Credevo di parlare per noi due, ma era un suono ventriloquo quello che sentivo. E quella porta che sbatteva adesso sembrava dirmi *basta, alzati e vattene.*

Gli dissi dei gioielli di mia madre, di quell'anello che valeva un patrimonio.

– I soldi basteranno per tutti e due.

– Non ho nessuna intenzione di farmi mantenere.

Se ne stava lì chiuso nella sua divisa, teso, sperduto, le gambe strette come una donna. Avrei finito per somigliare a lui, per accollarmi la sua tristezza. La forza delle sue origini lo trascinava indietro, in quel mondo avvilito che doveva essere un solido richiamo. Non ero più così sicuro di volermi tirare appresso il suo corpo battezzato, imbevuto di colpevolezza, che adesso sembrava imbruttito.

– Che c'è?

– Niente, non c'è niente.

Rimasi a guardargli la nuca, quel cuneo rasato che adesso si vedeva bene. Avevo desiderio di baciarlo, di stringerlo a me. Facilmente riuscii a convertire quel desiderio in malessere. A far risalire il mondo intorno, il freddo, lo squallore. E noi al centro di quello squallore, due uomini imprecisi, uniti da una losca attrazione.

Poco prima, in quella camera, l'odore caldo che fuoriusciva dai nostri corpi e si mescolava in quell'intimità da stalla, di bestie che si strofinano nello stesso sterco, mi aveva eccitato oltremisura. Subito dopo, quando c'eravamo stesi sul letto esausti e maledetti, lo stesso odore che ristagnava mi era sembrato insopportabile come quello di certi canali marini. Mi ero infilato in bagno sotto una doccia traballante. Provavo una repulsione profonda verso me stesso, era quello che mi eccitava. Sottomettermi, rendermi abietto. E lui voleva essere calpestato almeno quanto me.

Di nuovo pensai che fosse lui a trascinarmi, che non fosse quella la mia vera natura. Ma soltanto una parte, la più dolorosa. Tenebre alle quali lui aveva facilmente accesso. Non avevo stima di me stesso. Non sarebbe stato certo lui ad aiutarmi a crescere, a costruirmi. Lui mi avrebbe tenuto a sé, avrebbe mischiato le sue fragilità alle mie. Ci saremmo violentati a turno, solo per sopportare il dolore della vita.

Camminammo verso il binario. Taceva, scontroso, si guardava intorno, preoccupato che potessi fare qualcosa di insensato. In albergo aveva gettato un asciugamano sul televisore come se temesse che qualcuno dentro quello schermo nero potesse spiarci. La divisa gli regalava un aspetto austero, teso, e lui sembrava adattarsi. Avanzava impettito. Forse gli piaceva che un ordine esterno avesse preso in mano la sua vita. Erano gli ultimi istanti... leggevo nei suoi occhi il terrore che io potessi sovvertire quell'ordine.

– Non ti fidi di me?

– Mi fido solo di te.

Non potevo dimenticare quel corpo da vitello disperato e bisognoso. Avevo voglia di strappargli il berretto e buttarlo sulle rotaie. Di vederlo morire travolto da un locomotore.

Ci dividemmo le fotografie prima che salissi sul treno. Salutai quel soldato con un muto abbraccio virile. Lo vidi andare via senza voltarsi, di colpo non c'era più.

Quando il treno passò attraverso la montagna sentii una pietra staccarsi dal mio petto, la vidi rotolare e depositarsi nello strapiombo dove correvano le rotaie. Mi toccai il petto, credetti di morire. Aveva lasciato il suo bianco cratere. Adesso quella natura anemica, seppellita, avrebbe potuto tornare a vivere, a trovare i suoi colori, a inerpicarsi selvatica e libera. Quel rigoglioso vuoto era l'avvenire.

Londra mi avvolse, mi fasciò di un nuovo me stesso. Trovai esattamente quello che cercavo. Un luogo aperto e caotico dove potermi nascondere e respirare, allertato negli stimoli, trascinato. Non avevo mai visto tanti ragazzi, tante razze mescolate, sentivo la forza di tutte quelle vite confluite lì con la mia stessa impazienza. Mi sistemai in un ostello a Camden, una camera piccola come la cuccetta d'un treno dove spesso dormivo vestito, bagni in comune, una mensa indegna.

Le lunghe passeggiate a Soho, i locali dalle stravaganti scenografie e tutta la loro umanità psichedelica di new romantic, i mercati con i lecca-lecca di cannabis e popper insieme all'antiquariato, quei posticini lungo il Tamigi dove mi sedevo a mangiare pesce fritto accanto a vecchi Jack squartatori. Restavo a leggere sotto un lume in quegli interni unti, di legno intriso di birra, in compagnia della ragazza che alzava le sedie sui tavoli... gli stessi pub che all'imbrunire si riempivano di uomini in cravatta, di furtive donnette che prima di rincasare facevano la loro sacrosanta sosta.

Dopo sei mesi ero già irriconoscibile. Giacca di velluto con alamari, un cappello da giocoliere, un inglese rozzo mescolato allo slang dei comizi allo Speakers' Corner. Margaret Thatcher era al suo primo mandato, gli urloni di strada avevano le vene gonfie sotto il collo, i ragazzi reagivano all'impoverimento sociale con scintille di stile, vestiti autoprodotti, facce bianche da Pierrot, musica fai da te con i sintetizzatori.

Avevo trovato lavoro in un bar. Mi allungavo a parlare con tipi incontrati di volta in volta. Mi invitavano a casa loro, e non avevo mai visto interni più strampalati. Grossi tappetini di pelo d'orso intorno ai WC, cineserie, letti sospesi come pianeti. Speed passavano come vitamine.

Divenni amico di un gruppo di studenti della Saint Martin's School of Art, mi fecero conoscere la nuova arte, le performance di Leigh Bowery al Taboo, manga giapponesi mischiati alle immagini di Botticelli. Erano gli anni di *Like a Virgin* e di tutta quella dissacrante sottocultura gay clone e leather. Corpi che si trasformavano in sculture viventi... che raccontavano esperienze umane di ogni tipo. Divertendoti potevi indagare le tue ossessioni, liberare le tue emozioni. Avevi la sensazione di poter scegliere un'altra identità da quella stabilita. Camminavo su una saponetta. Avrei potuto scivolare nel letto di uno di quegli accattivanti ibridi. Feci un passo indietro. Quella galleria troppo intrigante mi spinse verso l'eterosessualità.

Grazie a Mirna, un'insegnante di yoga, e a Peggy, una burrosa agente immobiliare, imparai a conoscere il corpo delle donne, quel loro speciale piacere profondo. Imparai a slinguare orecchie, a infilare dita, a percorrere schiene, tutte quelle pratiche che se esercitate con pazienza e accuratezza ti trasformano in un divo. Da come mi guardavano gli occhi di queste ragazze avevo l'impressione che gli uomini inglesi non fossero un granché, troppo alcol nelle vene per non scolare in fretta. Io avevo pazienza, e imparai che è la cosa che le donne preferiscono, per questo poi si trasferiscono sui figli, perché sono gli unici che le fanno giocare, le baciano, le leccano. Mi trasformai in un tipo piuttosto disinvolto, di quelli che si aggirano nudi in case sconosciute, si fanno il caffè, si grattano beatamente i coglioni mentre la ragazza del giorno è scappata a lavorare in un drugstore o alla City. Vivevo tra pub, droghe, eventi di cultura underground. Lavoravo la notte e spesso il giorno non mi tiravo su prima del pomeriggio. La domenica, rincretinito, correvo a Hyde Park con altri corpi pallidi avanzati da quelle fenomenali sbornie del sabato sera.

Cambiai cinque case, l'ultima fu quella che divisi con un ragazzo norvegese di nome Knut. Il fatto che fosse omosessuale non mi creava nessun imbarazzo. Lo sentivo rientrare la sera, instabile, in compagnia di qualcuno, sentivo i gemiti, la roba che cadeva. L'unica preoccupazione era la promiscuità, il timore che potesse scoppiare una rissa, che uno di quei tipi potesse fottermi l'impianto hi-fi che intanto mi ero comprato. Facevo la spesa, ma il frigorifero era sempre a secco, svuotato da gente di passaggio. Cominciai a nascondere le cose, a lamentarmi come una zitella astiosa per il cesso sporco e altre amenità.

Certe sere, quando Knut era in versione casalinga (ed era davvero un ottimo cuoco e una squisitezza di persona), intrecciavamo lunghe discussioni che finivano molto in là nella notte. Sapevo della sua infanzia a Sogge, di sua madre che era un'insegnante di pianoforte e di sua nonna che era stata la prima donna norvegese a pilotare un aereo. Calvi era stato trovato impiccato con i mattoni in tasca sotto il Blackfriars Bridge. Knut era interessatissimo al Vaticano, agli intrighi internazionali dello Ior. Roma gli sembrava incredibile, con quella città santa dentro la città dove svolazzavano tonache e misteri.

Non gli dissi mai una parola sulla mia vita fin lì. Non feci mai il nome di Costantino. E lui non sospettò mai nulla di me. Una sera (Jimmy Somerville cantava *Smalltown Boy*) provò a mettermi una mano sul culo, a baciarmi. Era il mio turno ai fornelli e quindi potevo sembrare una specie di moglie. Gli dissi di piantarla e la cosa non si ripeté mai più. Knut fu l'amico migliore che potessi avere, generoso, intelligente, caotico ma disciplinato. Osservando la sua esperienza, imparai quanto crudeli possono essere gli uomini con gli altri uomini, trattarli come semplici oggetti, discriminare i ragazzi bruttini, con un capitale sessuale basso.

Tutte le relazioni d'amore nascono da una mancanza, ci immoliamo a qualcuno che semplicemente sa accomodarsi in questo spazio aperto e dolorante per farne quello che vuole: farci del bene oppure distruggerci. Nelle relazioni omosessuali questa mancanza è sterminata, forse insanabile. Non ho mai visto una persona soffrire come Knut, buttarsi a capofitto in storie disastrose e continuare a crederci sempre, a ripresentarsi dall'ennesimo stronzo con un fiore in mano. Un geniale laureato del Cambridge Computer Laboratory, una specie di inventore senza nessunissima intenzione di investire su se stesso. Un vero artista, in fondo. La notte per lui non finiva mai, ma al mattino presto si buttava sotto la doccia, preparava un litro di caffè per entrambi, si stringeva nel suo completino blu e senza ombrello sotto quella pioggia snervante se ne andava verso la società giapponese per la quale lavorava.

Fu lui a portarmi in quel locale. Era il mio ventitreesimo compleanno, se non ricordo male. Ci infilammo nel quartiere a luci rosse dietro Soho, in quel concentramento di prostitute, avventori silenziosi, vetrine di falli e fruste da femdom. Attraversammo una porta imbottita di umido velluto. Non avevo mai visto niente di simile. Lo spettacolo era degradante e kitsch, la pantomima di ogni fantasia erotica omosessuale. Finti poliziotti, finti Querelle de Brest si chinavano con i culi scoperti, mostravano gli sfinteri, simulavano contatti sessuali. Knut e i suoi amici recitavano il loro ruolo di avventori, infilavano soldi nei tanga, tiravano fuori la lingua. La bandiera di Sua Maestà era stampata su una tenda di spaghi luccicanti, da questa tenda patriottica entravano e uscivano tosti ragazzi di diverse nazionalità, che si guadagnavano da vivere così, magari si pagavano gli studi, sostentavano famiglie derelitte in qualche ex colonia inglese.

Knut e i suoi amici salivano in stanzette dove lo spettacolo continuava con altri prezzi. Knut mi sorrise, mi mise una mano sulla spalla.

– ... Magari scopri che non è male.

Li lasciai scomparire in quelle tane, dove si sarebbero morsi. Rimasi ancora un po' lì, ma siccome non tiravo fuori sterline e non applaudivo i finti marinai smisero presto di dimenarsi e chinarsi sotto il mio naso. Mi masturbai per strada, appoggiato a un negozio chiuso. Fu uno dei momenti più umilianti e più disgustosamente eccitanti della mia vita. Sentivo le voci della gente che passava a pochi metri da quell'angolo buio, ripensavo a quella notte di qualche anno prima, quando Costantino si era curvato su di me per baciarmi e io avevo sentito di appartenergli, e di volermi sacrificare per lui come uno stupido agnello.

Londra cominciò a sembrarmi meno scintillante, il clima schifoso, i turisti, quei bus rossi a due piani, l'odore di spezie e burro. Tutti quegli eccessi, quelle bizzarrie in mezzo a tanta muffa conservatrice, il cambio della guardia reale, quella marcetta stupida da burattini, gli strilloni davanti al museo delle cere. Il Ring Road e poi un'infinità di poveri. Tutta quella libertà nascondeva un abbandono sociale, a Brixton gli immigrati neri esasperati dalla poll tax impiccavano e bruciavano il fantoccio della Iron Lady. Quelle persone interessanti e multiformi mi apparivano molto meno aperte, ipocrite. Bisessuali, tossici che non mancavano un brunch domenicale a casa di nonne con i canarini nella gabbia.

Però intanto avevo conosciuto Radija, una ragazza di origini arabe. Fu la prima storia importante della mia vita, la prima donna con la quale pensai di potermi fermare. Era molto bella, un fisico slanciato con muscoli pronunciati, capelli ricci che portava spesso legati, uno sguardo interno. Lavorava per l'Unicef, era colta e autonoma, ma custode di una remota sofferenza che la rendeva riservata e facilmente suscettibile. Una giovane pianta con una radice profonda. Credo che s'innamorò di me, così mi prese in cura. Fu la prima donna alla quale preparai una borsa calda per i dolori del ciclo, la prima che aspettai con ansia la sera: scendevo due gradini verso di lei, l'abbracciavo sulle scale. Non so se fossi innamorato, di certo avevo bisogno di lei... di quel sorriso, di quella bocca carnosa che diventava triste come un calabrone morto quando non mi vedeva felice. La prima donna dopo mia madre. La nostra intimità fu appassionata, ma forse troppo piena di rispetto. Io la adoravo, le carezzavo le caviglie, i peli del pube di straordinaria bellezza, netti e scolpiti: *l'aiuola di Allah*, sussurravo. A lei, in una notte di totale disarmo, dissi di Costantino, solo poche parole, ma Radija capì. Veniva da un mondo in cui i rapporti tra maschi erano frequenti, nonostante la severità della legge. Mi carezzò i capelli, il pensiero che io avessi sofferto lontano da lei la faceva soffrire. Sognava Roma, le sarebbe piaciuto viverci. Per lei ricostruivo pezzi di magnificenza, il tramonto al ghetto, la scalinata del Pincio, le mura di Regina Coeli viste dal Gianicolo. Finivo per guardare la mia città con i suoi occhi da straniera e provavo nostalgia. Radija era un'appassionata di storia dell'arte, aveva conosciuto personalmente Gombrich e seguiva i seminari al Warburg. Passavamo il tempo libero nei musei e nelle gallerie d'arte. Fu lei a indirizzarmi verso il Courtauld Institute of Art, a mettere insieme tutti i miei pezzi di carta. Il mio inglese ormai era fluido, e grazie a mio zio avevo un discreto background. Non ci parlavamo da anni, dopo quella discussione assurda su *La mano di Dio*. Mi ero esaltato parlando di quella scultura. Quei due corpi levigati nella culla della mano fattrice e quella pietra greggia, rugosa, quella primitiva della creazione, di Dio e dell'artista. Lui mi aveva lasciato blaterare, annuendo distratto, enervato... poi lentamente aveva alzato il piccone e aveva cominciato una delle sue paradossali demolizioni. *È un'opera grezza, Rodin è un tradizionalista sciatto!* Sapevo che non lo pensava affatto, voleva semplicemente minorarmi. Avevo perso la testa, l'avevo preso per la vestaglia e strattonato. *Rodin è stato il primo a capire che l'opera è compiuta quando è compiuto il fine artistico!* Ero partito senza nemmeno salutarlo.

Fu altero al telefono, ma sentii un grumo d'orgoglio in fondo alla sua voce. La sua lunga lettera di presentazione arrivò con una raccomandata, fu decisiva per la mia application. Ero pronto a riprendere il mio destino interrotto. Mi feci un monkey-tattoo sulla spalla in segno di saggezza e conoscenza, ma anche di dispetto.

Mentre mi specializzavo in Arte rinascimentale con i capelli decolorati come David Bowie, trovai lavoro in una casa d'aste, attaccavo cartellini a vecchie teiere d'argento, a scene di caccia alla volpe.

Non so chi cambiò dei due. Succede sempre così, basta guardare un dettaglio, concentrarsi su un piccolo gesto. Nel nostro caso fu un cesto di biancheria da portare a lavare, lo facevamo sempre la domenica mattina in una laundrette sotto casa, infilavamo la roba nella macchina, mettevamo i soldi e aspettavamo. Era un bel momento, parlavamo, andavamo a prendere un caffè lì accanto. Radija quella mattina separò i miei panni dai suoi, disse che avrebbero dovuto fare un diverso tipo di lavaggio. Non era mai successo. Ci sedemmo davanti a quelle due lavatrici vuote a metà e io capii che non ci saremmo sposati, che niente di quello che avevamo detto e immaginato sarebbe accaduto. Era una ragazza seria, forse troppo, piena di saggezza ma con delle ombre di amarezza. Ogni volta che si trovava davanti un ostacolo lo guardava tacita come se lo stesse aspettando. Voleva un figlio, aveva detto qualcosa di simile, si era fermata a guardare qualche coppia con il cucciolo. Ci separammo senza scenate, lei prese le sue cose e andò via. Era un appartamento terribile accanto a una stazione del metrò, un primo piano basso con le persiane che affacciavano su una delle uscite. La prima persona con la quale mi ero aperto dopo secoli adesso mi lasciava. Forse aveva intravisto in me un guasto, una infertilità che sentiva di non poter colmare.

Soffrii moltissimo. Ero abituato a dormirle vicino, sentire il suo respiro mi confortava. Per mesi sperai d'incontrarla, e sempre, negli anni che seguirono, più composti, meno disordinati grazie al suo insegnamento, continuai a chiedermi che fine avesse fatto, se davvero avesse trovato la felicità che meritava. Ma solo molto tempo dopo, quando un'altra donna avrebbe provato a piantare l'orto, mi sarei accorto di quanto il suo lavoro di vangamento sulle mie aride zolle fosse stato utile e mal ripagato.

Nel museo del Courtauld mi piantai davanti all'autoritratto con orecchio bendato di Van Gogh dopo la lite con Gauguin... era semplicemente l'uomo che più mi somigliava sulla terra. Mio zio mi aveva insegnato a scivolare dietro, nei dettagli che a parer suo custodivano la mappatura psichica dell'opera... alle spalle del povero pazzo era rappresentata una stampa giapponese. A ripensarci anticipava il futuro che mi avrebbe raggiunto.

Non uscivo più, mangiavo cibo dalle scatole, torsoli di mele muffivano sotto i fogli. Studiavo soltanto, libbre di manuali, miglia di esercitazioni scritte. Diedi gli ultimi esami in uno stato d'ipnosi. Nel semestre finale divenni un ottimo aiuto del mio supervisor, il professor Barkley. Questo uomo panciuto che parlava fluentemente il latino mi aveva preso in simpatia, mi portava con sé per sonore bevute e al poligono dove lui si dilettava e dove imparai a sparare scoprendo di avere una discreta mira. L'ambiente universitario mi piaceva, i gruppi di studio, la grande biblioteca, i brunch domenicali con le trote grigliate. Ormai la mia vita era lì. Trovai una casa decente accanto allo Stamford Bridge Stadium. Apprezzavo le piccole cose, la cena presto, le file ordinate, il fatto che la gente non facesse così caso all'aspetto, a come ti vestivi. Certo quel rispetto della privacy a volte mi suonava un po' ostile. Ricordo una sera in un ristorante con un gruppo di docenti, nel tavolo accanto al nostro una lecturer pianse disperatamente per tutta la durata della cena, nessuno fece un commento, nessuno pensò di scomodarsi per chiederle che cosa non andasse, se le era morto il cane, se il marito era fuggito con una studentessa.

Dall'Italia mi giungevano lontane notizie, sapevo che avevano chiuso la torre di Pisa e che il museo di Ercolano era stato derubato dei suoi reperti migliori. Anche il piccolo meraviglioso Bacco di bronzo che avevo citato in uno dei miei seminari sull'arte romana era stato trafugato.

Poi mi arrivò l'annuncio delle nozze di mio padre. L'avevo visto una sola volta in tutti quegli anni, era sceso da un aereo, aveva dormito in albergo. Era sempre lui con i suoi silenzi, le sue domande un po' stonate. Un uomo che non sapeva porsi adeguatamente davanti agli altri, tantomeno davanti a suo figlio. Adesso che avevo deciso di stabilirmi a Londra definitivamente sembrava davvero difficile riuscire a trascorrere un po' di tempo insieme senza incespicare, contare i minuti. Per telefono gli raccontavo qualcosa del mio lavoro all'università, aneddoti più che altro. Lo invitavo a venirmi a trovare, solo perché ero certo che non sarebbe mai più venuto. Di fatto per me lui era morto il giorno in cui era morta mia madre.

Appesi l'annuncio con una molletta dei panni in bagno. Rimasi a guardarlo per giorni mentre cagavo. Mandai un telegramma. *Non posso venire. Auguri. Stop.* Ma poi mi trovai un venerdì sera solo, senza voglia di ubriacarmi, con un invito per il weekend in una casa di campagna a ottanta miglia da Londra. Il telefono squillò, era Knut che mi invitava per un concerto glam rock al vecchio Marquee. Fermai un taxi e mi feci portare all'aeroporto.

Atterrai a Roma. Guardai dall'alto le strisce fluorescenti. L'aeroporto era pieno di poliziotti con i cani, era l'anno della guerra del Golfo. Il tassista mi disse che due piloti italiani erano stati fatti prigionieri dagli iracheni, parlando con la sua schiena mi accorsi che il mio italiano non era più così fluente. La novità dell'ultimo anno era che ormai anche i miei sogni avvenivano in inglese. Attraversammo il lungo viale di luci e bandiere negli alti pilastri, ci infilammo nel ventre liquoroso della città, guardavo fuori con la stessa curiosità di un turista, appena più timoroso, più inquieto.

Entrai in quell'albergo del centro con la porta girevole, salii al primo piano, il banchetto era lì.

Incontrai mio padre subito, per caso, credo che fosse andato in bagno a pisciare. Aveva il volto arrossato ed era vestito in maniera ridicola, un panciotto, una coda da pinguino. Era sempre molto asciutto, più giovane di quanto ricordassi. Probabilmente ero invecchiato io. Portavo gli occhiali e mi ero stempiato un po', esattamente come lui. Mi rasavo i capelli sulla nuca ma conservavo un ciuffo polveroso che mi ricadeva sulla fronte e che potevo ancora tirare indietro con quel gesto che mi caratterizzava, mi faceva compagnia. Indossavo una giacca di velluto con una cravatta di lana, stringevo in mano una consumata borsa a soffietto di pelle. Ormai somigliavo in tutto e per tutto ai miei raffermi colleghi inglesi.

Sembrò incredibilmente felice di vedermi, i suoi occhi si arrossarono, si avvicinò per un abbraccio impacciato in quel corridoio di moquette. Davanti alla porta di quella festa, di quella seconda vita che cominciava per lui. Mi accorsi che tremava, preso alla sprovvista. E la sorpresa fu quella, vederlo così emozionato. Nessuna ombra passò, semplicemente un uomo disarmato.

– È il regalo più grande che potevi farmi, il più grande, Guido.

Doveva essere alticcio, mi prese a braccetto e mi portò dentro. Cominciò a presentarmi a tutta la gente che era lì, seduta ai tavoli circolari con le doppie tovaglie e la selva dei bicchieri. Alcuni mi riconoscevano e si alzavano per abbracciarmi. Accanto, nuove facce che dovevano essere i loro nuovi amici comuni, gente chiassosa, molto più giovane di mio padre. Rimasi lì, avvolto in quella girandola di presentazioni, strinsi mani calde, umide. Mio padre ripeteva *mio figlio, professore di Storia dell'arte a Londra, mio figlio*. Ero un semplice ricercatore, uno dei tanti, ma lo lasciai vantarsi. Il cameriere passò, presi un bicchiere, poi un secondo. Ormai ero un discreto bevitore, sapevo come ristabilire velocemente il tasso alcolico che mi conduceva alla bonomia, alla resa. *Come si vive a Londra? È molto cara?* Rispondevo clemente a domande di questo tenore.

Mio padre mi portò verso il tavolo degli sposi. In fondo, tra i posti vuoti, salutai i suoi cugini. La zia Eugenia era sempre lei, con i suoi capelli corti da prete, di ottimo umore ma pronta ad andarsene. La strinsi con riconoscenza perché di colpo avevo bisogno di riconoscere qualcosa. Anche lei si accasciò tra le mie braccia. Zeno non era presente, non mi aspettavo di trovarlo. Non sarebbe mai venuto al matrimonio del vedovo di sua sorella, rimpiazzata dalla figlia dei portieri.

Erano lì, sull'altro lato del tavolo, lui vestito come un morto, lei con i capelli a permanente, la faccia paesana incassata in una giacca fiorata con spalle troppo imbottite. Sembravano sperduti anche loro. Guardavano la grande sala, silenziosi l'uno accanto all'altra. Si alzarono di scatto con due facce assurde, quasi temendo che io potessi colpirli o scacciarli. Fui docile, strinsi le mani alla donna, posai un braccio intorno alle spalle dell'uomo, lui davvero molto invecchiato.

La portiera aveva curato mia madre, le aveva fatto le punture, lavato la biancheria di casa, l'uomo aveva innaffiato i suoi gerani. Servi di una volta, svelti a salire, discreti a fare e andare. Ora erano i suoceri di mio padre. Ma non avevano l'aria di essersi affrancati. Sembravano interdetti anche loro. Mi dissero che erano andati in pensione, erano tornati *giù*.

In quel generico *giù*, riconobbi l'Italia, il suo spirito, quella sua cronica divisione interna per ogni cosa. Un Paese abituato ad avere un sopra e un sotto, un attico e una cantina.

Eleonora era in piedi, stava facendo il giro dei tavoli, qualcuno, una sua amica, la tratteneva per un braccio. Indossava un abito elegante, con uno scollo a V di Versace non propriamente da sposa, di raso color pelle tempestato di paillette, i capelli acconciati in una morbida cupola, un sorriso calmo e fragoroso. Ebbe un piccolo sussulto anche lei, mi strinse di getto, per cancellarmi in fretta, credo, per non dover leggere qualcosa di indicibile sul mio volto. Cominciò subito a scherzare, a parlare a raffica, però anche lei sembrava felice di vedermi. Non m'interessavano i soldi di mio padre, che in ogni caso non erano certo un tesoro. Non avevo alcuna ragione per esserle ostile. Era la vita che andava avanti, che si accomodava nelle pieghe del nuovo tessuto sociale. La ricordavo, Eleonora, con i suoi tacchetti, la sua borsa da segretaria, la mattina presto alla fermata dell'autobus con la prima sigaretta in bocca. Perché non avrebbe dovuto sperare in una vita migliore? E se anche c'era stato un calcolo, tra pochi anni le sarebbe toccata la vecchiaia di mio padre. Sapevo che uomo insondabile e faticoso fosse. Forse era una buona cosa quella donna giovane ma esperta, abituata al sacrificio, a cambiarsi i vestiti quando tornava a casa. Gli fece una piccola carezza sul volto, si strinsero la mano con la fede nuova e cominciarono il giro delle bomboniere.

M'inabissai nella folla, tirai su un altro bicchiere. Tutta quella gente, piuttosto volgare e improvvisata, era la sala stampa di un Paese dal quale a conti fatti ero felice di essere fuggito.

Lo cercavo? Naturalmente. Non ero certo di volerlo rivedere, invecchiato, diverso. Erano passati dieci anni. Dieci lunghissimi anni, quelli fondamentali di una vita che si forma.

Identificai il tavolo. Non mi mossi. Rimasi a guardare quella figura di spalle che poteva essere lui. Che era lui. Aveva un bambino in piedi sulle gambe. Camminavo in quella direzione, forse soltanto per passargli vicino, infilarmi in una delle tende dietro quel tavolo laterale e andarmene.

Fu sua moglie a riconoscermi.

– Guido! C'è Guido!

Mi fasciò con le mani, mi strinse. Rossana era dimagrita, era bionda e la ricordavo bruna, aveva lo stesso profumo carico e la bocca grande piena di denti. Mi venne nell'occhio un suo orecchino. Mi curvai un po', davanti a quell'aggressione, mi nascosi.

– I bambini, vedi, Monica e Giovanni...

Una era una bimbetta già piuttosto alta, con i capelli lunghi e ricci, vestita di balze bianche, l'altro era quello in braccio a lui.

Misi una mano sulla testa della bambina, piegandomi appena...

– Ciao, tesoro...

Non capivo più nulla, non vedevo più bene, una poltiglia di colori e suoni. Non avevo più saliva e non riuscivo a deglutire. Lui mi aveva guardato, come me, sotto gli occhi, per un attimo, una piccola sciabolata. Poi era tornato a guardare suo figlio, la testa bassa come la mia, giocava con quella mano neonata, gli dava il suo dito grande.

– Guido...

– Costantino...

Si era alzato e mi aveva abbracciato con il bambino addosso, senza che riuscissimo davvero a toccarci.

Rossana mi trattenne, mi tirò giù a sedere al posto di uno dei bambini che scorrazzavano in giro. I pezzi di torta buttati sui piatti, sciorinai la nenia della mia vita londinese, migliorandola come potevo. Ero abituato a parlare ai miei studenti in qualunque stato. Avevo sviluppato un cervello di riserva che durante le lezioni poteva dormire o spostarsi lontano. Pensavo a Costantino, pensavo soltanto a resistere.

Il bambino continuava a stargli al collo, cercava di tirarsi su, batteva i piedini sulle sue gambe, aveva quell'aria lì, di chi fa uno sforzo maestoso. Costantino lo cingeva dolcemente con il braccio, l'altra mano sul sedere gonfio di stoffa. C'eravamo conosciuti più o meno a quell'età, i primi passi nel girello in cortile, con le braghe imbottite alla stessa maniera. Rossana si era alzata, adesso tutti ululavano, battevano i bicchieri. La confusione intorno, il fatto che le voci arrivassero dilatate e sporche, ci dava spazio. Il mio respiro si era regolarizzato.

Come mi trovava? Invecchiato? Cambiato? Mi ero schiarito la voce, avevo chiesto altro champagne ringraziando il cameriere in inglese, mi ero aggiustato i capelli con quel mio gesto e adesso gli sorridevo. Adesso il sangue era tornato a scottarmi dentro, ad andare veloce, mi sentivo sensuale, avevo voglia di esserlo. Volevo dargli un'immagine degna. La mia vita, ora che la raccontavo a lui, sembrava più interessante. Come se lui fosse in quelle strade di pioggia, in quelle biblioteche troppo riscaldate... in quella decorosa casetta a pochi isolati dallo stadio con quel suo piccolo giardino attrezzato, così triste. Pensai alle sei sedie piegate da una parte, al barbecue coperto da un telo, al gelo la mattina sulle foglie di erica e acanto. Chiesi ancora da bere.

Lo guardai con un sorriso crepato. Dovevo alzarmi e lasciare quel tavolo. Ma adesso non volevo andarmene più. Guardavo suo figlio e l'altra bambina, sentivo di voler bene a quei bambini, sarei potuto diventare uno zio lontano. Ma in realtà non mi interessavano affatto, non mi sembrava che la vita fosse passata, il fatto che ci fossero non cambiava granché per me, non cambiava nulla. Anzi, ero contento che Costantino avesse ottenuto ciò che desiderava. Che si fosse costruito una famiglia. Rossana teneva la bimbetta per la vita e adesso ballavano...

– Quanti anni ha?

Una domanda buttata lì, inutilmente. Costantino si prese un labbro nei denti, annuì. E adesso vedevo bene che nulla di inutile era stato detto, capii che era stato lui a parlare al posto mio... Lo vidi arrossire, contrarsi.

– ... Nove.

Feci i conti indietro nella testa, ma non ce n'era bisogno. Dunque era già inguaiato quel giorno, vestito da militare in quella stazione. E non me lo aveva detto. Mi guardai intorno agonizzante e avrei voluto ridere, scoppiare in una delle mie orrende risate con il naso arricciato e il singhiozzo, perché tutto era così precisamente infilato nella sua mediocre cornice.

Non si era laureato, si era messo a lavorare, prima come rappresentante, poi in società con un amico.

– Franco Bormia, te lo ricordi?

– Francone, certo.

Gestivano mense aziendali e da poco avevano aperto un ristorante di pesce accanto al Parlamento.

Annuii, sorrisi. Gli era sempre piaciuto far da mangiare.

– Cazzo, bravo.

Continuava a parlare ma io pensavo a Francone, quell'armadio con la faccia da pulcino che stava sempre piazzato sotto il palazzo con una Renault 5 pulsante di disco dance.

– S'è sposato, Francone?

– Separato.

Magari aveva una tranquilla vita da bisessuale, con quella faccia da prete che adesso resuscitava.

Era vestito con un abito grigio di un tessuto cangiante, una cravatta a puntini su una camicia con il colletto grande un po' rigido stretto intorno alla gola. Era un uomo di trent'anni. Forse si era appena un po' irrobustito. I segni intorno alla bocca appena più marcati, ma sempre lo stesso sorriso, le labbra calde, i denti bianchi e regolari. Era decisamente più bello d'un tempo. Come se tutti i lineamenti fossero finalmente fioriti in quella carne poderosa, sospinti nel giusto verso da una pacificazione interiore, da quella realizzazione sociale visibile. Con dolore pensai che avesse raggiunto l'età dello splendore.

Mi ero tolto la giacca, avevo le spalle magre e anche il volto si era svuotato. Avevo pochissimo desiderio verso il cibo e camminavo troppo per risparmiare sui taxi. Costantino aveva un telefono posato accanto sul tavolo, uno dei nuovi telefoni cellulari. Lo presi in mano, scherzammo un po'. Di colpo pensai che avesse molti più soldi di me.

Giovanni adesso s'era infilato in bocca una forchetta e lui lo aveva intercettato senza ansia, gli aveva dato un bacio. Mi aveva guardato.

– È bello, vero?

– Sì, molto.

– Mi somiglia, no?

– No.

Ridemmo. Non era passato giorno senza che io pensassi a lui... in quel mio cervello doppio, nascosto... quante volte ero tornato indietro, a quando eravamo stati costretti a separarci. Mi ero slentato la cravatta, aperto la camicia, sudavo. Mi ero seduto a quel tavolo, davanti a lui, per fargli credere chissà cosa. Adesso il cattedratico in sede a Londra era un povero avanzo di sbornie, di serate di studio inutili... di seghe, infinite seghe nelle quali avevo chiuso gli occhi sperando di non eiaculare con dolore. Abbassai le mani per coprirmi, strinsi le gambe, la stessa eccitazione dolorosa, la stessa vergogna.

Mio padre adesso ballava, si era sfilato la giacca e la girava intorno alla sposa come un torero con il suo straccio.

Costantino si tolse la cravatta.

– Ah...

Fu l'ultima immagine che ebbi, quel gesto formidabile, quella gola nuda. Mi riannodai la cravatta. Ripresi la borsa buttata per terra.

– Vado.

Provò a fermarmi, ad alzarsi. Ma il bambino lo teneva giù.

– Guido... aspetta...

Guardai i miei zii immobili sul fondo. Sacre stampelle con abiti d'altri tempi su cuori d'altri tempi. Sarei tornato per il loro funerale. Per vederli come avevo visto mia madre, impietrita e sola. Sollevai gli occhi verso uno dei grandi lampadari che pendevano dal cielo di quella stanza e di nuovo cercai lei. Mi chiedevo se da lassù ci vedesse, vedesse questa valle di ingordigia e di niente.

Londra fu una bara. Per strada davo colpi d'ombrello, salivo sugli autobus e restavo appeso all'esterno. Mi ero trasformato in una sorta di animale tacitamente furioso, un lupo mannaro che aspetta la sua luna marcia. Il giorno l'università, quei ragazzi beoti che si aspettavano tutto da me, passione e ardore, il giovane professore italiano che teneva corsi monografici su Pollaiolo e Paolo Uccello. E mai come in quel periodo le mie lezioni furono gremite e vivaci! La sera sfuggivo agli inviti dei colleghi, delle loro calde casette odorose di pigiami e di stufati, alle bevute solitarie di uomini in fuga da quelle stesse case.

Venne Natale e tutti avevano un luogo dove tornare, pasticci di tacchino e alberi illuminati, Harrods con tutti i suoi piani di scale mobili e pupazzi meccanici e follie natalizie. Mi chiusi in casa nel buio, accesi una candela e attesi che si liquefacesse, poi ne accesi un'altra, poi un'altra. Finché bucai il tavolo. E rimasi a guardare quel buco di formica sbruciacchiata nel grigiore dell'alba. Andai all'università e svenni. Fui ricoverato per tre giorni al St Thomas' Hospital, mi tirarono il sangue, mi fecero tutti i controlli, poi mi dimisero. Solo, con una busta di panni sporchi in mano, come un barbone.

Entrai in un negozio di biancheria di lusso. Mi comprai una vestaglia di velluto con una corona sul taschino. Me la tenni addosso finché divenne vecchia e puzzolente. Spaccai l'ultima bottiglia contro il muro. Nel buio Morrissey cantava *take me home tonight, oh take me anywhere, I don't care, I don't care*... Mi feci una lunga doccia e uscii.

Tornai in quel locale. Attesi che quei maschi di diversa foggia, con stivali e berretti come nei disegni di Tom of Finland, si curvassero davanti a me. Misi i soldi nei loro indumenti del mestiere. Poi mi decisi e salii al piano di sopra. Mi infilai in una di quelle stanze con quello che avevo scelto, uno grosso con la pelle scura e i capelli rasati come Grace Jones, semplicemente quello che mi faceva più paura. Lo lasciai fare. Sapeva esattamente cosa fare.

Uscii soddisfatto e pieno di dolore. Esattamente quello che volevo, la morte. Il suo latrato dentro di me.

Poi conobbi Izumi. Fu Knut a presentarmela, il ragazzo si preoccupava per me, vegliava sulla mia scarsa salute, guardava con disappunto le mie occhiaie, i miei capelli che si facevano via via più opachi, i miei occhi vetrosi, quando di notte ci piantavamo sul Lambeth Bridge con i nostri sguardi appaiati nella sconsideratezza e nel calmo dolore, e restavamo a frugare le acque torbide e incessanti in basso. Izumi era sua amica da molto tempo, lavoravano insieme nella multinazionale giapponese. Accadde in una di quelle feste stravaganti, proprio sul Tamigi. Era accanto a una formosa ragazza fulva, indossava un piccolo pullover ricamato, era magrissima e bianchissima, la faccia poco incisa delle orientali però truccata con colori forti. Beveva un cocktail rosato. Knut mi prese sotto il braccio e mi presentò.

– Quale delle due? – chiese.

– Quella zen – non volevo deluderlo.

Pensavo che con una giapponese sarebbe stato molto facile non capirci e salutarci in fretta. Restammo a parlare finché tutti se ne furono andati e l'umido sembrava fango bianco. Camminammo un po', e visto che avevamo bevuto parecchio la invitai a mangiare in un ristorantino libanese dove spesso andavo da solo. Conoscevo il proprietario, Hasan, un tipo con i baffi che somigliava a Omar Sharif, con grandi occhi grigioverdi e una sigaretta di erba sempre in bocca. Feci accomodare Izumi, andai a lavarmi le mani. Tornai e quel posto, che per me era una mangiatoia di passaggio, semplicemente mi sembrò più bello con quel suo piccolo muso sorridente lì. Le spiegai il menu, le diedi alcuni consigli. Lei annuiva coscienziosa come se ogni decisione fosse molto importante, volle ordinare piatti da dividere. Mangiammo con le teste vicine, spizzicando i mezzeh. Dopo aver assaggiato Izumi chiudeva gli occhi, come se dovesse far scendere i sapori in una parte misteriosa del suo essere, e mai quel cibo, tutto sommato scadente, che usciva da una cucina davvero poco consona, mi era sembrato così buono. Capii come grazie alla pazienza e al candore di un'altra persona le cose possono cambiare, diventare altre cose. Era tempo che non stavo così bene, per strada non volevo lasciarle la mano, avevo paura che scomparisse, che la notte se la mangiasse. Temevo di lasciarla al mondo, quel mondo che sempre si era ingoiato tutto. Così m'inginocchiai ai suoi piedi in mezzo a Regent Street e le chiesi di sposarmi. Naturalmente rise, naturalmente scappò via. Naturalmente sei mesi dopo mi sposò.

E fu un matrimonio bellissimo. Knut mi fece da testimone, i suoi amici suonarono. Andai incontro a Izumi stretta nel suo kimono, chiusi le mani, feci l'inchino davanti alla testa della mia sposa piena di spilloni e kanzashi. Guardai i suoi occhi, quelle due mandorle luccicanti e fedeli. Poi ci ubriacammo, fiumi, autostrade di alcol. Ballammo, Knut strisciò nudo sul cornicione per scommessa. Un matrimonio fatto con due lire, in una casa piena di origami di carta e ballatoi gonfi di gente come arche di Noè, che sembravano dover cadere da un momento all'altro. Una giornata di totale felicità, di quelle che quando finiscono capisci che ne avrai nostalgia fino alla fine dei tuoi giorni.

Izumi aveva sempre un mazzo di fiori gocciolanti in mano, mi trascinava per ore al mercato di Columbia Road. A parte questa sua passione per l'ikebana non era affatto una geisha, piuttosto una di quelle matite dalla mina forte, usciva ed entrava in casa di continuo come un tornado. Viveva a Londra da molti anni, dopo una storia familiare difficile, era abituata a sbrigarsela in ogni situazione. Un giorno scoprii che non aveva senso dell'orientamento. Agli incroci si fermava sempre, indecisa su quale direzione prendere. Mi divertivo a vedere quella fronte tesa che si corrugava per lo sforzo. Si ostinava e non voleva consigli, così spesso facevamo strade più lunghe e ignote. Questo smarrirci era una delizia, scoprivamo nuove sale da tè, gallerie fotografiche misconosciute.

Trovammo una casa nell'East End, nel quartiere dei lavoratori a Spitalfields, per anni abbandonato al degrado dell'immigrazione più povera e violenta, che adesso si stava ripopolando di artisti, di giovani attori, gente con pochi soldi ma piena di fantasia. Una casa autonoma, non così grande, con un terrazzo nel tetto e un piccolo giardino mattonato sul retro. Knut e i suoi amici (Elvis, che lavorava in un'agenzia di viaggi nella Kangaroo Valley e proponeva offerte vantaggiose per isole greche e spiagge bretoni dove, mano sul cuore, giurava, si poteva praticare la sodomia alla luce del sole, e Fraser il pediatra, che aveva uno studio scalcinato a Brixton pieno di bambini scalcinati con genitori aggressivi e robusti, spacciatori, giocatori di pallavolo radiati) ci aiutarono a cambiare la moquette, a verniciare le pareti, a portare i mobili. Provammo il barbecue sotto la pioggia, così sbronzi che riuscimmo a bruciare le salcicce. I profughi bosniaci che dormivano nel nostro garage festeggiarono con noi.

Izumi comprò la stoffa per le tende, un tussah con tenui riflessi porpora. Quella incredibile seta selvatica avrebbe illuminato i nostri risvegli, perché, anche in quelle giornate che cominciano e sai che non c'è niente di peggio che guardare oltre la finestra a ghigliottina quel cielo insaccato di nubi, il tussah faceva trapelare nella casa una luce rosata e calda, la sensazione di un sole. Attraverso quelle tende, Izumi mi insegnò a fidarmi delle illusioni. Allontanò da me la durezza delle cose tangibili, mi fasciò di stupore. Restavamo abbracciati nel letto a guardare quel sole unicamente nostro, solitario e lontano come ogni desiderio che resiste.

Sua figlia Leni venne a vivere con noi. Era una bambina di sette anni quando la conobbi, Izumi l'aveva avuta da un modello mauritiano a Londra di passaggio.

Ricorderò sempre il giorno in cui me la presentò. Izumi era nervosa, aveva comprato degli stecchi di zucchero per lei e per sua figlia, li leccavano camminando per strada. La figlia le dava la mano. Adesso erano due, molto piccole entrambe. Ma Izumi, non so, sembrava aver sollevato il petto, come quei gatti che inspessiscono il pelo. Era improvvisamente estranea e stonata. Mi guardava con sospetto, gli occhi sottili come se dovesse difendersi da un sole troppo forte. Mi aveva detto di avere una figlia soltanto dopo un po' che ci frequentavamo, e mi era sembrato strano perché avevamo sempre parlato di tutto in maniera diretta e sincera. Era la prima volta che faceva quel passo, che mostrava sua figlia a un uomo. L'uomo che avrebbe dovuto sceglierle entrambe. Perché capii subito, nel momento in cui le vidi una sull'altra, una dentro l'altra, che il loro era un legame indissolubile. Una ragazza che aveva avuto una figlia da sola, in una città straniera, con uno strappo alle spalle, e quella bambina doveva aver raccolto il dolore, il conforto, il sogno della madre.

Le diedi la mano.

– I'm Guido.

– I'm Leni.

La pelle scura, gli occhi orientali di sua madre, ma di un grigio levigato. La più incredibile bambina che avessi mai visto, uscita dal *Libro della giungla*, camminava sui marciapiedi davanti alla biglietteria dei ferry boat saltellando, con una borsetta di perline dorate a tracolla.

Rimasi così impressionato che per un pezzo faticai a parlare. Erano così potenti insieme, mi sentivo un pezzo di sughero macero. Un vecchio ragazzo italiano, ricercatore in transito con uno stipendio stazionario, una identità sessuale compromessa da un passato indegno e un magro pennacchio di capelli sulla fronte che continuavo a tirarmi indietro, a gonfiare, per cercare di fare colpo, uno stupido uccello del paradiso. Senza alcun paradiso da poter offrire a quelle due signorine.

Camminammo un po' così, io muto accanto a loro. Passi irreali, sospesi. Quella avrebbe potuto essere una famiglia. Uno dei milioni di milioni di modi di essere una famiglia su questo pianeta, un agglomerato di vite che si nutrono allo stesso tavolo, si siedono sullo stesso WC, si festeggiano e si seppelliscono.

Guardai Izumi, e il mio doveva essere davvero uno sguardo sperduto. La guardai per chiederle aiuto. Non sarei stato in grado di superare la prova, troppo fragile, troppo pigro. Non sarei stato all'altezza di quella paternità. Per i miei studenti ero un punto di riferimento, c'erano pochi anni di distanza e io potevo considerarmi una sorta di fratello maggiore, irregolare, munito di un discreto charme. Erano già adulti, con una vita sessuale, con capacità intellettuali. Le mie responsabilità erano molto circoscritte. Diverso sarebbe stato prendermi cura di questa incredibile bambina con il fiato di questa madre samurai alle spalle. Un essere che ancora doveva formarsi, di cui avrei dovuto difendere la purezza, soffiare sui suoi sogni, circoscrivere il danno del mondo, vegliare come un lupo, ringhiare agli estranei. Izumi faceva bene a non fidarsi di me.

Leni saltò sulla panchina con una gamba sola. Dalla panchina passò al muretto, sempre con una gamba sola. Mi sembrò di vederla scivolare, feci un salto, la presi per un braccio. Respirai, sotto c'era l'acqua, avevo il cuore alterato. Leni scese giù. Inavvertitamente, con quel gesto maldestro e del tutto inutile le avevo strappato la borsetta di perline, che adesso rotolavano da tutte le parti. Mi buttai in terra e cercai di raccoglierne quante più potevo. Lei si accucciò accanto a me. Vidi da vicino le sue magre ginocchia, scure e nodose. Mi sentivo così in colpa, così idiota. Romperle quella borsetta di cui sembrava andare maledettamente fiera. Come avrei mai potuto pensare di occuparmi di una bambina? Mai avevo pensato di trovarmi in questo stato di disperazione e angoscia e vergogna e frenesia inginocchiato davanti a una bambina, a pochi centimetri da lei. La guardai senza veramente guardarla. Ero in uno stato pietoso. Non dovevo sposarmi, dovevo curarmi piuttosto, rinchiudermi in uno di quegli ospedali psichiatrici per gente travolta dalla propria emotività e restarci mesi, anni. Leni adesso non raccoglieva più le perline, mi guardava. E io volevo pregarla di togliermi quegli occhi di dosso. Dondolava sulle ginocchia. Poi disse quella frase... Quella frase.

– I was waiting for you... Guido.

E il mio nome pronunciato da lei mi restituì maschiezza e dignità, vigore e speranza. Forse intendeva semplicemente dire che mi aspettava per conoscermi, Izumi doveva averla preparata a quell'incontro. Mi sollevai traballante ma più sicuro di me. Leni aveva lo stesso dono di sua madre, sapeva illuderti al momento giusto, per darti coraggio a tirar fuori quel poco di meglio che sentivi battere in te.

Mi voltai verso la mia futura moglie. Si era messa gli occhiali da sole. Mi infilai le perline in tasca, aiutai Leni a ripulirsi le ginocchia. Presi i biglietti, li infilammo nelle timbratrici, i tornelli si aprirono, attraversammo i piccoli cancelli di ferro, salimmo sul ferry boat. E facemmo quel giro su un battello triste nel letto di quel fiume sporco.

Ci mettemmo in fondo appoggiati alla balaustra di legno, Leni salì sull'asta di ferro, le misi una mano sulla nuca, la tenni. Torse un po' il collo per scacciarmi. Ma io fui più forte di quella scimmia in gonnella. Si arrese alla morsa di dita del vecchio ragazzo ansioso che avrebbe cercato di mettercela tutta per costruire una famiglia.

Della mia intimità con Izumi non ho ancora detto nulla. Probabilmente perché è stata mia moglie per tutta la vita, e l'intimità con la propria moglie è naturalmente chiusa da un riserbo che nasce dal rispetto, dalla considerazione altissima, ma anche dalla vergogna di se stessi sovrapposti a un corpo che in qualche misura, se la moglie è giusta, consideriamo sacro, eppure il più intimo. Fatalmente ci si consuma e ci si adagia e si diventa come buone macchine. L'assenza di ansia, di speciale trasporto negli approcci, conduce a una pace impagabile, dopo. Voltarsi e dormire e russare e grattarsi il culo. Se da una parte qualcosa si perde, dall'altra si acquista una dimensione sconosciuta, una vasta pianura d'amore che solo una lunga e buona confidenza regala. Così se mentre un amore occasionale con il suo stadio di eccitazione, di scatenamento, può sempre capitarti di incontrarlo, una buona moglie è introvabile. Quel lungo lavoro si chiama intimità coniugale.

Il fatto che io continuassi a usare il profilattico non aveva insospettito Izumi, non fino a quel momento. All'inizio lo riteneva una premura verso di lei, per evitarle anticoncezionali. E io ero ormai affezionato a quel piccolo rito solitario, voltarmi e farlo, magicamente, senza guastare nulla. Anzi quella piccola sospensione, appena un po' macchinosa, accresceva il piacere, saperla lì al mio fianco, in attesa. Ma non era solo questo. E adesso devo forzarmi a essere del tutto onesto. Era che quel filtro mi teneva in salvo, appena lontano da lei, perché il luogo della nudità era quello abitato dalla memoria dell'unico corpo che sessualmente avevo riconosciuto come mio. L'unico prolungamento di me. Era questa memoria a tormentarmi, a non lasciarmi libero. Ma un giorno mia moglie cominciò a chiedermi di farne a meno.

Ho sempre usato una protezione, tranne quella notte ingoiata in quel tunnel gay. Il tizio me lo aveva chiesto. E io avevo detto no. Non si era fatto problemi, era abituato a quella richiesta. Non è certo un ambiente dove si va per il sottile, quello. La verità è una sola. Quella notte cercavo Costantino. E fu naturale cercare la morte. Con lui non avevamo usato profilattici, non se n'era nemmeno parlato. Andare a letto insieme non implicava preparativi, era capitato all'improvviso. Un obbligo doloroso del corpo flagellato dai sensi, dalla psiche in disordine, letteralmente capovolta a testa in giù. Non ti metti il paracadute se hai deciso di schiantarti.

Gli artisti Gilbert&George usavano escrementi per rappresentare la religiosità della vita, la morte dei loro amici omosessuali. Erano cominciati quegli anni davvero lunghi. Si diceva, non si diceva. Ma ormai il flagello si era abbattuto. Colpa delle scimmie, si diceva, di qualche africano scopatore di foresta e di turisti americani scopatori di africani. Così la storia dell'uomo tornava indietro. La scimmia ricacciata dall'evoluzione alla sua solitudine si vendicava. Con somma gioia dei credenti, degli sporcaccioni in preghiera, che vedevano così lampeggiare la scomunica, la dannazione qui in terra per tutti i sodomiti praticanti. Ragazzi. Splendidi, incantevoli, raggianti ragazzi. Gloriosi praticanti della deboscia, afflitti da infiniti budelli d'amore non corrisposto. Ne avrei visti molti, negli anni, partire, lasciare la loro colpa su luride lenzuola, nelle braccia delle loro madri, dei loro compagni, e salire in cielo. Erano caduti gli dèi. Dopo Mercury, Nureyev, Jarman, anche Fraser cominciava ad avere delle strane screpolature sul viso. Fu il primo della cerchia di Knut. Se le copriva con del cerone che diventava verdolino. Così prima notai quegli sforzi, quei visi tetri che si scavavano e cercavano di sorridere, di camuffarsi sul posto di lavoro, con gli amici addirittura. Vidi la gente fare un passo indietro, lasciare aria intorno, come se anche il respiro o un semplice starnuto potesse uccidere. Vidi uomini allegri, simpatici, pieni di progetti, sprizzanti di vita, d'intelligenza e di ideali, retrocedere nella vile società che avrebbero potuto migliorare con la loro energia, la loro spiritualità di omosessuali, confinati nella sala d'aspetto degli appestati, ciechi, martellati dalla TBC e dalla toxoplasmosi, chiusi in casa con flebo attaccate al braccio a cambiarsi da soli i flaconi, o isolati in zone di ospedali, trattati come ragni velenosi da infermieri terrorizzati. Dopo la strage dell'eroina, la seconda generazione di ragazzi s'inabissava. *Find a cure*, gridavano dall'oltretomba.

In una mattina di vuoto universitario, andai all'ospedale, depositai le mie urine e il mio sangue per delle analisi approfondite. Chiesi che mi facessero il test dell'Hiv. Dovetti chinarmi nello sportello e sottostare a una specie di umiliante questionario.

– È emofiliaco?

– No.

– Ha avuto rapporti a rischio?

Non risposi subito, erano affari miei. Mi accorsi di quanta violenza ci fosse intorno a quella malattia. Volevo mentire, parlare di cure dentistiche. Ma pensavo a Fraser, al suo coraggio, pensavo che persone come me, professori universitari, gente che si credeva colta e disinibita, dovessero imparare a parlare tranquillamente della cosa, a dire la verità.

– Sì, ho avuto rapporti a rischio.

La cicciona mi soppesò con uno sguardo da gallina infarinata, già pronta per la frittura. *Forse anche tuo marito ha rapporti a rischio, baby chicken, tu sei maledettamente a rischio, i tuoi figli lo sono.* Ma lasciai perdere. La stupidità umana non migliora con una battuta, anzi peggiora, s'indurisce, la gallina si trasforma in uno stoccafisso duro da dissalare.

Dovetti attendere qualche giorno. Furono strani giorni. Ero in ottima salute, ma adesso cominciavo a sentirmi il petto pieno di catarro, il naso colava, una semplice infreddatura, ma chi mi diceva che non fosse quello l'inizio? Furono però buoni giorni, come tutti i condannati a morte mi ero rabbonito, viaggiavo soave nelle stanze universitarie, gentile con i miei studenti. Ebbi una sessione d'esame e sui compiti fioccarono voti altissimi. A casa mi aggiravo mogio con le mie pantofole di shearling, la mia giacca di lana, salutavo colpevole il mondo che mi amava, che mi aveva concesso in appello una vita calda e dignitosa e che io avevo tradito. Una sera fui sul punto di confessare la mia colpa a Izumi, ma qualcosa mi trattenne dal farlo. La speranza di farla franca, di attraversare il check point, salvo.

Mi chinai sul letto della mia adorata Leni, presi uno dei suoi libri, quello dei sarcofagi e dei vasi canopi con il cuore, e glielo lessi carezzandole i capelli, scivolando con lei nel sonno. Così quando in piena notte caddi di peso, rotolando come una di quelle mummie egizie al British, pensai che fosse il destino a ricacciarmi indietro, a buttarmi giù dal candido letto di quella bambina che era la migliore compagna di vita possibile.

Ritirai le analisi. Una busta azzurrina che ricordo bene. Me le consegnò una ragazza neutra, che le sfilò da uno schedario a soffietto.

La sua faccia non era confortante, così attesi un po' prima di aprire la busta. Giocai al se fosse o se non fosse. Mi misi cavalcioni su un muretto nella zona del fiume davanti alla Tate Gallery. Avrei raccolto tutte le mie cose in una scatola e me ne sarei andato. Partito per una destinazione sconosciuta. Lasciandomi dietro solo una lettera per Izumi, *amata mia ichiban*. Sarei tornato a Roma di passaggio. Avrei chiesto ai miei zii di cambiare il loro testamento stipulato da anni in mio favore e di lasciare tutti i loro averi in eredità a Leni. Così che almeno lei avrebbe potuto vivere libera da problemi economici. Gli avrei portato una fotografia di lei e me, quella davanti alle barche in Cornovaglia, dove lei è avvolta in un asciugamano e io la stringo con il sorriso del padre più felice al mondo. Avrei cercato Costantino? Gli avrei detto della malattia? Avrei dovuto dirgli troppe cose. Mi ritrovai confuso e commosso al pensiero di quell'abbraccio finale, e capii che tutto quell'assurdo, farneticante commiato era destinato semplicemente a lui. Così capii che non era vero niente, che potevo aprire quella dannata busta.

Negativo lessi, *negative*.

La roulette russa mi aveva graziato, non c'era nessun proiettile per me. Non sarei entrato in quella schiera di angeli moribondi che si aggiravano per la città con gli occhi persi, le macchie mascherate sul volto, sul torace. Facevo parte del mondo dei sani, di quelli che potevano parlare sottovoce, diradare le visite.

Non feci caso ad alcuni valori sballati sulle altre righe, ma poi fui richiamato dall'ospedale, e così, per caso, a caccia del demonio, seppi di alcune alterazioni endocrine. Siccome ero un uomo giovane mi consigliarono di approfondire. Venne fuori che non potevo procreare. Non ricordavo particolari malattie. Benedicevo quel coglione leggermente atrofico che mi aveva fatto saltare il servizio militare. Poi ricostruii la mia storia medica. Allora mi ricordai della parotite, di quelle grosse orecchie rosse che mi ero trascinato dietro... dell'infiammazione che aveva raggiunto i testicoli in età puberale.

Fu una sorpresa, niente di più. Avendo temuto il peggio, il resto mi sembrò irrilevante. Mi ritrovai a pensare a me stesso con affetto, come un capolavoro venuto male. Il cerchio si chiudeva, con un suo progetto, una sua astratta perfezione. Non avrei avuto figli, come i miei zii. Come era giusto che fosse per la mia storia di uomo.

Tornando verso casa risentivo le parole di Leni, *I was waiting for you...* Adesso sapevo che ero io ad aver aspettato lei. Perché, mentre respiravo nelle strade affollate del rientro serale, sapevo di aver già spiato questo momento, di averlo sentito urtare le mie spalle in attesa che mi voltassi. Adesso che questa rivelazione mi toglieva un pezzo di maschera, avrei potuto girare nudo, fare l'amore con mia moglie nudo.

Quella sera quando misi a letto Leni e mi attardai con lei, chiusi il libro e mi misi a contare le sue dita, su e giù per i polpastrelli infinite volte, finché si addormentò. Contai le dita a montagne di bambini che erano sempre lei. Non era mia. Era l'unica figlia che avrei desiderato avere nella vita.

Raggiunsi Izumi, la baciai. Feci l'amore con mia moglie completamente nudo per la prima volta. Non fu così diverso dal solito. Per la prima volta mi sentivo affrancato dai miei fantasmi.

Quando, qualche mese più tardi, lei dopo ogni rapporto cominciò a carezzarmi i peli sul petto, a guardarmi come una scimmietta gravida, mi alzai, presi una bottiglia di vino, la chiamai accanto alla finestra e lì, davanti a una luna da lupi mannari, con caute parole, le diedi la brutta notizia. Lei si avvolse nella coperta, si chiuse lì dentro. Rimase interdetta e silenziosa per molti giorni. La vidi allontanarsi come un'onda risucchiata e girare nel mare. Ma poi tornò serenamente. Era più grande di me, anche se non sembrava affatto, aveva passato i quarant'anni, aveva già quella magnifica figlia, forse non le andava così tanto che Leni perdesse l'assoluta supremazia nel mio cuore. Aveva creduto di intercettare un mio desiderio e un mio dolore e li aveva espressi al posto mio, come al solito, credendo di scuotermi, di farmi del bene.

Passarono ancora tre anni. Tre inverni e tre estati. Tony Blair aveva trionfato alle elezioni, gli operai continuavano a scioperare ma si respirava un'aria meno tesa. I nostri amici il sabato sera venivano a ubriacarsi da noi, oppure eravamo noi a spostarci da loro con la nostra station wagon, in quelle case medio-eleganti, con gli stucchi georgiani, piene di libri e di buona musica, a Pimlico, a South Kensington. Eravamo un gruppetto di abilissimi intellettuali, dediti a costruire dal nulla, dalla fusione dei colossi delle telecomunicazioni, dall'ombra del Millennium Bug, piuttosto che l'ultima polemica di Hitchens, prodigiose discussioni sociologiche che saziavano il nostro spirito rivoluzionario che cominciava a sonnecchiare come le nostre consorti. Ero diventato professor. Avevo trovato un nuovo incarico a quaranta miglia da Londra, una piccola università dov'ero trattato come Leonardo da Vinci ed ero pagato all'altezza. Il pendolarismo non mi dispiaceva. Aspettavo il mio trenino con la solita borsa che adesso, esattamente come me, aveva l'aria del cimelio d'autore, il trench appena spiegazzato dal vento sotto la pensilina est di Victoria Station. Mi gustavo quel breve viaggio tra ragazzi intenti nella lettura o con il walkman nelle orecchie, guardavo fuori il paesaggio della città che lasciava posto alla campagna, la teoria delle piccole case ordinate con i loro tetti di ardesia, il back lawn, le porte laccate. Poi il bosco dei grandi alberi rossi, le loro chiome spazzolate dal vento, pennellate dalle rare apparizioni del sole. Scendevo, compravo il giornale, salutavo il tizio, *have a nice day*.

Poi entravo in quella università raccolta e austera come una chiesa luterana accolto dalla mia adorata Geena, la dolce signora da rinchiudere in una scatola e portare a casa, colta, geometrica, la factotum del college, la vestale madre di tutti gli insegnanti. È lei che mi porta il caffè, che riordina le mie carte, che mi toglie i capelli dalla giacca con un colpetto discreto, è lei che la sera mi obbliga ad andarmene perché perderò il treno se mi attardo con i miei studenti migliori davanti alle diapositive.

Poi tornare nel buio, guardare nel vetro dove compaiono solo sporadiche luci di case, di fabbriche con i turni notturni. Scendere e camminare nell'aria ancora spessa dello spurgo malsano dei taxi, dei bus. Aprire la porta di casa, depositare le chiavi nella ciotola con la testa di anatra, togliersi le scarpe, sedersi in salone, cercare la bottiglia.

Compirò quarant'anni e la rabbia spesso mi prende alla gola, mi soffoca da dentro. Spingo il cavatappi nel collo di una bottiglia e stappo e quel tappo che esce con quel rumore soave e profondo, portandosi dietro nel culo rosso l'aroma del vino, è l'unica ricompensa della giornata. Alla domenica e durante le feste comandate continuo a trascinarmi al parco per una corsetta rigenerante, finisco a respirare tramortito contro una staccionata come un tordo sparato.

La mia amata Leni, la mia reginetta di bellezza che adesso ha la fila fuori dalla porta e io ringhio a ogni telefonata per lei, studia in una secondary school d'eccellenza e torna solo per i fine settimana. Per lei sabato scorso ho fatto una coda di tre ore sotto la pioggia per assicurarmi una copia di *Be Here Now* dei suoi Oasis. Izumi ha tre sere alla settimana occupate con i corsi di informatica, e il martedì ha scelto di danzare con altre donne il tango. Ha provato a portarmi, ma io sono scivolato dalle sue braccia come un serpente che lascia la sua pelle. La casa è invasa da strappi di fisarmonica. È fantastico, una giapponese che balla *La Cumparsita* in cucina. Impettita e fiera. Mi avvicino a lei offrendole un calice, lo accetta con minor stupore di una volta.

– Finirai per farmi diventare un'alcolizzata...

Solo in casa con lei, non mi dispiace farle da cavaliere come un sacco con i piedi, trascino le mie Church che dureranno ben oltre la mia morte, inciampo nel tappeto, nel portaombrelli, rido, violentemente, comicamente disperato come ogni uomo a quarant'anni. Come dice il mio amico antropologo Alex, la curva della felicità umana, in caduta libera durante l'età adulta, tocca il suo punto più basso più o meno alla mia età. Dovrò aspettare la vecchiaia per risalire. Sono un astro al tramonto.

Montagne di fiori puzzolenti marciscono davanti ai neri cancelli reali, bigliettini, orsacchiotti. Il lungo corteo funebre ha attraversato la città, il popolino per la prima volta è furioso con la vecchia arzilla regina e con suo figlio Mister *vorrei essere un tampax*, la favola della principessa triste si è conclusa nel tunnel parigino. Noi fortunatamente siamo in vacanza a Plymouth da Garrett e Bess che hanno quattro figli e un cottage scorticato e romantico, dal quale si vede tutta la baia con il suo bosco di velieri, ed è bellissimo vedere il disarmo delle vele al tramonto che avviene quasi in simultanea, e l'uscita al mattino presto quando il vento è quello giusto, quello che spazzola l'acqua e grandi chiazze scure si allargano sul mare increspato dando vita ad affascinanti geometrie naturali. Io sto finendo un paper sulle norme matematiche della pittura murale di Masaccio, a quattro mani, le mie e quelle di Garrett. Izumi fa lunghe passeggiate sulla spiaggia con Bess, camminano scalze ma con un maglione addosso, perché qui non è mai così caldo. Ha dolori al collo, alla schiena, troppe ore seduta, si lamenta che non la porto in Sicilia a scaldarsi un po' le ossa. Dell'Italia non so più niente. So che è morto Versace, sparato a Miami, ho seguito l'inseguimento del suo assassino. Una volta, ogni dieci giorni compravo un giornale e mi sedevo a leggere notizie del mio Paese. I processi politici, il suicidio di Raul Gardini. Ma è molto che non lo faccio. Se penso al mio Paese vedo un'unghia galleggiante nel mare, quella di un cadavere lontano.

È settembre, ho ripreso le lezioni, sto camminando verso Victoria Station, sono leggermente in ritardo, così affretto il passo. Schiaffi di persone da superare sotto il cielo di vetro e ferro, tutto quel mondo che al mattino si mette in moto e che sempre mi ricorda una visione di Magritte, figure disegnate da una scura matita, con i loro soprabiti, le loro teste oblunghe, i loro ombrelli e l'orologio della stazione deformato sul fondo. Passo accanto alla signora dei giornali, imbottita come un orso, vorrei prendere un caffè da portare sul treno, da sorseggiare cautamente, come spesso faccio, ma non ho tempo. Volto la testa, per dare un'occhiata al tabellone, per seguire il buffo cappello di un ragazzo che passa. Mi piacciono così tanto i visi nuovi, la nuova popolazione di ragazzi, i figli dei nostri amici. Quando sono arrivato qui tutti loro erano bambini trascinati da mani, da ruote di passeggini, e adesso il mondo è il loro. Sono loro le pesche aperte. E detesto i discorsi di certi coetanei, mohicani che si sono tagliati la cresta, vecchi Boy George flaccidi chiusi nei loro uffici pieni di rancore. A me sembra che questi ragazzi siano più belli, meno tenebrosi di quanto non fossimo noi. Cammino in questa fervente giungla di minigonne, zaini, capigliature arancioni, cappucci da cui spuntano visi di animali nuovi. Penso alla mia Leni lontana, ci sentiamo ogni giorno al telefono. Studia bene alla secondary school, però è piena di spine con se stessa, un cespuglio che non riesce a fiorire. *Un giorno raccoglieremo gustose more*, le ho detto. Adesso sono io l'ottimista, il rigeneratore delle energie spente, io questo soufflé pieno di muffa. Farle da padre è diventata l'unica occupazione esaltante della mia vita. Ho cominciato a guardarla di straforo per capire cosa poteva farle male di se stessa, quali tratti del carattere l'avrebbero compromessa, rallentata, è a questa età che si raccoglie il fiore che marcirà dentro di noi.

Dunque, sono a Victoria Station, sto perdendo il treno. Il successivo passerà fra tre quarti d'ora, non è un ritardo terribile, ma a me piace avere *quel po' di tempo davanti*. Mi volto appena, per seguire quel buffo cappello, una leggera torsione del collo, quasi solo una oscillazione sull'asse delle gambe, mentre l'impermeabile si apre.

Rallento, faccio ancora un paio di passi in avanti. Ma è come se un elastico avesse preso le mie gambe. Mi volto di scatto. Mi immobilizzo. Ho visto una figura, l'ho catturata, appena spostata in avanti tra le figure alla mia destra. L'alone di un viso, il taglio di una mandibola stinto nella folla che macera.

Sono un vecchio pesce che boccheggia, che risale la corrente lottando, attraversa schiene, ombrelli, e che adesso corre. Corro in fondo verso il grande buco di luce dell'ingresso alla stazione, dove il fiume umano entra, pascola, ristagna. Esco allo scoperto, continuo a correre, trascinato dal niente, travolto da quella speranza che ormai è acqua sporca. Cerco l'uomo, l'altro uomo, e poi il successivo e ancora e ancora. Si voltano tutti. E tutti non sono lui. Mi piego sulle gambe. Annaspo malamente, il respiro incrinato della vita che stenta, vacilla.

Sono sul treno successivo, ho la mia tazza di carta in mano, quel lungo caffè che mi penetra a piccoli sorsi. Entro nella piccola aula dove i miei studenti mi stanno aspettando. Respiro il calore della loro attesa, la speranza che ripongono in me, nelle mie lezioni così accurate e facili da capire. Perché da sempre mi preoccupo di avere un linguaggio consono a tutti, piano, guizzante a tratti, per sedurli in massa, per non lasciarne indietro nemmeno uno. Perché non vorrei lasciare indietro nessuna delle loro speranze. Perché i miei amici muoiono inutilmente, perché mi sembra questo il mio dovere. E loro, questi ragazzi, sono il mio ciuffo di uomini futuri, quelli che un giorno si spargeranno nel mondo e in un altro futuro giorno verranno a trovarmi, a spendere qualche ora con me, rincuorandomi.

Il treno della sera, del ritorno. Ora che sono stanco al punto giusto, posso pensare. Contro questo vetro nero dove la mia fronte s'inginocchia, posso pensare. Giacché tutto il giorno ho ricacciato indietro quel flusso pieno di detriti che adesso si agitano in me nel dondolio del vagone. Come l'inchiostro invisibile del mio fiato che allargandosi sul vetro mette in evidenza tracce di mani, di corpi che hanno toccato questo vetro, lo hanno unto con la loro vita di passaggio, così l'uomo che ho creduto di vedere tra la folla stamattina mi appare: una macchia amica che si rende visibile e urla il mio nome.

Apro la solita bottiglia, con meno ardore del solito, come un gesto sul quale ripiego. Sono troppo triste stasera e so che il vino non mi aiuterà. Il primo sorso è cattivo, poi va meglio.

Izumi rientra, parla muovendosi per casa, asciugandosi i capelli, scuotendo le braccia che le fanno male con quel gesto che adesso fa sempre, come un uccello che dopo la pioggia scuote brutalmente le ali.

Io sono sotto la mia luce, gli occhiali un po' giù sul naso, la bottiglia quasi finita accanto, brilla l'ultima riga di liquido rosso, annuso le mie carte, le scorro, le abbandono.

– Someone called today...

Non mi volto, mi strofino la faccia, sbadiglio.

– Who?

Ricevo in media due, tre chiamate al giorno, giornalisti minori, case editrici che vogliono affibbiarmi qualche manuale. Senza volerlo, mi sono costruito la reputazione di un uomo disponibile. È Izumi che pigia il tasto della segreteria e svuota il nastro.

– A friend... an Italian voice...

Guardo la bottiglia, quella striscia rossa calma lì in fondo. Mi trattengo le labbra. Respiro. Premo il tasto della segreteria, il nastro è vuoto. Izumi ha già fatto il suo lavoro. Alzo un piede, dondolo su una gamba. Vorrei uccidere mia moglie. Strangolare quella sua fretta assurda di svuotare cassetti, di togliermi da sotto il naso roba ancora mettibile per portarla in tintoria, di sbrigarsi a fare ordine. Di cancellare nastri.

– What did he say?

Izumi si mette gli occhiali, cerca sul foglio sotto le ricette, dove prende gli appunti. Ha trascritto un numero e vicino qualcosa come... *Cosancini*...

– Costantino?

Fa una faccia incerta, completamente disinteressata.

– I'm not sure.

– The number... is the number right at least?!

Ho alzato la voce. Devo avere un'altra faccia, quella di un lupo che ulula verso la sua luna piena.

Esco in giardino a chiamare. Ho acceso una sigaretta. Non c'è nessuna luna, il cielo scopa con le sue nuvole a cavalcioni. Da ragazzo avevo un fischio che mi trapanava il cuore, il fegato. È di nuovo qui, adesso, nel mio orecchio incollato al telefono.

– Hallo? Pronto?

– Guido?

– Costantino. Dove sei?

– Qui, a Londra.

– Dove?

– Non lo so, sto camminando.

– Quando sei arrivato?

– Oggi.

– Come hai fatto a trovarmi?

– Sull'elenco.

– Hai cenato?

Abbiamo cenato. Io ho apparecchiato una tavola con tutti i crismi, con tutta quella inutile roba che Izumi compra nei mercatini, bicchieri con il gambo lavorato, sottopiatti dorati che sonnecchiano nella credenza in attesa di un Natale, di una festicciola tra colleghi. Stasera fuori tutto. Il caminetto è acceso. La casa sembra ardere di discreto lusso, di pacifica vita collaudata. La libreria che circonda la porta e si allunga nel corridoio, il quadro di Steve con le ragazze che volano sui pattini, le fotografie di Izumi nuda, coperta appena da un velo, e quelle di Leni con il dance studio award... le vetrate che guardano il giardino, la nostra siepe di bosso lambita dalla luce che ho acceso per regalare profondità all'esterno, e anche sopra è tutto illuminato, ogni singola lampadina è calda... e Glenn Gould che suona il suo pianoforte in sordina, e il tappeto di moquette che scivola lungo la scala di legno, e il nostro cane, il nostro border collie Nando pacificamente steso davanti al fuoco... è tutto questo che Costantino sta guardando.

Io guardo lui. Abbiamo mangiato, lui poco. Un tempo mangiava molto di più. I resti sono nei piatti. Izumi si è alzata a mettere su il caffè. Costantino ha scherzato.

– Sa farlo italiano?

– È la prima cosa che le ho insegnato.

È stato affabile tutta la sera. E ora mi sembra che non ci siamo mai mossi da qui, adesso che so che è da un tempo immemorabile che aspetto questo momento. È sceso dal taxi, più alto di quello che ricordavo. L'ho aspettato con la camicia fuori dai pantaloni, un po' aperta sul petto, il cane gli è andato incontro per annusarlo. Io sono rimasto sulla porta per gustarmi la scena dell'arrivo, la portiera nera del cab che si apre e lui che si curva per uscire e alza gli occhi. E io sono lì. Il suo amico di sempre. Di prima. Prima che cominciasse questa vita, che è durata quasi vent'anni. Che da quasi vent'anni ci separa.

Alza un braccio.

– Ehi, ciao!

– Ciao!

S'abbassa, fa una carezza al cane e viene verso di me con il suo passo spartano, il corpo che un po' oscilla e mentre avanza sembra che arretri. Quel passo che non è mai cambiato. È ancora molto atletico. Lo guardo e lui lo fa. Fa tre passi e un saltello. E quel saltello siamo noi, credo. I fari della strada lo trafiggono, entra nel buio sotto un albero, poi è nel cono di luce davanti a casa nostra. Vedo il suo sorriso. E un attimo dopo sento il suo odore perché ci abbracciamo e lui mi tiene un bel po'. Ci teniamo a lungo, lì su quella porta, nascosti uno nella spalla dell'altro. Poi ci guardiamo e siamo già due uomini molto timidi. Intimiditi dal passato, da quello che solo noi sappiamo di noi. E questo segreto mi perseguita tutta la sera, e mi rifocilla mentre tiro fuori l'agnello dal forno, mentre gli servo le carote e il gravy, mentre parliamo di quello che faccio, di quello che fa. È a Londra per il vino, è una delle sue passioni, impianta vigne, promuove vigneti nuovi ma interessanti. Io sono pazzo del vino. È la cosa che mi piace di più al mondo. Ha portato una bottiglia, l'ha tirata fuori dalla borsa, un innesto di Sangiovese e Merlot.

Izumi lo guarda, ogni tanto si immobilizza con il bicchiere in mano. Costantino le racconta belle cose di noi, va a ruota libera in un inglese a dir poco arrangiato, e mi accorgo di quanto è cambiato. Non sembra affatto intimidito dalla lingua, si vede che lavora a contatto con la gente, ha quel modo lì, da cerimoniere, di chi sa vendere la giusta cosa. A Izumi piace, e io guardo Costantino con gli occhi di lei, di una donna che lo guarda per la prima volta. È davvero un bell'uomo. Si è tolto la giacca, perché il caminetto brucia e l'aria è calda, fin troppo. Ha una semplice camicia bianca accartocciata sui gomiti. Guardo quel collo forte, il disegno delle spalle, dei loro muscoli... come sta piegato, come inclina leggermente il capo quando parla, come sorride. Come se dovesse aprirti il mondo. Izumi ne è attratta. Come potrebbe essere il contrario? Abbiamo questo ospite straordinario, cioè completamente fuori dall'ordinario. Non si è lamentata dell'invito al volo, quando mi ha visto apparecchiare e buttare la roba in forno, impeccabile come Mrs Doubtfire. È stata lei ad accendere il fuoco dopo che io avevo portato la legna dentro a torso nudo, perché ero talmente accaldato dal forno, e probabilmente mi sono preso un mezzo accidente. Ha tagliato l'ananas, si è messa il rossetto. Da quando Leni è via certe sere è duro intristire in due in questa casa.

La cosa che mi piace di più è quando parliamo in italiano. Non frequento gli italiani a Londra, non ho mai voluto. E adesso erutto come un vulcano zitto da secoli. Ricordo parolacce e modi di dire, e sono tante cose che tornano. Le nostre sporche, dolcissime cose. Gli piacerebbe aprire un ristorante qui, dice.

– Che tipo di ristorante?

– Italiano.

– Vaffanculo.

Guarda mia moglie, allarga un braccio, le fa l'occhiolino.

– È sempre stato così...

– Didn't he get worse?

Izumi sorride, cerca di stare al passo, di respirare la nostra stessa aria.

– Sei più magro?

– Corro.

Ride ed è una risata che gli scoppia da un cuore antico, perché davvero non mi ci vede a correre.

– E tu, la pallanuoto?

– Basta, ogni tanto vado sulla tavola da surf.

– Mi manca il mare vicino...

Quello che diciamo non è quello che ascoltiamo. Quello che diciamo e ascoltiamo lo sappiamo solo noi. Perché adesso sento che lui è qui per me, che non è per caso. E se anche uscirà da quella porta, così com'è arrivato, incurvandosi in un taxi e salutando da lontano, io so che è venuto a cercarmi perché come me non ha dimenticato, come me ha avuto paura di morire senza avermi rivisto.

Izumi adesso è stranita dall'italiano, da questa lingua che la esclude. Che è il nostro recinto. Il nostro cortile. La nostra tenda.

Abbiamo finito di mangiare. Devo alzarmi a togliere i piatti, mi allungo per versargli un po' da bere. Ci guardiamo, e facciamo un piccolo sorriso nello stesso istante. Sto nella mia casa, al centro della mia vita e gliela sto mostrando. Gli ho detto che insegno in un'università d'eccellenza, che gioco a golf, mi sono vantato un po'.

– Come mi trovi?

– Lo stesso.

Non è vero. So che non è vero. So che è l'unica risposta che volevo.

Mia moglie ci ha lasciati soli, è di là che traffica in cucina, un rumore consueto di stoviglie e acqua che scorre. Un rumore che mille volte ho sentito, il rumore della mia vita, della mia luccicante, indigente vita che scorre lontano da lui da centinaia di anni. Adesso di colpo siamo eccitati e timidi come due giovani fidanzati lasciati soli per un attimo...

– E io come sto?

Gonfia il petto, fa quel sorriso ineguagliabile. Il sorriso della mia infanzia, di tutto l'amore dato e perduto, di tutti i capelli, di tutti i lavandini dove ci siamo lavati vicini.

– Lo stesso. Sei lo stesso, anche tu.

Annuisce, si prende le labbra nelle labbra. Ho le mani sul tavolo, non mi muovo più, non mi tocco più il ciuffo, non faccio più niente, non c'è tempo, non c'è voglia di disordinare. È già tutto qui. E so che anche lui non sta così bene come sembra, che c'è qualcosa che non mi dice, tra le tante cose che mi dice con quegli occhi appena appesantiti, più cerchiati di una volta, segnati da lievi rughe che gli stanno così bene, sono quelle del suo sorriso, di tutte le volte che ha sorriso lontano da me, da qui. Inutilmente.

Lasciamo il tavolo. E adesso Costantino è sul divano, una gamba accavallata sull'altra. Un diverso bicchiere in mano, un diverso alcolico, più robusto. Sono seduto un po' distante da lui, sulla mia sedia a dondolo, dove dondolo a vuoto nelle notti di violenza interiore. Godo di questa leggera distanza che me lo restituisce in pace, intero. Un dipinto rivelato. E di nuovo sento il lutto di mia madre, quella candela in fondo alla mia vita. Perché Costantino è stato mia madre, quel giorno quando mi prese e mi disse *non guardare nel buio, guarda me, guarda questo splendore.*

Gli guardo il calzino, il piede che si muove, la pancia che respira, guardo tutto. Sono tornato la stupida donna di una volta. Perché questo sono stato nel suo corpo. È una cosa che semplicemente non si può dimenticare. I miei occhi devono essere davvero strani e mia moglie forse se ne sta accorgendo. Gli chiede della sua famiglia, dei suoi figli.

– Brilliant, a boy and a girl...

– May I smoke?

– Certo che puoi fumare.

Gli tiro il mio accendino perché non trova il suo, accende, aspira, mi guarda. Butta fuori il fumo.

Adesso ho paura che possa andare e non tornare mai più, adesso che è stato qui nella mia casa, che ha visto dove vivo, con chi dormo... adesso che tutto questo gli è familiare e potrà ricordarlo... adesso che mi sembra che tutto quello che ho edificato è per lui. Ho vissuto per tutti questi anni in attesa di lui, di questo momento rilassato. Tutto questo non avrà senso senza il suo sguardo. Quando il nero vuoto del suo corpo andato resterà su quel divano e io potrò fissarlo nel buio, adesso che questa sigaretta sta per finire...

Si alza.

– È tardi. It's really late...

Cerca la sua giacca, ringrazia mia moglie. Mi sollevo, vado alla porta, strappo il soprabito dal suo stupido uncino.

– T'accompagno.

Izumi mi guarda, ma guarda già la mia schiena in fuga sul marciapiedi.

– Andiamo a finire la notte in un pub. Don't wait for me awake.

Ma non entreremo in quel pub. C'è poca gente per strada, uomini e donne che portano a pisciare i cagnetti, che lasciano i vuoti del latte. Non parliamo, respiriamo, camminiamo nel vuoto. Gli prendo la mano, la sua gonfia mano che pende dal suo braccio e che è lì per me. Prende la mia così forte, come se fosse l'ultima mano che galleggia in un mare di morti. C'è la mia macchina parcheggiata lì, la mia station wagon con la rete del cane dietro, le cianfrusaglie di Leni nel cruscotto.

– Sali.

Lui obbedisce, sono io l'uomo adesso, e questa è la mia città.

– In che albergo stai?

Possiamo ancora sembrare due uomini qualsiasi, saliamo come due automi, io di qua lui di là. Guido nel buio di lampioni stradali, fari lampeggianti, strisce fluorescenti di tunnel, luci del Tamigi, insegne di cinema, di store. La sua mano è di nuovo sulla mia, cambia le marce con me. Guarda lo scenario come un turista sperduto.

Sono passati vent'anni, non lo lascerò andare via così. È nella mia macchina, lo sto portando, e non so dove. Sono anni che vive catturato nella mia testa. Sembra stanchissimo.

– Vieni qui...

S'appoggia alla mia spalla, guido un po' così con questa testa vicina vicina, lascio il volante e la carezzo, e annuso, e respiro.

Ci sono gli Oasis di Leni nel mangianastri, così è questa la colonna sonora del viaggio al termine della città.

– Possiamo andare nel tuo albergo?

– C'è il mio socio, in albergo...

Conosco un posto blu, un motel dove ogni tanto mi fermo a far pisciare le mie ragazze quando andiamo verso sud. Le aspetto fuori, fumo una sigaretta, *sbrigatevi, hurry*. Di notte la facciata pulsa di neon per richiamare l'attenzione. Ci sono due strade che passano sopra, un doppio cavalcavia, e sotto altre due e una rotonda, le macchine volano sopra e sotto. Ho sempre pensato *chi cazzo ci viene qui a dormire?*

Ci stiamo già baciando. Ho frenato la macchina nella polvere, ho frenato forte.

– Aspetta... aspetta amore...

La sua bocca spalancata che non fa nessuna resistenza, sembra una specie di fontana secca che non beve da chissà quanto, sento il sapore di alcol e di sigarette. Gli tocco il collo, affondo nelle spalle. Entriamo con due facce da paura, gli occhi iniettati di spiriti che zampillano come lava, come l'ultima lava del mondo. Sono aggressivo, sono un altro. Busso al bancone, perché non c'è un cazzo di nessuno. Poi il tizio si affaccia. E non è la feccia che ti aspetti. È un tipetto discreto con un gilet di lana, potrebbe sembrare uno dei miei studenti e magari lo è: un bravo ragazzo che raggranella quattrini notturni per studi diurni. Ho la faccia tosta, mi aggiusto il ciuffo, non mi copro, anzi mi scopro, mi gratto la barba, chiedo una camera, chiedo la chiave, chiedo il documento a Costantino, lo metto sul mio e lo consegno, carta su carta, vita su vita. Allora, la chiave? Non c'è bisogno che ci accompagni, ragazzo.

– We'll find the room, don't worry.

Certo che troveremo la strada. La moquette marcia a piccoli rombi, le luci di servizio, cubetti rossi, come caramelle sul muro... L'odore del lupo, di colazioni rancide, di WC, di droghe e sonni complicati. La chiave entra, ma sprofonda, ci vuole un po' di calma per trovare la serratura a metà. Mi chino, ubriaco, mezzo cieco, tiro fuori l'accendino. Fatto. *Chiudi la porta.* Siamo dentro. Accendo la luce, un letto c'è. Costantino dà un pugno alla luce. Buio, non totale, fessure di tapparella rotta, fruscio blu di luci al fosforo. La nostra nave. Dopo un oceano di tempo. Chi comincerà per primo? Chi assalirà chi? Un pugno, due pugni, prima. Due botte di dolore. *Dove sei stato? Zitto.* Un altro pugno meno forte, i nasi che tirano su, quella seconda botta di commozione. La mano sulla gola. *T'ammazzo. Zitto. Amore mio, amore santo.*

Alba fuori sullo spiazzo, macchine alle spalle e sopra. Le camicie a pezzi, le facce violente tornate nella pelle. Reduci. Che si fa? Si guida verso la città, si torna. Lentamente si torna. Non si parla, si guarda il pallido mondo. Le cose di ieri.

– Eri a Victoria Station, ieri?

– Quando?

– Di mattina, verso le otto.

– Ero a Roma. Sono arrivato nel pomeriggio.

– Non eri tu?

– Non so neanche dov'è Victoria Station.

Ho in mano un libro di Kafka, quel povero uomo troppo alto e troppo spigoloso che un po' mi somiglia. Guardo la sua fotografia, le sue orecchie appuntite, i suoi occhi inchiodati sul volto aguzzo: mi ricordano quelli incisi con punte di selce dei graffiti rupestri. Sguardi che sono semplici punte di dolore. E nulla rimane di loro. Ho riletto per poche righe il *Digiunatore*, la sua misera fine. Mi tolgo gli occhiali, sento l'odore di quella paglia accanto alle altre gabbie del circo, dove si sciolgono le ossa del povero fachiro. Mi basta. È lì, sotto quella paglia, che scola la mia ambigua anima, stasera. Il mio sesso è una carruba essiccata. L'opalescente chiarore della lampada a stelo mi mette in risalto nella penombra sulla poltrona, una sagoma lunga, con le gambe accavallate. La misera complessione di un uomo imprigionato nel salotto della propria casa. Emetto un gemito, *ahhh*... È una cosa che faccio da un po', espiro un lamento, da solo, quando nessuno può sentirmi. Scaccio la furia, il supplizio del maschio morente che mi abita. Eppure so, ed è questo l'urlo, so che la vita sarebbe così facile, l'ho vista estendersi in uno spazio minuscolo.

Sono stato euforico per giorni dopo quella notte superba. Forte e sfacciato, come solo i segreti sanno renderci, bello e diabolico, alimentato da correnti sotterranee, fulgente di una luce autoindotta. Ho continuato a sentirmi la pelle in un certo modo, tesa, arrossata, attraversata da ferite di piacere. Mi sono voltato tra la folla sorridendo, preso alla collottola, la carne strappata sovrapposta a quella del mio uomo, buttata nella sua gabbia a chilometri di distanza. Il lucente pasto del leone sono stato per giorni e giorni. Ho chiuso gli occhi in treno, in macchina, al buio e nella luce. Per quel memento mori, per rivedere ancora tutto e ripescare i dettagli.

Non lasciamo passare altri dieci anni, ci siamo salutati così.

Invece il tempo ci mette in fila e passa. I corsi postlaurea, una sessione d'esame, una piccola tragedia, la morte di un amico, una vedova da rinsaldare alla terra con serate tra amici e gite.

Compro un cellulare. All'inizio è un attrezzo pieno di promesse. Comincio a uscire con il cane la sera come tutti gli amanti, tutti i dipendenti dell'amore proibito. Poi diventa un biglietto per la tomba, una interurbana con l'altrove.

– Che ore sono da te?

È sempre un'ora in più lì, un'ora in meno qua. Cammino, mi cerco le chiavi in tasca, mi pungo con quelle mentre parlo. Siamo pieni di pudore, di un formidabile contegno. Non so che uomo è diventato in tutti questi anni. Ho un dolore sordo tra le gambe, un peso. Sento un bambino parlare accanto a lui, quello piccolo, quello *con dei problemi*. Dev'essere il suo favorito, se lo tira sempre dietro. È lui il mio principale rivale, questo bambino nel quale si identifica, si ammanta di colpa.

– Cos'ha?

Non vuole sussurrare davanti a Giovanni. Parla a voce alta come un estraneo, come farà con i suoi fornitori di vini e formaggi tartufati. Sento che si china, che probabilmente gli sta chiudendo il cappotto o pulendo il naso.

A volte taccio, cammino in silenzio, trascinando il telefono, quel muto contatto, una coda stanca di respiri e pensieri che non arrivano. Nell'altra mano il guinzaglio del cane. Tira per fermarsi, per annusare, tiro più forte io, *move your arse, for Christ's sake*. E ci salutiamo senza esserci detti niente, solo perché lui rincasa, e perché dopo un po' due uomini sposati che esalano respiri alterati lontani chilometri di mare e di terra puzzano di inutilità, di sfacelo.

Altre volte sono alticcio e disinibito, parlo troppo.

– Cosa fai? Come sei vestito?

Ho la sensazione che deve sempre guardarsi addosso prima di rispondermi.

– Una camicia, una giacca, così.

Gli dico che mi sono comprato un nuovo giubbotto, di velluto con il pelo dentro come quello che portavo vent'anni fa, che lui senz'altro ricorda. Glielo descrivo nei minimi particolari, come se fosse l'argomento più appassionante della terra. Gli dico che voglio comprarne uno identico per lui, una extralarge, giusto?

– Probabilmente sei almeno due taglie più di me...

Non di grasso, certo che no. Di tutta quella ricchezza, quella bellezza, meglio di una delle mie statue greche, di un Apollo Belvedere. Naturalmente l'uccello no, il suo è molto più grosso.

È più frettoloso, più brutale di me. Ha paura di questi frocismi. Annusa nella cornetta quando il terreno diventa molle.

Mia moglie, il mio airone di cristallo, dorme. È tornata a casa stanca. L'ho vista mangiare una minestra, poi stendersi repentina come un pupazzo che torna nella sua scatola. Si è rannicchiata quasi senza spogliarsi, ha lasciato cadere una ciabatta dal letto, poi l'altra. Ora i suoi neri capelli sono sparsi sul cuscino. La fronte nel sonno è troppo nuda e troppo bianca. E anche la bocca mi spaventa, quel piccolo cassetto aperto dal quale passa il tacito fluido della sua vita. I suoi occhi sono cuciti, la sua tenace anima sommersa, come non chiedesse altro. La pelle così trasparente da apparire un abito posto sul letto in attesa di lei.

Non credevo di riuscire a guardarla mai più. Ma non ho pensato a lei per molto tempo, sono rimasto nella mia bolla a digerire lo smottamento, e quando ho recuperato qualche pensiero normale l'avevo già guardata, sereno e assente. Sto cercando di recuperare quello che galleggia dopo l'alluvione che ha sotterrato la casa e il resto, ha spostato tutto.

Non dormo. Sono una delle mie amate statue funerarie, quelle che riesco a far vivere con tanta passione per i miei studenti. Questa vigile vita notturna è il regno dei morti. Dovrei darmi una seria regolata e smetterla di danneggiare il mio fegato, ma il whisky è sacro, di notte, quando il santuario è spento.

Alle quattro del mattino vorrei chiamare Costantino, parlargli di quando andammo al mare, quando lui montò la tenda. Penso che non posso più vivere in una città senza il mare accanto. Sarei pronto a lasciare questa casa, a lasciare tutto.

È l'alba. Sono fuori dalla calca di sogni che non ricordo ma che devono avermi preso un bel po' a pugni, a giudicare dalla faccia che vedo quando arranco verso il bagno e raggiungo lo scempio della mia immagine ribattuta nello specchio. Mi tolgo il pigiama gualcito, che meglio di qualunque altro indumento conserva l'odore della mia sostanza afflitta, dei miei organi in disordine. Guardo il mio corpo bianco e impressionante come lo scheletro fossile di un dinosauro di taglia piccola.

La cipolla della doccia sparge la benedetta manna dell'acqua calda che pulisce, che vale più di mille battaglie, e via le porta. Litri di acqua, valanghe di calore. Amo il beneficio della doccia violenta. Non ho mai fatto praticamente nulla per la nostra maison de charme. L'unica cosa per la quale mi sono battuto come Giulio Cesare in Gallia è stato il boiler. Volevo un bisteccone da luxury hotel. Volevo non avere mai più quel problema del freddo ingiusto, del piscio d'acqua schizzato trasversalmente da un vecchio soffione occluso. Stufo di zompettare, di cantare, urlare, imprecare. Quello che avevo fatto per tutti i miei anni londinesi. Avevo avuto freddo sotto la doccia, ed era stata una circostanza davvero triste, che aveva cambiato il mio umore ogni mattina. Risalire da quella brutta sensazione di pollo bagnato mi aveva abbattuto socialmente. E lui dov'era in tutti quegli anni? Perso sulla sua riva, lontano.

La doccia è l'unico orgasmo. Soprattutto se vivi una condizione di precariato sessuale che ti porta a fare cose assurde, a baciarti a vanvera pezzi del corpo, a piegarti con la bocca aperta e stringerti la gola come ha fatto lui, ridotto alla disgrazia di un bondagista solitario. E poi subito dopo, in treno, per strada, mentre mangi un panino imburrato e dai il buongiorno telefonico alla tua magica figliastra, *hi darling*, sei colto dall'abominio, dalla voglia di vomitare nel cestino dei rifiuti. Sperando di riuscire a espellere anche lo stomaco e magari il resto, più giù oltre la cinta.

Quel *resto* che ti tormenta, perché si rizza improvvisamente, nei momenti più inopportuni e davvero irreali, come un bambino di notte, un bambino con seri problemi di irrequietezza. Ti tocchi i pantaloni, dissimulando il gesto tra la gente in attesa del treno, tra i tuoi studenti, persino davanti a tua moglie, perché anche lei quando passano *quei* pensieri è un meraviglioso quadro liquido. Allarghi un po' le gambe, cerchi di ributtarlo giù a nanna. Eppure vuoi tenerlo sveglio, è la tua mente che te lo ordina, rispondendo ai comandi di un cuore schizzato che adesso si sposta di continuo nel tuo corpo. Batte in un occhio, nel centro del ginocchio. Sono queste le pene romantiche! Davvero penose in un corpo adulto accreditato da diversi attestati accademici, onorificenze di rinomati istituti dove hai tenuto conferenze su questioni come *la tecnica ellenistica nelle figure pompeiane*. Si riducono così le grandi pene romantiche che abbracciano praterie di intenzioni, a questo amato attrezzo che fa il comodo suo e lo scomodo sociale, indurendosi nei tuoi pubblici pantaloni tanto da indurti spesso a isolarti.

Costantino ha un bambino malato. È di Giovanni che mi parla, di questa creatura che non può esprimere le cose e fa gesti contrari, di cui lui è diventato l'interprete. Se ha freddo si spoglia, se è contento trema disperato. Sua madre non ce la fa, ha un lavoro, esce di casa con i tacchi e il cellulare. Costantino ha fatto la caverna, ci ha messo dentro questo figlio, ha acceso il fuoco. Ha detto *noi siamo qui, se gli animali feroci verranno io gli andrò incontro con il fuoco*. È stato facile, mi ha detto, naturale. È suo figlio. Faresti qualunque cosa per tuo figlio. Lo aiuta a camminare, lo solleva quando ha fretta, lo mette sotto la giacca se tira vento. In macchina ha il suo sedile, è sempre legato lì dietro, mentre Costantino parla al telefono le canzoni che sento sono quelle che vanno a genio al bambino, filastrocche che mettono tristezza.

Perché io sto qui con il cazzo duro e vorrei non essere davvero mai nato, adesso che ci siamo ritrovati e che nulla sarà mai possibile.

È la prima cosa che mi ha detto:

– Non ci pensare nemmeno. Non c'è niente da pensare.

E un'altra volta ha detto:

– Giovanni ha solo me.

E una volta ancora più atroce ha aggiunto:

– Io ho solo lui.

E io allora ho urlato, ho preso a calci i bidoni, ho mollato il cane con il suo guinzaglio sul marciapiedi.

– Come hai solo lui? E io?!

– Tu hai sempre visto solo la tua parte, Guido.

Gli ho detto che era e sempre sarebbe rimasto un portatore d'acqua santa marcia, un chierico frocio. E invece volevo dirgli *tu sei la mia parte*.

– Meglio così – ha detto, – almeno hai parlato chiaro.

Deliravo, e c'era una sola cosa chiara in quel delirio: che lui era molto più forte di me.

– Scusa.

– Lascia stare.

Non rispondeva più. E io muggivo come un vitellino da latte.

– Ti amo. Lo sai che ti amo, vero?

– Basta Guido, basta.

Aspetto nella stanza di dipartimento, la mia deliziosa Geena mi pone davanti la tazza fumante e i piccoli muffin che cucina nel suo forno e che porta per me e per pochissimi altri prediletti in una busta di carta marrone così pura...

Un colpo di vento apre la finestra e Geena si precipita a chiuderla con quelle caviglie azzurrognole che paiono bastoncini di zucchero a Covent Garden. Mi guarda, strizza l'occhio, cammina sul cristallo come Cinderella. Sarà più vicina alla tomba che alla culla: è la donna più sexy che abbia mai visto. Se solo avessi quelle tendenze lì, credo che potrei uccidermi per lei. Non esiste in giro niente di meglio nella sua categoria.

Geena cara, non sai che piacere mi fa entrare nella stanza di dipartimento, con il camino spento ma curato, i ferri lucenti come forchette accanto a un piatto nero. So che hai per me, per questo uomo di origini italiane che hai scelto come tuo protetto, un debole nel tuo formidabile cuore d'acciaio.

– And what about your mother, Guido? – mi hai chiesto una volta, un paio d'anni fa, mentre le cinciarelle giocavano a rincorrersi fuori dalla finestra.

– She died.

– I'm so sorry, darling.

– It happened a long time ago.

I suoi occhi divennero lucidi e così i miei caddero in un bicchiere di lacrime che lei raccolse porgendomi il suo fazzoletto. Anche Geena era orfana di madre, era cresciuta in uno di quei terribili collegi per ragazze sfortunate, povere ma appena poco più su dell'indecenza dei cenciosi.

Le presi la mano e gliela tenni un po' nel tramonto fosforescente, mentre i nostri pensieri andavano, tristi e veloci, indietro ai vicendevoli calvari. Tirò fuori una bottiglia del defunto professor Allen, il mio disprezzabilissimo predecessore, un egregio scotch di malto torbato, con il quale inaugurammo quella che divenne un'abitudine solo e rigorosamente del venerdì, post tutto. Allora si ride, si fanno le boccacce e Geena imita così bene il professor Allen e la reggente Fanny, i morti e i vivi, i laureati e il popolino... Ed è così divertente e disinibita che sovente in treno rido di nuovo, da solo. Oh, se tutti fossero come Geena, il mondo sarebbe un posto meraviglioso, benevolo, meritocratico e con qualche vizio nel cassetto! Lei dovrebbe dirigere il tribunale di Londra, mettersi una di quelle parrucche, di quei mantelli da cornacchia, sbattere il martelletto di legno, e decidere la sorte dei benefattori e dei malfattori.

Si affaccia alle mie lezioni, ascolta l'ultimo quarto d'ora, immobile con le braccia al petto, e io declamo e mi inorgoglisco di me per la mia migliore studentessa, la fatina dai cornetti bianchi in testa, dagli stivaletti di pelo di foca. Non manca mai di farmi un apprezzamento, o di sgridarmi bonariamente all'occorrenza quando rispondo con troppa pazienza a uno di quegli studenti che lei definisce *zelanti caproni*, perché naturalmente ha una scheda e una casella per ogni creatura che si affaccia in quelle aule anche solo per pochi mesi. Gli *zelanti caproni* le risultano di gran lunga più indigesti delle *troiette caravaggesche* e dei *piloti di Formula Uno*, quelli che non sanno nulla ma parlano sempre.

Il venerdì cerco sempre di finire almeno un quarto d'ora prima. Metto a posto il materiale didattico. Geena riordina le sedie, raccoglie le spugnette da lavare impregnate di gesso dalle lavagne, va di là, nella *nostra stanza*, e appronta il materiale ricreativo, *the good stuff*.

Ebbene sì, da un anno a questa parte ci droghiamo, di squisite droghe minori: erba purissima, senza intrusioni sintetiche che ci danneggerebbero. Noi non vogliamo nessun danno dal piacere. Ho cominciato io timidamente, con un joint lasciato da uno studente, uno di quelli appartenenti alla categoria dei *Rubens minore*, Geena mi ha seguito con pochi indugi. Ho scoperto così che era una occasional smoker.

Abbiamo acceso la nostra happy cigarette. Stasera l'erba è squisita, la lingua nemmeno pastosa, semplicemente molle e sciolta. Geena si è accorta che non sono qui né in nessun altrove prossimo.

– What's the matter, darling?

Tutto quel desiderio pieno di sconforto. Poi le parole, poche, giusto per metterle lì. A Geena è bastato il liquoroso silenzio degli occhi.

– I knew there was something wrong...

– Un uomo, capisci?

Per un attimo penso che non abbia realizzato, è una vecchietta in fin dei conti, e anche piuttosto strafatta.

– Sì, un uomo, e allora? Io ho amato la mia amica Sally Murren, non ci sono andata a letto, ma cosa importa, l'ho amata! Finché è vissuta l'ho amata più di qualsiasi persona al mondo!

Conosce un sacco di fags... *Certo non somigliano a te, tu sei molto più virile...*

– Possono essere piuttosto cattivi, sai?

– Piantala...

– Quelli famosi, poi, sono dei grossi figli di puttana.

– Io ho degli amici buonissimi, che non farebbero male a una mosca.

– Non ne dubito. Mettigliela in mano, quella mosca...

– Lei è molto scorretta, stasera, signorina Geena Robinson.

– Chi è la donna dei due?

– Cooosa?! Questa è una domanda davvero banale.

– Il sesso è banale, caro.

– Siamo maschio più maschio, punto.

– Chi la fa la donna?

– Oh Cristo santo!

– Immagino che non sarà così diverso.

– A turno.

– Democratico. Mi piacerebbe provare il doppio turno...

Avrebbe dovuto essere una tragedia, ma in quello spicchio di campagna inglese ridevamo come due scimmie, e la sera scendeva inesorabile e il treno era sfumato, aveva lasciato i binari, il suo nero sentiero notturno verso Londra, senza di me. Poi il sipario calò sui comici, rimasi tragicamente nudo. Le raccontai tutto.

– È come se qualcuno mi camminasse sulla faccia a piedi nudi, schiacciandomi gli occhi, il naso, soffocandomi. So di essere compromesso da un'altra identità. L'ho sempre saputo, ma adesso sono un uomo adulto. Non posso tornare indietro, non posso fare un passo avanti. Non posso fare niente.

– C'è sempre qualcosa, prima di niente.

– Non posso vivere con questo segreto.

– I segreti sono i nostri migliori amanti, i più spregiudicati e tonici. Ci frustano, ci risvegliano di colpo.

La brace del joint le diede un colpo di fuoco.

– Sono stata per vent'anni l'amica di un lord che adorava la caccia. Tutta la vita mi sono sentita uno di quegli animali che incontri per caso, ai quali spari per noia, per nervosismo. Solo perché non hai trovato la volpe. Ma non ho mai rimpianto una vita al sole. Quel segreto mi ha incitato a esplorare me stessa... ho vissuto una clamorosa vita interiore.

Bevemmo l'ultimo goccio in silenzio, guardando il camino spento.

– La parte migliore della vita è quella che non possiamo vivere, Guido.

Geena spense l'ultima luce, si mise il cappotto, mi aiutò a infilare il mio, barcollavo.

– Vai dritto a casa, cerca di dormire, ma prima passa a comprare dei fiori per tua moglie, le donne adorano ricevere fiori nei giorni feriali.

Alla stazione un uomo mi guarda, per pochi istanti, mentre aspettiamo il treno, in piedi, appoggiati a un vetro che scherma lo spettacolo della gente che si fronteggia impettita. Mi sorride, senza esagerare. È un bell'uomo, distinto, nonostante l'impermeabile ha una certa aria western, e una quindicina d'anni più di me. Lo guardo perché penso che potrei finire così, come questo omosessuale discreto, con una borsa scalcinata piena di opuscoli culturali, una vecchia sciarpa di cachemire regalo di un caro amico defunto, una persona gentile e piacevole che spera di pienarsi il culo in un alberghetto, o in un minuscolo appartamento foderato di libri non lontano da qui, con un tipo tranquillo e bruttino come me. Sperando in un tè *dopo*, in uno scambio intellettuale nudi e in cravatta, con le gambe accavallate come due perfette signore britanniche. Quanti omosessuali soli noto adesso in questa città. Quanto triste è la caccia degli animali sconfitti.

È la sera di Natale. Santa Claus ammollati dalla pioggia penzolano dai balconi white stucco. Giri di luci beccheggianti. Scalpiccio di figure umane, rinsaldate alla vita da buoni propositi, che si affrettano sui marciapiedi nella melma di neve e foglie. Pacchi e pacchetti. La carità pubblica si è occupata degli homeless, avranno il loro hot meal, la loro fetta di tacchino. Il vecchio Gordon ha pisciato l'invito, se ne sta là sotto, nel solito stairwell della palazzina di mattoni bruniti all'angolo. Culla la sua bottiglia come farebbe un buon padre con il suo bambino appena nato. Lo saluto dall'alto. Agita i suoi stracci da santo bevitore. *Merry Christmas, my friend.*

La casa ha quell'odore di salse, il caminetto acceso. La lunga tavola apparecchiata meriterebbe una fotografia su "Harper's Bazaar". Pennacchi dorati, orchidee galleggianti. La grande cornucopia di Bacco bambino appollaiata al centro del tavolo con i grappoli d'uva tra le gambe è un grazioso tocco blasfemo in questa Betlemme da leccarsi i baffi. Nascondo i pacchetti. Il cane mi morde già le gambe. Fa quei numeri, salta, si accascia davanti a me, il culo alto, scodinzola. Benedetto cane che mi hai eletto a padrone assoluto della tua felicità.

– Not yet Nando, we'll go for a walk later.

Bacio Izumi.

– Hi, love.

La sua testa odora di buono, di vecchio legno da monastero zen, lavorato dal tempo. Indossa il suo grembiulone da chirurgo culinario. Leni è stesa sul divano. È lei la nostra natività. Averla è come avere dio in casa. È arrivata ieri mattina. Benedette vacanze. Stamattina abbiamo fatto a gara per portarle la colazione a letto. Ci siamo sistemati, una di qua e uno di là, sul copriletto, come i cani della regina.

Indossa un paio di buffi bermuda di lana, le gambe nude, lo smalto color ciliegia. Mi metto lì accanto, sul tappeto, come fa Nando con me. Poso la testa vicino alle sue mani, mi bacia.

– Hi dad.

– Hi sweetheart.

Rimane ad accarezzarmi i capelli. Catarri d'amore si staccano dalla gola del fumatore e colano dentro. Io e Leni abbiamo questa capacità di starcene per un pezzo fermi vicini, a pensare e respirare. E viene un punto in cui i nostri pensieri si trovano. Ci siamo esercitati per molti anni.

Ha un po' d'occhiaie, stasera, la mia figliola, nasconde i piedi sotto il cuscino. Mi sta dicendo molte cose, ma forse solo una: è preoccupata della sua vita. ... *How will I make it, dad?* Ricordo esattamente il giorno in cui prese coscienza di se stessa e quello sguardo primordiale, pieno di speranza e di gratitudine verso tutti, finì. Era domenica pomeriggio, si era addormentata per pochi minuti, si tirò su dal divano con la faccia gonfia e stranita, un po' di bava sul labbro, stringeva un cuscino.

– Hanno rubato i soldi alla mia insegnante d'inglese, tutto lo stipendio e tutti gli straordinari, nel tube.

Ero seduto al mio scrittoio, il mostruoso mucchio degli essays da correggere davanti, nella postazione da professore in attesa del suo scotch delle sei.

– Ha tre figlie e suo marito non lavora.

– È molto triste.

Tornai a scorrere il saggio su Jacopo da Pontormo e il Rinascimento maturo che stavo correggendo, Leni tornò a sedersi sul divano. E lì avvenne il cambiamento, credo. Mi raggiunse una voce diversa.

– Ti sembra giusto che una povera donna venga derubata così?

Mi tolsi gli occhiali, la guardai.

– Certo che no.

– È tutto quello che hai da dire? Non puoi fare qualcosa?

– Leni, cosa diavolo posso farci? Non sono stato io! Ti assicuro che non vado in giro a borseggiare povere insegnanti!

– È questo che insegni ai tuoi studenti, a girarsi dall'altra parte?!

– Insegno Storia dell'arte, i miei studenti sono tutti molto più ricchi di me. Sanno già girarsi dall'altra parte.

Sollevò quel suo corpicino sviluppato da pochi mesi, andò su in camera, ruppe il suo moneybox a forma di cab e tornò giù con tutto il contenuto di soldi e soldini nella maglietta, camminò verso di me, e lo svuotò direttamente sul mio scrittoio, sul saggio del giovane Carrington.

– Quanti sono questi? Contali.

Ero arrabbiato, ma non l'avevo mai vista così triste.

– Va bene. Parlerò con tua madre. Parlerà con la rappresentante di classe, organizzeremo una colletta. Passeremo il cappello in giro, ok?

– Ok.

– Come va a scuola?

– Bene.

– Cosa fate?

– Niente.

Mi chinai a raccogliere la semina di penny, ci stendemmo sul tappeto e per la prima volta parlammo della vita in termini più duri, più realistici. Lei mi ascoltò e alla fine disse:

– Non ce la farò mai.

– A fare cosa?

– Non lo so ancora, però so che non ce la farò.

– Perché, Leni?

– Sono debole.

La strinsi, faticai a trattenere le lacrime. Le sussurrai che lei non era affatto debole, era straordinariamente fragile e potente come tutte le persone forti e profonde. Come gli eroi greci di quelle storie epiche che le avevo letto ogni sera. Fece finta di avermi udito, ma era sola in un campo affannato. Il nudo tallone di Achille rimasto fuori dall'acqua.

Più tardi scarta il suo regalo. Abbiamo mangiato e adesso Flannery, la nostra amica soprano, canta l'*Ave Maria*, e Knut piange come il ladrone buono sulla croce, e ci sono cartacce ovunque, bicchieri in bilico, un gran puzzo di polvere da sparo e Nando sotto il divano con la lingua che cola, spaventato da quelle micidiali girelle esplosive. Tengo d'occhio solo lei. La mia regina della giungla. Ho insistito io per quel regalo. Izumi pensava a una pelliccia ecologica. Ho rischiato grosso. Un mucchio di soldi, e la mia dignità di padre. Apre la scatola, toglie la plastica, il polistirolo. È una piccola telecamera portatile, molto sofisticata e maneggevole. Semplicemente il miglior modello sul mercato.

Leni solleva gli occhi fosforescenti. È sorpresa. Non riesco a capire se è davvero felice. Guarda me, perché sa che sono io la mente e il mentore. Poi ci bacia, o meglio ci butta i capelli addosso e noi baciamo quelle ruvide ciocche in movimento che odorano di tutti gli odori della sera.

Leggiamo le istruzioni, è molto semplice, è un vero gioiello di tecnologia. Così sono io il primo volto delle riprese di Leni.

– Hi sweety, I'm your dad, Guido...

– Are you Spanish?

– I'm Italian.

– Belo de Italia...

Poi Knut entra con un bicchiere, fa il suo giro alla Star Trek... *Siamo qui, magnifici capitani del futuro in attesa di un messaggio...*

– Quale messaggio, Knut?

– Amore e vittoria.

Il cellulare squilla. Scavalco i corpi della mia vita, sono già in giardino. Il bicchiere in mano, la camicia aperta.

– Hello...

– Guido?

Il corpo strinato dal gelo.

– Dove sei, che è 'sto casino?

– Al pronto soccorso.

– Perché?

– Una stronzata...

– Cosa?

– Mi hanno tamponato.

– Sei ferito?
– Il naso, niente...
– È rotto?
– Sembra.
– Cazzo, ti hanno rotto il naso...
Sta ad aspettare che lo medichino. Così parliamo in po' in mezzo a quella pozza di grida. Aveva accompagnato la suocera a casa, tornava, e uno con una Alfa Romeo gli è entrato dietro. Esce a fumare una sigaretta, adesso c'è silenzio. Ha deciso di andarsene, c'è troppa gente.
– E il naso?
– Non mi fa più male.
Sento che cammina, che fuma di nuovo. Gli chiedo cosa fa, se prende un taxi, mi dice che cammina. Mi dice che è arrivato sotto il nostro palazzo. Gli chiedo com'è, mi dice che è uguale, solo la scritta QUI SI È PERSO DEL TEMPO, quella non c'è più, hanno rifatto la vernice. Poi si ferma, non parla più, sento l'affanno...
– Dove sei? Che fai?
Sento un rumore come di ventilatori, lui continua a non parlare.
– Cosa c'è?
– Sono sotto... sul fiume.
– Sì, lo sento. Torna su, sei ubriaco...
– Non ce la faccio più, Guido.
– Togliti la camicia.
– Perché?
– Te la sto togliendo io.
Mi stendo nel capanno degli attrezzi, mi nascondo nel buio. Così ci riduciamo a una telefonata hot.
Mia figlia entra nel capanno, è troppo tardi per sentirla, la pioggia è un maratoneta sul tetto di lamiera, mi sta filmando. Rotolo giù nella legnaia, faccio appena in tempo a coprirmi... Sono un uomo in arresto.
– Are you drunk, dad?
– I got pissed, yes...

M'insegue nel buio, rovesciato in quel brutale paglicriccio di tronchi e fascine... Ride.

– Dimmi qualcosa...

Sono stretto alle mie ginocchia, accucciato e fremente come un cane a catena.

– Fai una delle tue lezioni sulla Grecia antica...

Mi tengo la cinghia dei pantaloni, dondolo.

– Sai la storia della palla che Zeus volle dividere per invidia della sua perfezione? C'è una parte di noi che appartiene a quella storia. Esistono persone che hanno avuto un distacco più fluido o semplicemente hanno la memoria più corta, vivono meglio nel presente e se ne dimenticano con facilità. Altri, invece, più passano gli anni e più si sentono soli e mutilati e continuano la ricerca. Forse in un'altra vita ameranno qualcuno di sesso diverso, ma in questa non possono, non ce la fanno... hanno semplicemente bisogno di ricomporre se stessi.

– Stai parlando di Knut?

– Spegni, amore...

– Ti senti bene, papà?

– Ho bevuto troppo.

Ma lei avanza con il suo occhio elettronico, e so di averle regalato l'arma migliore. Mi viene sotto, addosso, la vedo dall'alto, vicinissima.

– Dimmi immediatamente qual è la ragione della tua tristezza.

– Il Natale, Leni.

Leni spegne, incappuccia la lente, sospira.

– Anche per me il Natale è triste... l'annuncio di una tragedia, questo bambino che nasce per togliere i peccati e sai già che non ce la farà, che lo flagelleranno e gli faranno tutte quelle cose terribili. Da quanto tempo non torni in Italia, papà?

È la terza volta che lo faccio, che salgo su quell'aereo all'alba, voli economici, ammassati di studenti. Sempre di giovedì. Una volta al mese posso permettermi di spostare le lezioni o di trovare un sostituto. In ogni caso una volta al mese gli studenti si riuniscono per discutere le loro questioni interne, i vecchi aiutano le matricole a orientarsi con i programmi, così c'è una gran confusione e in molti sono assenti. È la giornata dei tutors, noi insegnanti ne approfittiamo per lavorare ai nostri papers, per incontrare gli studenti prossimi alla tesi. Molti escono, prendono la libera, vanno in canoa o a giocare a golf. Chi ha una compagnia clandestina ne approfitta, torna in città per qualche ora di sesso.

La sera prima è quasi impossibile dormire. Non porto nulla, infilo uno spazzolino da denti nella borsa con i fascicoli e i libri che aprirò senza davvero leggere, perché sarà molto faticoso concentrarmi, quando avrò un solo pensiero, sempre più forte, sempre più vicino. E al ritorno un solo ricordo.

Mi tiro su dal letto pianissimo, è ancora molto presto, la casa è blu fondo. Ho già i vestiti pronti. Solo il cane sa, perché facciamo un giro molto più corto, non andiamo oltre il lattaio. Lascio sul tavolo il "Guardian" per Izumi.

Cammino sull'asfalto, passi lunghi da gnu. Mi guardo intorno prima di infilarmi nel tunnel di maioliche del tube. Il cantante di gospel a quest'ora ancora non c'è. Sono i primissimi vagoni del mattino. Penosi avanzi notturni galleggiano accanto a vispe donne di colore che vanno a pulire gli uffici. Adoro questi minuti che trascorro underground. Ho tre fermate prima del cambio per Heathrow. Il secondo è un treno migliore, che per un bel tratto corre allo scoperto, frequentato dai lavoranti dell'aeroporto e dai viaggiatori. Odiavo la metropolitana, l'ho usata troppo nei primi anni. Il fastidio di scendere, di stare lì con quella gente stanca e ansiosa. Sono tornato ad amarla.

Adesso so che vorrei vivere sempre così, in fuga, senza bagaglio. Se qualcuna di queste persone in fila conoscesse la mia posizione sociale e la vera ragione del mio viaggio, sarei additato, giudicato un perverso. Ma ogni uomo è se stesso solo nel momento in cui smette di ragionare. Nessuno dovrebbe giudicarmi senza prima passare qualche minuto con me, in compagnia del mio stesso stupore.

Quando l'aereo si stacca da terra provo una vertigine. Soltanto allora so di essere in salvo, quando sento il salto di quota. Le piccole case con i tetti scuri, gli edifici dell'aeroporto, i tir di dimensioni minuscole. L'incombente e duro mondo si trasforma in un universo lillipuziano, finalmente in basso, al posto suo. Senza di me. Ho paura di morire, durante le prime nuvole, il primo sforzo dei motori. Morire adesso sarebbe una ingiustizia ineguagliabile.

Non sono mai sicuro se lui sarà lì ad attendermi, il lavoro, il bambino che può avere dei problemi... Rivederlo è semplicemente ricongiungermi con la mia vita.

– Ciao ragazzo.

Salgo sulla sua macchina, guardo le sue spalle, la sua testa che si gira per fare manovra e uscire dal parcheggio. Quel gesto che farà mille volte al giorno e che adesso fa qui, con me accanto. Questa normalità è incredibile, la pace, l'inizio e la fine. I primi momenti sono irreali.

– Stai bene.

– Anche tu stai bene.

Potrebbe portarmi dove vuole, sono il suo tiepido piumaggio d'amore. Un bambino che è entrato in un altro mondo. Non è quello che volevamo in quel cortile, infilarci nel disegno di un castello, di un guerriero bellissimo, e restare lì, con il nostro eroe, per sempre? Cosa ci sarebbe mancato del vecchio mondo reale? Nulla. Assolutamente nulla.

Non parliamo quasi, io lo guardo. Lui ogni tanto toglie gli occhi dalla strada e mi sorride. Ho le mani tra le gambe, dondolo un po'. Adesso ho più materiale da portarmi a casa. Conosco l'odore della sua macchina, una Mercedes nera. Dietro, al centro, c'è il seggiolino di Giovanni.

Ci fermiamo a mangiare in un posto sul mare, uno dei pochi stabilimenti aperti, con ombrelloni tropicali coperti di ciuffi di paglia che, chiusi, sembrano pennacchi apache, camminiamo un po' sulla sabbia per raggiungerlo. Ci siamo venuti per caso la prima volta e adesso è già il *nostro* posto. Perché così fa l'amore, alza la gamba e piscia come i cani, sempre nello stesso punto, circoscrive i luoghi, li segna della sua sostanza.

Non sapevamo dove sbattere le corna, la prima volta. Ero salito su quel last minute, ero arrivato moribondo. Anche lui aveva l'aria stravolta. Di uno che è stato ad aspettare con la voglia di scappare. *Domani alle undici sono a Fiumicino. Non vengo. Non venire.* Era venuto. Se ne stava lì tra gli altri, autisti di pullman che aspettavano i turisti, aveva fatto i primi passi verso di me scuotendo la testa. *Eccomi qui.*

Non potevamo infilarci subito in un albergo. Avevamo lo stesso timore, di diventare abietti uno agli occhi dell'altro. Non è facile, ricominciare. Avevamo fatto pochi chilometri sul litorale, costeggiando la pineta, il vuoto della periferia marina. Avevamo lasciato la macchina, camminato sulla sabbia, senza toccarci, con le mani in tasca, come due pescatori che tornano. Il vento ci accartocciava i vestiti.

C'eravamo seduti in quel postaccio. Una bottiglia di vino bianco aspro, due bicchieri. All'aperto con i maglioni e il freddo. Quasi avessimo paura a chiuderci da qualche parte.

– Sei mai stato con un altro uomo, Guido, in tutti questi anni?

Era il mio stesso pensiero. Era quello che volevo chiedere a lui.

S'era messo a guardare un gabbiano al riparo dentro una barca tirata a secco, con la vernice rotta. Anch'io guardavo i miei pensieri. L'agonia di quella notte... quel locale per uomini soli dove m'ero lasciato flagellare come l'ultimo cristo sul golgota di Soho.

– No. E tu?

– No.

Aveva il mio stesso sguardo diaccio e teso. Forse anche lui mentiva. La gelosia adesso zittiva le bocche. Sospirai guardando quel mare. La voglia di alzarmi e di dargli un pugno, di gonfiarlo di botte. La voglia di far l'amore con lui. La vergogna di chiederglielo.

Costantino afferrò il vino, riempì i bicchieri. Era ancora presto, meno di mezzogiorno. Cominciammo a bere presto. Arrivò un piatto di bruschette e telline cotte nel loro brodetto, incredibilmente buone. Il tizio le pescava ogni mattina, con il rastrello marino, proprio lì davanti. Dopo mangiato eravamo più sereni. Ci raccontammo un po' di cose di quegli anni vuoti, ma non delle nostre famiglie, fu un codice che passò subito, scartare il resto, *l'altra vita affettiva*, quelle poche ore solo nostre. Parlavamo di noi al singolare, come persone singole nel mondo. Gli raccontai del mio lavoro, dei miei studenti, di come cercassi di insegnare loro a tentare sempre una via di fuga dal carcere delle idee precostituite. Volevo fargli capire che non ero cambiato, ero sempre io, temerario e incallito. Perché lui adesso mi guardava con il mento nella mano e cercava di capire chi ero, cosa era rimasto di me. Avevo paura di non piacergli più.

Ci annusavamo come quegli animali che s'incontrano a metà strada durante la transumanza, reduci da lunghi e differenti viaggi. E anche lui aveva bisogno di parlarmi di sé, di dirmi a che punto era.

Sorrideva e divenne serio.

– Va bene, mi umilio. Sono anni che penso a te, non ho mai smesso di pensare a te. Adesso puoi fare come sempre, alzarti e andartene.

– L'ultima volta te ne sei andato tu.

– Sai che non è vero, Guido.
– Tua moglie era già incinta, quel giorno...
– Non lo sapevo ancora.
– Lo sapevi.
– Non avrei nessuna ragione di mentirti.

Non gli credetti, ma che importa.

Mi raccontò del suo lavoro. Guadagnava bene, prima viaggiava molto. Era la cosa che più gli piaceva, girare per aziende vinicole, dormire in qualche piccolo albergo al Nord, nelle Langhe, in Alsazia, nelle lussureggianti valli del Bordeaux. Parlare con questi vignaioli esaltati, che la mattina si alzano all'alba e vanno a spasso tra i ceppi, controllano i germogli, l'acidità delle piogge, la maturazione di ogni vitigno. Lui era un buon assaggiatore, ma beveva poco, sputava.

– Il merlot è il primo a maturare, il petit verdot è l'ultimo... Dovresti assaggiare il porto di Quinta do Vesuvio...

Io ero praticamente alcolizzato, avremmo potuto andare d'accordissimo.

C'era solo una strada di cemento mangiato e sabbia tra le baracche dei vecchi pescatori riammodernate come casette estive, non c'era davvero nessuno. Era di giorno, non era facile. Camminammo un po' vicini, poi ci separammo. Ci restavano poche ore. Risalimmo in macchina. Non ci eravamo dati neanche un bacio. Mi riaccompagnò in aeroporto, doveva tornare indietro. Restammo un po' a parlare al parcheggio. Gli dissi che mi ero messo in giro a cercare un locale per lui.

C'è un quartiere, l'area dei vecchi docklands abbandonata per anni, dove invece adesso stanno costruendo banche, campus universitari... lì ci sono diverse occasioni. Ho parlato con un mio amico, anche lui nella ristorazione...

– Potresti aprire un ristorante italiano lì, accanto alle vecchie darsene georgiane del West India.

– Non posso muovermi da Roma.

Posso aiutarlo a trovare un socio inglese, lui potrebbe venire una volta ogni tanto.

– Basterebbe una settimana al mese.

Sono andato a vedere quel vecchio quartiere portuale in una giornata di bufera, il Tamigi saltava sui moli. Ho camminato felice e bagnato in compagnia di gatti malati e operai con le cerate gialle sui ponteggi davanti ai Royal Docks cercando un posto per lui, uno di quei vecchi magazzini su cui gli architetti cominciano a mettere gli occhi. Ho immaginato i pilastri di ferro verniciati di nero, le bacchette dei neon, le griglie per i bicchieri... musica, clienti che lasciano i cappotti. Io seduto al bancone degli aperitivi come un avventore in attesa di un tavolo e lui di là, tra i fornelli hi-tech con il suo lungo grembiule candido. L'ho immaginato muoversi tra i tavoli, salutare gli ultimi clienti accaldati e alticci... e noi due andarcene nella notte verso una piccola casa lì vicino, un nido che potremmo prendere in affitto. Sì, potremmo resistere così.

Ci basterebbe una settimana al mese, un quarto della nostra vita.

– Dove ti porto?

Un altro motel. Un grattacielo di vetro scuro. Uno di quei dormitori per il turismo organizzato e il personale in transito delle compagnie aeree. Do solo il mio documento. Costantino si allontana nella hall. *Salgo dopo di te.*

Lo aspetto seduto sul letto. Mi sono tolto solo la giacca e le scarpe. Fuori si vedono i pilastri di un nuovo quartiere in costruzione, gli edifici dell'aeroporto in fondo. Apre il frigobar, prende un'aranciata. Ci abbracciamo e restiamo un po' così, abbandonati.

Ha un fisico bellissimo, muscoli naturali sollevano la carne. Io sono peggiorato. Quando viene mi trattiene per la nuca e trema, poi batte la sua testa addosso alla mia schiena come una bestia malata. Non parla mai, s'aggrappa, urla ma non dice una parola. Lo stringo così forte che forse lo riempio di lividi. Ha voluto farlo con la luce, ha spalancato la finestra. È nudo e ricoperto di sudore. I suoi occhi spalancati mi sembrano truci. Questa pornografia dopo fa male al cuore.

Dopo è subito un altro, un uomo che vuole andarsene. È ansioso, è diventato molto più ansioso con gli anni. Si tira su con un gemito, vedo il suo culo che s'infila nel bagno. Resto sul letto come una ballerina con le gambe spezzate.

Gli ho portato qualche tavoletta di quella Cadbury Dairy Milk che a lui piace tanto, vorrei restare un po' lì a mangiare cioccolata sul letto, a rifarci la bocca.

Costantino si riveste con i capelli bagnati, vuole uscire da questa stanza il più presto possibile. Non ha nessuna voglia di attardarsi. L'incontro deve restare sessuale. È questo che vuole. Due cari amici che una volta al mese si scopano. È più realista di me. E forse il vero finocchio sono io. Mi strofina la testa ma solo per darmi una smossa. *Sbrigati, è tardi. Hai avuto il tuo hot meal, ora fuori di qui.* Le lenzuola lasciate alle nostre spalle finiranno in una di quelle grosse lavatrici con il disinfettante. Sono gli ultimi minuti e io sto dando i numeri.

– Ci vai a letto con tua moglie?

Dondola la testa, batte le mani sul volante. Ho la sensazione che vorrebbe aprire lo sportello e scaraventarmi fuori.

– Riesci a guardarla?

– Non ho bisogno di guardarla.

Rido, ride anche lui in maniera esagerata. Per un attimo è brutto e volgare. S'infila in quella rotonda, segue la freccia degli imbarchi internazionali.

– Ciao.

– Ciao.

Mi avvicino per fargli una carezza, mi dà un pugno sulla pancia, ma non è un vero scherzo. Mi ha fatto male. Lo ha fatto apposta. Se non mi scacciasse non potrei lasciarlo. L'aereo decolla. Apro la mano, ci metto la faccia dentro, respiro l'odore che resta.

Torno a casa, butto le chiavi nell'anatra di ceramica. Porgo le mani al cane, le lecca con affanno. Lui è il testimone migliore. L'olfatto migliore. La bestia accanto alla bestia. Mi ubriaco. Dormo sognando male, sognando che l'ho ucciso, l'ho soffocato in quel motel e sto scappando. Mi faccio la doccia. Mi siedo nella stanza di dipartimento.

Geena mi saluta, mi fa l'occhiolino.

– How was it?

– Fine.

Invece da qualche parte non ce la faccio più. Sono stanco di quest'adolescenza di cui mi vergogno e nella quale mi rotolo. Questa doppia vita non mi rinvigorisce, ho lunghe giornate di disordine. Mi do da fare al meglio, senza mai tirarmi indietro, come ogni colpevole che vuole essere all'altezza dell'innocenza che professa. Non discuto su nulla, lascio a Izumi la scelta del menu e degli svaghi, la assecondo in tutto. Sono cominciati quei disordini ormonali che la straniscono, la indispongono di colpo. Non ha paura d'invecchiare, ha paura di stare male, di cambiare umore, di diventare pesante e opaca. Sua madre ha sofferto di depressione. La menopausa è il centro delle discussioni con le sue amiche, io ascolto, annuisco, come un vecchio consulente. L'accompagno a comprarsi un vestito, le dico che non è mai stata così bella. Sono *la migliore amica del mondo.*

Siamo fermi davanti alla stupefacente vetrina di un negozio hi-tech per la casa. Izumi vuole comprare nuove posate, tazze futuriste. Le è venuta voglia di rinnovare il vasellame domestico.

– Cosa c'è, Guido?

– Niente... Cosa?

– Tremi. Da un po' di tempo tremi.

– Sono stanco...

– Dovresti prenderti una vacanza, rinuncia a un semestre, puoi farlo.

Quando sono con lui non tremo. Dev'essere tutta la tensione che accumulo, la impressionante scossa elettrica che mi porto dietro. Mi sento preso alla gola da una mano che fa di me quello che vuole, mi sbatte in giro prima di restituirmi al mondo. Forse sono io quello che si ammalerà di depressione.

– Ti spaventa restare sola senza di me?
– Non accadrà. Sono più vecchia di te.
– Ma io sono un rottame, fumo, bevo.
– Il tuo cuore è molto più vivo del mio, Guido.
Sorride, mi dà un piccolo colpo.
– Tu sei capace di violare.
Per un attimo mi credo perso, impallinato dal suo sguardo intatto.
– Violare le emozioni, e portarle allo scoperto.
– Sei la donna più imperiosa che conosco. Sarai tu la vedova.
E adesso vorrei attraversare il vetro, raccogliere uno di quei coltelli di acciaio per tacchini di lusso, inginocchiarmi in mezzo alla strada e, con un urlo bestiale, piantarmelo nel ventre. Harakiri a Mayfair.
Mi spoglio, mi stendo accanto a lei, sento le sue mani fresche. Le sono grato di volermi ancora. Non ha niente in comune con *l'altro* modo di fare l'amore, questa netta divisione è salvifica. Se avessi un altro uomo accanto a me urlerei dallo spavento. Avvicinarmi al suo corpo è il miglior dolore possibile. Le teste sul cuscino, vorrei parlarle di lui, come se fossimo tutti già morti. Questo è il castigo peggiore, non poterle affidare il mio testamento.

Prendo il mio trenino, vado incontro ai miei studenti. Il corso questo semestre è su Piero della Francesca. Mi fermo sul *Sogno di Costantino*, faccio l'intera lezione su questo affresco. Parlo delle infinite possibilità della luce. Mi muovo con il mio puntatore luminoso, tendo il braccio, indico il nero vuoto della tenda sotto cui giace l'imperatore... l'illusione della profondità, il miracolo della prospettiva... parlo di quel tendaggio come se parlassi di un corpo. Poi la scura figura delle guardie distanti dall'imperatore e il fulgore dell'angelo, per evocare l'atmosfera misteriosa di quella notte in cui l'imperatore ha la visione che cambierà il corso della storia. Parlo del potere del sogno... di quel ponte tra l'uomo e il divino. Mi fermo su una figura, la più semplice e assorta, ha calze rosse e una tunica bianca bordata di celeste. Sta lì a vegliare il sonno di Costantino, è il suo valletto personale. Sembra stanco, la testa inclinata dolcemente sorretta dalla mano. Sono io il valletto in attesa della visione, io quel ragazzo melanconico che veglia sul sonno di Costantino. La lezione finisce, spengo il computer, la slide sparisce, mi tolgo gli occhiali.

Trovare i soldi per questo biglietto di andata e ritorno, seppure economico, è diventato un vero lavoro. Non posso pagare con gli assegni, faccio piccoli prelievi nel corso del mese. È Izumi che tiene la contabilità familiare, io non ho mai voluto una sterlina in tasca. Vorrei fare qualcosa per risollevare violentemente le mie finanze, scrivere un libro di successo, ricevere un buon anticipo da un editore. Ma non sono in grado di farlo, e non posso certo mettermi a rubare. Anche se quando passo davanti ai maestosi forzieri della Old Lady mi rammarico di conoscere solo piccoli intellettuali e nessun grande scassinatore. Potrei offrirmi come palo. Sarei un ottimo palo. Vorrei avere tanti soldi, adesso, un deposito pieno come il vecchio Paperone, entrare lì dentro e tirarli su con un secchio.

Mi ritrovo di colpo a fare i conti in tasca alla gente, a fermarmi davanti alle agenzie di viaggio sapendo che non avrò mai la possibilità di offrirgli uno di quei viaggi veramente superlativi, vecchie dimore coloniali trasformate in hotel di lusso in India, palafitte con piscine private a Bali. Mi piacerebbe così tanto viziarlo, potermi permettere di essere maestoso come il mio cuore vorrebbe, sradicarlo dalla sua vita, da quella automobile con quel seggiolino dietro pieno di briciole e di sudore. Siamo due giovani uomini di quarant'anni, al centro della nostra vita, meriteremmo una lunga, travolgente, luna di miele.

Ho imparato a essere oculato, quasi tirchio direi, per permettermi la mia dissipazione mensile. La divisione tra i miei due cervelli, le mie due personalità, è sempre più netta. Ormai ha raggiunto la perfezione. Spero di non passare rapidamente alla follia.

Lui invece ha un bel giro di affari. Ha una macchina che costa e un portafogli scucito, pieno di banconote dal taglio grosso perse tra i biglietti da visita. Sono contento per lui, anche se provo un certo imbarazzo per me. Quando mi spoglio non sono così fiero della mia maglietta lavata e stirata mille volte, della mia cinta consumata. Vorrei comprargli il Colosseo e non posso, mandare un aereo sopra il suo palazzo con un nuovo messaggio ogni giorno.

Indosso il mio giubbotto con il pelo dentro, scarpe da jogging. Nel tratto che va dalla mia casa all'aeroporto ringiovanisco di dieci anni. Atterro che ho vent'anni di meno, quelli che non servono, che mi lascio alle spalle insieme alla mia giacca da ordinario di Storia dell'arte. Mi aspetta fuori, le braccia conserte, appoggiato alla macchina. Gli occhiali scuri, le sue mascelle larghe. Non ha mai perso la sua aria tosta da bodyguard.

– Ciao ragazzo.

C'è quasi sempre il sole e molti gradi in più. Mi tolgo il giubbotto. Non andiamo mai verso la città, dove qualcuno potrebbe notarci. Questa periferia marina è il nostro recinto.

– Come te la cavi?

Gli ho mentito, gli ho detto che me la cavo benone, che non sono ricco ma quasi. Lui non l'ha bevuta. Così gli ho detto la verità, che ho studiato per nulla.

– Abbiamo sbagliato tutto...

– Non abbiamo sbagliato.

– Se tornassi indietro...

– È stato giusto così.

– Non vorresti tornare indietro?

– No. Ho una famiglia.

Il mio corpo perse il suo pudore maschile. Sempre più spesso dava spazio al pudore di una donna, mi ritrovavo a stringere le gambe impaurito.

E così anche nelle situazioni aperte, in quei cocktail davanti a quadri pieni di animali morti alla Saatchi, il mio corpo faceva di tutto per raccontare la sua condizione di concubina. E avrei voluto semplicemente staccarmi dal gruppo delle coppie etero, per immergermi in quell'altra comunità, più colorata. Ascoltare i loro tormentoni sessuali di blowjob e dark room, raccontargli i miei dreadful dreams.

Knut aveva un calendario gay appeso in cucina e io, ogni volta che passavo da lui, contavo i mesi che passavano attraverso quelle immagini piuttosto soft, ragazzi nudi appollaiati in diversi luoghi del mondo, in un bosco, sulla torre Eiffel, davanti alle cascate del Niagara. Ogni mese un viaggio. Erano in controluce o di spalle, con i culi scolpiti. Fotomontaggi fatti da cinesi. Eppure io sognavo a occhi aperti. Ogni mese tornavo lì solo per sapere dove se la stavano spassando quei modelli.

Gliel'ho detto. Ho fatto coming out sotto quel calendario. Knut ha preso la botta. Ha urlato.

– L'ho sempre saputo che eri un represso!

È felice che mi sia espresso, però è amico di mia moglie e lui è un uomo candido.

– I gay adorano le giapponesi, avrei dovuto insospettirmi.

È stato teutonico, fasciato nella sua vestaglia da drag queen.

– Non lo voglio conoscere mai.

Poi una sera te lo ritrovi lì, davanti alla stazione.

Stavolta è arrivato con il treno. Ti ha chiamato che l'aveva già preso. Ha accompagnato sua moglie con i figli a Termini, partivano per la settimana di Pasqua verso una di quelle multiproprietà con suoceri e cugini. Ha caricato i bagagli, le borse con gli scarponi. Ha atteso la partenza, la mano sulla testa di Giovanni. Aveva comprato il pesce, l'asta ittica all'alba, uno dei suoi giri preferiti. Tornava verso il ristorante. Doveva preparare la vetrina del pesce, la cupola di ghiaccio. Si è fermato davanti al tabellone luminoso. Ha visto quel treno che andava a Parigi.

Hai fatto i salti mortali per spostare le lezioni. Geena ti ha tirato le orecchie. Fortunatamente hai due validi collaboratori e un nugolo di studenti ossequiosi che ti aiutano nei corsi e durante i moduli scritti.

Ha preso il treno, ha fatto quel viaggio assurdo, Parigi e poi la nave. Il suo cappotto è duro di freddo, gualcito dai sedili. Stringe quelle spalle da vecchio nuotatore, ancora così magnificamente aperte. È sempre diverso, è sempre lui. Non ti deluderà mai. Anche dovesse mettercela tutta, non ce la farà. Gli metti una mano sotto il braccio. E tagliate la stazione come due rondinotti, lasciate indietro la fioraia e la fila dei taxi e il vecchio orologio vittoriano di St Pancras che va avanti con la sua lancetta austera, il tempo adesso è fermo. Prima a cena, in un posticino unto e buio. Lui ama questa roba caratteristica che a te ormai fa schifo, ma lui è il tuo turista preferito e quindi vada per il merluzzo fritto e le salse. Poi a casa di Knut.

Il norvegese ha ceduto. Ha aperto la porta con una delle sue giacche di raso, la sua formidabile cinta di Gucci, con la G grande come un ferro di cavallo, i suoi quattro peli elettrizzati.

– Pleased to meet you...

Costantino se ne sta lì con la sua bella faccia scolpita, il cappotto aperto sul petto. Si è chinato sotto i campanellini di Natale che sono ancora sulla porta, nonostante siamo molto oltre, quasi in primavera. È entrato, educato, timido come sempre. Knut ha cominciato a saltargli intorno, a spingerlo in avanti. Non aveva semplicemente mai visto un pesce così grosso nella sua rete.

Ci sedemmo sui divani, timidi, come davanti a una suocera, subimmo amabilmente la sua esperta analisi. A mezzanotte eravamo ancora lì, Knut a piedi scalzi sfoderava il meglio del suo repertorio per conquistarlo, imitava la Thatcher, le sue borse di Ferragamo... *Sai cosa diceva Mitterand di lei: le labbra di Marilyn Monroe e gli occhi di Caligola.* Aveva messo su Boy George e la sua storica *No Clause 28*, Costantino rideva, sudava.

Knut aveva fatto la sua analisi.

– Questo ragazzo è grandioso, ma si capisce lontano un miglio che è un traumatizzato, a differenza di te. Ha bisogno di coraggio.

Gli tirai un cuscino, ero sicuro che ci volesse provare. Sembrava una di quelle cavie trattate con droghe chimiche che non smettono di saltare e tremare. Si prese una cotta immediata per Costantino. Era nel suo stile poetico e masochista. Ci lasciò la stanza in cima alle scale, ci preparò il ginger caldo avvolto nella sua vestaglia con the English flag, improvvisamente discreto, complice dolente, offeso dalla negatività della vita.

Guardando indietro, adesso che il diluvio è trascorso, la battaglia perduta e le bare degli amici sono allineate sul pontile più in alto della *Queen Elizabeth*, e la bandiera sventola a mezz'asta, io non posso dimenticare il suo valore. Voltati Knut, che voglio salutarti e ringraziarti e dirti che sei stato il miglior amico del mondo. E anche incredibilmente intelligente. E questo l'ho capito solo dopo.

Fu una manciata di giorni di furiosa felicità. Lontano dall'Italia, Costantino era un altro. Alzammo gli occhi sotto il cielo del planetario di Sua Maestà, restammo lì abbracciati, proiettati in quella dimensione astrale. *Pensa se fosse possibile sganciarsi e andare, orbitare insieme senza peso...* Girammo sulla grande ruota e urlammo, lassù tra nuvole di smog... Lo portai davanti allo scheletro della balena bianca e agli immensi meteoriti. Anche il museo delle cere mi sembrò un museo del futuro con lui vicino. Gli feci una fotografia abbracciato a Freddie Mercury con la bocca aperta e la giacchetta rossa del domatore. Imparai a entrare e a uscire vorticosamente da me stesso.

Geena faceva i salti mortali per coprirmi.

– Stai perdendo la testa, Guido.

– Non so che farmene, della testa.

Londra era un immenso calcinculo in attesa del nostro volo. Entravamo ed eravamo già in ginocchio. Non c'era tempo per le cerimonie. Giusto il tempo di quel ratto violento. Uccelli che catturano pesci, ragni che catturano insetti. La magnificente crudeltà della natura. E subito in piedi, davanti a mia moglie, davanti ai miei studenti. Me la cavavo alla grande, ero un comandante con infinite ore di volo, mettevo il pilota automatico e sonnecchiavo attraversando cieli rinascimentali. Pensavo soltanto a Costantino che girava solo per quelle strade.

– Che città meravigliosa, Guido, cazzo...

La voglia di perdersi, di camminare ore. Si piazzava davanti a quegli artisti di strada a Covent Garden con il cilindro e gli indovinelli morali per i turisti. Passammo ore al mercato del pesce, o a quello di spezie a Ridley Road. Voleva mettere le mani in ogni sacco. Sembrava annusasse la vita per la prima volta.

Entrammo da Hamleys per fare un regalo ai suoi figli. Comprammo uno di quegli aerei che il commesso giocoliere faceva volare così bene, lo lanciammo per strada e il nostro non volava, cadeva di continuo. Costantino guardava incredulo tutte quelle coppie stravaganti... facemmo un giro dei locali a Soho... i video omoerotici, il ragazzo in skin pants che protestava perché il gay pride di Londra quell'anno saltava per colpa dei fucking organizers. Costantino si lasciava trascinare sonnambulo. Si comprò un gilet di raso e un berretto di cuoio. Anche il suo corpo sembrava più libero... più aperto.

Ci ubriacammo da George&Dragon. Guidò Costantino e rischiammo davvero di finire male perché non era abituato a quel volante a destra... dondolavo addosso a lui come un gingillo, scivolai tra le sue gambe. Mentre le luci di Shoreditch ballavano, il miglior fuoco ardeva dentro di noi.

– Ti amo, Guido.

Ti amano sempre dopo un pompino. Era una delle sentenze di Knut.

Quella stanza con il legno, così vivo che a ogni passo sembra di attraversare un ponte levatoio, la lampada appoggiata sopra la pila di libri, coperta da un foulard, il materasso appena rialzato da terra, la finestra che lascia passare gli spifferi e ha i vetri sporchi di vernice sui bordi... Parliamo così tanto, lì dentro, dormiamo così poco. Ore di pianificazioni, strati su strati di illusioni. Una bottiglia di vino, due bicchieri sporchi. L'alba con le gocce sul vetro e Costantino accanto a quella finestra che si apre tirandola su dal basso. Si affaccia, guarda fuori. Le gambe sono da manuale, due colonne d'Ercole, a confronto le mie sembrano quelle di uno struzzo malandato.

Qualcosa fa male nel cuscino, mi buca la tempia... tiro quella puntina nera, viene fuori una piuma, anche piuttosto lunga. Sono felice, mi sembra di aver liberato un'anatra intera. Mi avvicino a lui, fino alle sue gambe con quella piuma... la faccio camminare tra la peluria, su fino alla schiena.

– Avremo mai il diritto di essere noi stessi, nient'altro che noi stessi, Guido?

– Certo che ce l'avremo.

Diventammo tristi. Camminammo sotto il vento e la pioggia dei docklands, io avevo la mia copia del "Loot" piena di inserzioni sottolineate, non so quanti locali vedemmo. Costantino sembrava entusiasta, poi d'improvviso aveva il volto teso, la voce chioccia di una donna strozzata, agitava le mani.

– Tu non sai quanto è difficile mandare avanti un ristorante, svegliarsi alle quattro per andare al mercato. Tu non sai cosa vuol dire stare in cucina, lavorare ai fornelli...

– No, non lo so.

– Però credi di saperlo, credi di sapere tutto!

Eravamo entrati in uno di quei lacustri pub, avevamo ordinato una birra.

– Cosa c'è che non so?

– Lascia stare.

Davanti agli imbarchi internazionali due giovani lesbiche si baciavano, s'infilavano le lingue. Sembravano due rondini assetate. Restammo a guardare quello spettacolo in silenzio, impietriti. Facevano parte di un altro mondo, una nuova generazione, figlia di madri utopiste come Fiona, di padri scrittori come Jonathan. Noi non avevamo quel tollerante background, eravamo figli del sacrificio. La nostra relazione si era edificata sui divieti, all'estrema periferia delle nostre identità. Ma aveva retto a tutto, come quelle piante che crescono sui burroni e non vogliono saperne di cedere.

Ci salutammo con un abbraccio goffo, urtando con le mascelle. Costantino aveva una faccia assente. Buttò la borsa sul nastro, si tolse la cinta e le scarpe. Si lasciò palpare dalla donna poliziotto. Non rispose al telefono per una settimana e quando alla fine rispose sembrava un vecchio. E io ero lì, come un adolescente, con il mio cappello pieno di stelle per lui.

Mi aveva detto che sua moglie lo spiava.

– Certe volte mi sembra che lo sappia...

Mi chiamava per parlare e io ero in mezzo a una lezione, vedevo quel numero sul visore del telefono silenziato. Fermavo le slides. *Breaktime, guys.* Mi chiudevo nel cesso, lo richiamavo.

– Aspetta, siamo a un passo... Ho trovato il tipo giusto per il ristorante...

– Ce l'ha grosso?

Conoscevo anche quella gelosia, conoscevo tutto.

– Io non sono a caccia, Costantino.

Volevo buttare il telefono, volevo spaccargli la faccia... conoscevo quella pentola in bollore dove tutto si sarebbe mischiato e nessuno avrebbe avuto più ragione.

Camminavo in bilico su un filo che da qualche parte era rotto, ma non riuscivo a capire dove. Mi sporgevo a guardare il nostro futuro, ma poi arretravo. La vertigine mi lasciava una densa nausea che ormai ristagnava in me in un secondo intestino. Sotto ogni organo ce n'era un altro, molto più profondo, dove si annidava un malessere acuto. Cercavo di farmi largo tra i rifiuti. Quando vedevo quei camion tuonanti della nettezza urbana con i loro omini diligenti che saltavano giù e ripulivano, restavo a guardarli estasiato. Immaginavo che un braccio meccanico tirasse su il mio corpo e lo buttasse sulla cima dei rifiuti, nella bocca aperta di quei camion.

Il cane mi camminava accanto, e lui era davvero un grande amico, un soldato accanto a un capitano morente. Mi teneva su la testa, mi costringeva a tirare fuori la paletta e a raccogliere la sua semplice biologia animale.

Quale sarà l'ultima volta che cagherò? Era questa la mia domanda ricorrente, la più intima e benevola. Ogni volta che mi sedevo sul water e poi guardavo dentro prima di tirare lo sciacquone.

Torno a Fiumicino. Girovaghiamo in quel recinto ai margini della città. Non si separa mai dal telefono, lo tocca nella tasca, controlla se c'è campo. Non siamo mai completamente liberi. Una parte di lui è sempre distratta. La moglie lo chiama spesso per cose inutili. Parla solo lei. Costantino annuisce. Cammina su e giù, tappandosi l'altro orecchio con un dito. C'è uno sforzo tremendo in quel gesto. È così diverso da me, uno di quegli uomini italiani sempre aggrappati a un cordone. Appartengo a un altro mondo, ormai. Nel quale gli individui sono soli, rispondono individualmente per ogni loro azione. Ha ragione lui, *non potresti mai più tornare a vivere qui. Non saresti mai stato felice in Italia.*

Lo amo, ho bisogno di individuare un destino. Lui non sembra preoccuparsi di questo destino. Siamo in stallo su cieli diversi, io guardo troppo lontano, lui guarda dietro gli occhiali da sole la gente che si muove intorno a noi, che potrebbe riconoscerlo, il telefono che potrebbe squillare. Prende in giro le mie scarpe, la mia stempiatura, il mio accento. *Sembri una checca*, dice. Ha più confidenza, è più sciatto. Non è una vera confidenza. Paga lui con prepotenza, scaccia il mio braccio, mi tratta come una ragazza squattrinata. Forse ha soltanto paura, come sempre. Ci infiliamo in quel motel. Accetto di abbassarmi. Faccio quello che lui vuole, gli giro la cinghia dei pantaloni intorno alla gola, lo colpisco. Il monkey-tattoo dalla mia spalla lo guarda. Vorrei fare l'amore docilmente, ma lui ha già una donna per questo. Riesce a suscitare in me tanta di quella rabbia. Il mio corpo è sempre più fragile. La mia mente è molto più avanti, ma la mia mente serve a poco.

Ho pensato di iscrivermi in una palestra, sono sceso a dare un'occhiata a una di quelle gabbie di vetro a Hoxton, piene di attrezzi, di ragazze in tanga, di omosessuali bianchi e neri, ho preso il foglio degli orari e dei prezzi. L'ho piegato in tasca, l'ho usato come segnalibro accanto a una di quelle stampe demoniache di Blake nella mia copia del *Paradiso perduto*. Non ho la forza per sollevare pesi. Ho cominciato a farmi pena, come gli amici ai tempi delle droghe, quando capivi che fingevano vita e partecipazione, ma erano ombre fonde di un desiderio sempre più triste. Rimpiangevano il primo shot, il paradiso perduto.

Gli compro un golf di cachemire Ballantyne. Gliene regalai uno un secolo fa, in una città di provincia. Di lana, ruvido come quegli anni. È stato il suo compleanno due giorni fa e io non ero lì.

Izumi è di spalle, china sul forno.

– Resto a dormire una notte fuori.

– Dove?

– Da Walt, in campagna.

– Come mai?

– È in crisi, ha bisogno di conforto.

– Ah, sì?

Ma è più interessata al salmone che a me. Vengono Hally e Thomas a cena e lei teme sempre il confronto con la cucina di Hally che ha fatto un mucchio di *corsi* ed è sempre così *creativa*. Mi guarda, mi mette in mano una presina, mi dice di correre a cercarne un'altra pulita. È molto più agitata di me, tutto fila a meraviglia. La vita mi dà un'altra magnifica dimostrazione di quanto siamo in sintonia e di come ogni circostanza umana è relativa.

Walt è un donnaiolo. È stato molto facile prenderlo da parte e renderlo partecipe. Ha arricciato la bocca come una mangusta, mi ha messo le mani sulla patta dei pantaloni: *benvenuto nel club*. È un vecchio amico di famiglia, eppure il fatto che io adesso mi concedo qualche svago non sembra minimamente metterlo in imbarazzo davanti a Izumi. Gli sono sempre sembrato un tipo troppo silenzioso e sfuggente. Adesso il mistero è risolto e lui è un complice favoloso.

Sono ormai interamente immerso in quella pericolosissima fase in cui il fantasma diventa l'unica persona reale, con la quale ti batti, e gli altri fanno parte di un obitorio, li guardi come farfalle morte di Damien Hirst. Oso sempre di più, accorgendomene sempre meno. Ho lasciato quel pacchetto in soggiorno.

– Cos'è?

– Un golf.

– Per chi?

– Per Walt.

Izumi ha già aperto la busta, infilato la mano, tastato la morbidezza.

– Ha l'aria di essere caro...

– Duecento sterline.

– Duecento sterline per un golf, per Walt?!

È davvero qualcosa di insolito, spendo così poco per l'abbigliamento e quando andiamo a cena da amici e ci fermiamo a comprare il vino sono io il più tirchio.

– Devo pensare che sei innamorato di Walt...

– Sì, lo sono.

Scoppia a ridere ed è una risata fragorosa, assurda come il resto. Così anch'io sbotto a ridere, di gusto dopo tanto tempo. Walt ha quella pancetta, quell'incedere da tacchino ammaestrato... Comincio a imitarlo, a correrle dietro per il soggiorno. Mi tira la maglietta, mi prende per i pantaloni del pigiama. A un certo punto mi ritrovo con il sedere di fuori a metà, mi volto a guardarla. È semplicemente la situazione più indecente che io abbia mai vissuto. Mi ricorda qualcosa di mia madre... anche lei una volta cercando di trattenermi mi aveva scoperto il culo. Forse voglio dirglielo. Voglio che lo scandalo scenda su di noi, bruci la mia presenza in questa casa. Tornerò in Italia, senza nulla, così com'ero partito. Mi metterò a cercare un lavoro, supplenze in periferia... aspetterò le ore libere di Costantino. Voglio educarlo alla dolcezza e al rispetto. Ma Izumi piange e io non riesco a capire perché...

Mi inginocchio accanto a lei.

– Cosa c'è?

Il pudding salato sta bruciando e la casa si riempie di fumo e nulla vediamo più.

– Parlo con mia moglie, torno in Italia.

– Non ci pensare nemmeno.

– Lo farò.

– Non mi troverai.

– Hai paura.

– Non voglio che rinunci alla tua vita.

– Hai paura.

Non era all'aeroporto, attesi quasi due ore. Poi arrivò. Salii in macchina. Mi voltai, sul seggiolino c'era Giovanni.

– Ha la febbre, non ho potuto lasciarlo.

Aveva quasi dieci anni e stava ancora su quel seggiolino. Gli somigliava in una maniera incredibile. Si dondolava nei lacci e continuava a emettere un lungo gemito, non si capiva se di dolore o di stupore. Costantino lo teneva d'occhio nello specchietto, ogni tanto si voltava e gli toglieva i pugni dalla bocca. Scendemmo dalla macchina, camminammo con quel bambino accanto sulla spiaggia. Era freddo e tirava per buttarsi nel mare. Poi in un bar ci sedemmo.

Avevo sognato quella gita, un tramonto e un'alba e una lunga notte in mezzo, una tregua... Avevo una pallina di hashish nel calzino, avevo rischiato ai controlli, di essere azzannato dai cani poliziotto, trascinato in una di quelle dure stanzette e screditato per sempre... Ero sceso rosso ed eccitato, l'avevo fatta franca.

S'alzò, prese dal frigorifero una coppetta di gelato. Restammo lì, davanti allo spettacolo di quel bambino che non trovava la bocca, si sporcava. Costantino era drammaticamente tranquillo. Ogni tanto lo ripuliva, ma lo lasciava fare. Alla fine raccolse il mucchio di fazzolettini sporchi, fece una grossa palla, la lanciò nel cestino.

– Andiamo.

Sapevo che lo aveva fatto apposta, per scoraggiarmi. Anche lui non ne poteva più. Rientrammo in macchina. Mise la musica che Giovanni chiedeva. Facemmo l'ultimo giro così, con quel bambino murato al seguito, quelle filastrocche musicali. Posai la mano sulla sua, sul cambio. Costantino mosse gli occhi su quella mano, annuì.

Gli diedi il golf nel parcheggio davanti agli imbarchi. Lo scartò a metà.

– Cos'è? Grazie. Non dovevi.

– Mettilo qualche volta, così ti ricordi.

THE QUEEN IS DEAD, scriveva il ragazzo sul muro nel video degli Smiths.

Un giorno mi trovai a guardare una donna incinta.

Era una di quelle rare e benedette domeniche di sole. Anche io e Izumi c'eravamo vestiti con i nostri abiti sportivi e flirtando con lo sciame umano, famigliole in bicicletta, plotoni di pattinatori, avevamo raggiunto le zone attrezzate sul lungofiume. C'eravamo seduti su uno spicchio di prato, storditi e sereni per quella grazia che brillava dall'alto e che ancora una volta stabiliva un primato naturale su noi poveri umorali: perturbazioni dello spirito che crediamo così intime e irraggiungibili si lasciano riscaldare accanto a quelle di tutti gli abitanti intirizziti di questa città di meteo-depressi, dandoci riprova di quanto poco apparteniamo a noi stessi sotto un sole comune.

Una tale pace sorniona. La luce semplicemente decomponeva la materia circostante, come in un quadro del puntinismo francese, *una domenica pomeriggio sull'isola della Grande-Jatte*. Avevo tentato di leggere il giornale, mi ero messo gli occhiali, ma poi avevo rinunciato. Gli occhi troppo pesanti per tenerli aperti. Facemmo un secondo sonno prodigioso, all'aperto, fuori dal letto.

Izumi si ridestò intontita, disse che le facevano male le gambe, che le si erano *fermate*. Indossava un buffo paio di zoccoli canadesi, con il pelo dentro, le caviglie magre sembravano quelle di una bambina. Era attraversata da un brutto risveglio. Conoscevo quel suo stato d'animo, quando in silenzio si ritirava in se stessa e anche il suo corpo minuto sembrava perdere qualche centimetro in altezza. La strinsi a me. Eravamo ancora una bella coppia, così mischiati etnicamente, un po' assonanti, con la nostra trasandata divisa domenicale, il mio golf color ruggine intonato al suo mantello, tocchi casuali di un gusto comune.

Ci fermammo a spizzicare qualcosa qua e là, nelle tante bancarelle di cibo etnico che riempivano l'area davanti alla Tate Gallery. Il cuscus era così piccante che Izumi non riuscì a mangiarlo, lo sputò, io raccolsi quella poltiglia dalla sua mano, *dai qua*, e la buttai in un cestino. Mi sentivo sollecitato ad accudirla, a proteggerla dalle altre persone, uomini con la birra nei grossi bicchieri di plastica, frotte di arabe chiassose. Si affidava a me, più fragile del solito, e se anche le sue palpebre erano più pesanti, due mandorle sgusciate, leggermente ingiallite, non rimpiansi nulla della giovinezza passata. Vivevo ancora nel timore di voltarmi e di non trovarla mai più nel mondo tra tutte quelle figure più rumorose e marcate di lei.

Posò la testa sulla mia spalla e restammo un po' così. Fu allora che notai la donna incinta. Era molto bella, giocava a palla con un bambino. Nonostante il suo stato si muoveva in maniera plastica, con grande agilità ma dolcemente. Come se cullasse il bambino interno e rispondesse alla sua onda. Pensai che dovesse trattarsi di una ballerina, una donna abituata ad assecondare il fluire del sangue, l'allungamento dei muscoli. Solo dopo un po' mi accorsi che era Radija.

Rimasi a guardarla, sconvolto forse, felice di assistere al movimento della sua vita che, ovunque avesse camminato in tutti quegli anni, adesso era lì, in posa, davanti al mio sguardo.

Se mi avesse riconosciuto sarei saltato giù dal muretto per abbracciarla, mi sarei piegato per salutare il figlio nato e complimentarmi per l'altro ormai prossimo. Ma lei non mi notò e io ero troppo immerso nello stupore e nel benessere di quella visione per avvicinarmi e affidarmi al rachitico recinto delle parole e dell'imbarazzo che ci avrebbe colti. Non mi mossi. E fu abbastanza magico averla rivista e vederla andar via quando un tipo con una maglietta rossa sudata e lunghi pantaloni vuoti, davvero piuttosto simile a me, si avvicinò, raccolse la palla, diede una mano al bambino e appoggiò il braccio intorno alle sue spalle. Si allontanarono dai miei occhi così, come una coppia affiatata, una famiglia simpatica e trasandata di gente piuttosto bella.

Anche Izumi l'aveva notata. Aveva seguito il mio sguardo assorto, affacciato su un sorriso interno, e s'era fermata su quella donna, su quel ventre sodo e sporgente. Tacevo, rimasi in silenzio a lungo.

Quando tornai a sorriderle trovai quella faccia soave e stanca, colpevole. La sua mano sudava nella mia. Leni era ormai cresciuta e Izumi era nei suoi anni di guado. Facemmo quello strano dialogo in silenzio. La consunta telepatia dei nostri spiriti non ci aiutò, ci rese tristi. Il sole tramontava dopo quella bella giornata e anche noi eravamo davanti a un docile tramonto.

Accendemmo il camino, Izumi rimase a guardarsi i piedi che spuntavano dalla coperta. Uscii con il cane e tornai che era già a letto. Avevo male alla pancia, probabilmente a causa di quei cibi troppo speziati.

Seduto sul water, i pantaloni abbassati sulle ginocchia giallastre, ripensai alla giornata trascorsa sotto quel sole benefico, a Radija. Si era salvata da me, che non avrei mai potuto essere un vero marito, che non avrei potuto renderla madre. Eppure avevamo fatto l'amore, c'eravamo promessi molte cose. Sotto quel sole mi era sembrato di poter allungare una mano sul suo ventre.

Io e Costantino non avremmo mai potuto avere un figlio nostro. Gli uomini non possono fare i figli. Era un pensiero assurdo, eppure era il solo che riuscivo a generare. Sapevo che l'unica persona al mondo con la quale avrei desiderato fare un figlio era lui. Quella privazione alla quale non avevo mai pensato adesso definiva la mia omosessualità. E mi sembrava di accogliere un urlo molto più profondo, l'impotenza di tutti gli uomini che fanno l'amore e sanno che il loro orgasmo non potrà mai fecondare la creatura che amano.

In mezzo alla notte Izumi si svegliava in preda a crampi, irrigidita dal dolore. C'erano stati i terribili attentati suicidi nella metropolitana e la città era danneggiata intimamente, tutti avevano scoperto di essere vulnerabili ed esposti. Betty, la migliore amica di Izumi, si era ritrovata in uno dei treni, era rimasta lì sotto nel fumo, aveva visto i corpi dilaniati e adesso aveva bisogno di pillole per dormire e per vivere. Izumi era perennemente in ansia, chiamava Leni più volte al giorno. La gente si guardava le spalle, gli arabi vivevano giorni crudeli, ogni zaino sulla groppa di un qualunque ragazzo che usciva da scuola era guardato come un ordigno. Avevi la sensazione che dovesse esplodere l'intero Paese, che potessero avvelenare l'acqua nelle condutture, arrivare sul Tamigi con una nave carica di materiale nucleare.

La metropolitana era rimasta chiusa per qualche giorno, ma quando aveva riaperto nessuno scendeva più underground così volentieri. Izumi camminava per ore. Pensai che fosse semplicemente stanca. Accendevo la luce, le massaggiavo i muscoli, la tiravo per i piedi. Al mattino era spossata, si trascinava al lavoro, ma certe volte era costretta a rientrare prima dell'orario con un cab. Pensammo a uno squilibrio ormonale, a qualche misteriosa intolleranza. Le pareti addominali si indurivano e le provocavano nausea e dolore. Stanley, il nostro medico, ci invitava a cambiare aria. Al ritorno dalle terme romane di Bath facemmo dei controlli più mirati. La prima diagnosi fu artrite reumatoide. Un mese dopo mia moglie tornò a casa con uno di quei fogli dei referti, la faccia pallida, scossa.

– Ho la sifilide.

– Cosa?

– Qui, c'è scritto così.

Scoppiai a ridere, era così assurdo pensare alla mia impeccabile, nivea Izumi infetta da una malattia scandalosa d'altri tempi che aveva mangiato il cervello a filosofi, a regine contagiate dai loro poco affidabili amanti.

– Si saranno sbagliati, è evidente.

– Vai con le prostitute?

Era una situazione surreale. Izumi era stanca e impaziente.
– Qualcuno deve avermi contagiato...
Adesso ero smarrito quanto lei. Frugavo indietro nella mia indecenza... Poi Izumi scoppiò a piangere.
– Cosa c'è...
Cercai di carezzarle la schiena, si allontanò, poi tornò. Si strinse a me di colpo, tremando. E io avevo purtroppo già capito.
– Sei stata con un altro, vero piccola?
Fu un dolore vederla rimanere ferma. Me lo meritavo, non potevo biasimarla. Avrei voluto spalancare la porta di casa e mettermi a correre sotto la pioggia. Mi era caduta addosso la parte più alta della montagna.
– Dimmi.
Così in una banale sera infrasettimanale ci infilammo nell'assurdità di quella confessione a tratti comica, onestamente. Un pomeriggio, un momento di *solitudine e debolezza*, in campagna.
– Chi è, lo conosco?
Lo conoscevo, era Walt. Poi erano venuti molti altri momenti di solitudine e debolezza. Una relazione di quasi un anno. Da un'estate alle soglie della successiva.
Quel fenomeno di Walt mi aveva offerto la sua disponibilità per planare come il condor su mia moglie. La vita è mortificante e geniale.
Avrei dovuto essere sollevato, non ero stato il solo a spogliarmi e a inginocchiarmi davanti a un uomo. Invece ero furioso, sconvolto fino al midollo. Le carezzavo la testa come un padre confessore. Ma solo per carpire più dettagli, per mortificarla. Ero fermo in un marasma di sudore, eccitazione, sconforto. Pensai a quando, mentre facevamo l'amore, Costantino mi sputava addosso.
– Sputami.
Le sollevai la testa, prendendola per i capelli.
– Sputami!
Tremava, m'implorava di lasciarla, si copriva la faccia.
– Fai come ti dico! Sputa!

Era così sconvolta che ubbidì. La incitai finché non si ruppe, cominciò a tossire, a piangere, a baciarmi. Caddi sul tappeto.
– Bene.

La sera dopo convocammo Walt. Fece il suo ingresso nel nostro piccolo nido deturpato con la faccia contrita e una bottiglia di ottimo scotch incartata sottobraccio. La serata risultò piacevole e innaffiata egregiamente. Trattative di pace sul tavolo dei sensi. Izumi aveva ritrovato il suo consueto dinamismo, ci accudì con deliziosi stuzzichini. Gli occhi bassi e l'aria sorniona della maîtresse di un bordello per vergini addormentate.

Fu un lungo momento di verità, di confessioni postume. Il languore di quell'amore che li aveva sottoposti a sofferenze e a menzogne finì per rendere tutti molto teneri e mortali.

Accettai nobilmente le scuse di Walt e lui accettò cavallerescamente di sottoporsi al test per la sifilide, anche se piuttosto scettico. E onestamente, brunito da una recente vacanza al caldo, aveva l'aria di essere sano e guizzante come un pesce tropicale. Ci salutammo amici, meglio di sempre.

Nonostante tutto, era stato un vecchio maschio di parola, pronto a fottersi mia moglie in un momento di solitudine, ma niente affatto disposto a tradirmi.

Era la prima cosa che gli avevo chiesto, tirandolo da una parte in corridoio.

– Le hai detto di me?

Walt si era messo una mano sul cuore sotto la giacca.

– Mai, te lo giuro.

Non ho mai capito la storia del golf da duecento sterline...

Eravamo fermi davanti alla porta aperta della nostra camera da letto, il copriletto tirato sul materasso come una splendida bara blu.

Il giorno dopo tentai di rintracciare Costantino. Sul portatile non rispondeva, così provai al ristorante. Rimasi un bel pezzo incollato alla cornetta percependo chiazze di voci italiane. Immaginai quella sala, la lavagna con il menu del giorno alla maniera delle vecchie osterie, Costantino con il grembiule intorno alla pancia, i capelli sudati sotto il cappello bianco. Stavo per riattaccare quando sentii la sua voce, presente come se fosse davvero vicino.

– Pronto, chi è?

– Sono Guido.

Era una vita che non ci sentivamo.

– Mia moglie ha la sifilide.

Non fece alcun commento, affrontò la questione con serietà.

– Sarebbe meglio che anche tu facessi una Wassermann.

Mi disse che aveva appena fatto un controllo per il diabete, che lo avevano rigirato da sotto a sopra. Non sembrava affatto imbarazzato, mi salutò come se fossi il suo dentista.

Izumi quella mattina era rimasta seduta in poltrona. Una strana macchia rossa le era comparsa sul viso, come una specie di farfalla in volo, il corpo sul naso, le ali aperte sulle guance.

La sentivo allontanarsi da me ogni giorno, ogni ora che passava.

– È Giuda che sputa nel piatto dove mangia... è per questo che mi hai costretto a farlo... a sputarti addosso...

Mi ero inginocchiato davanti a lei.

– Scusami, non avevo alcun diritto.

Fu Geena a mettermi sulla buona strada, come al solito. Mi ero già infilato il cappotto, poi ero tornato a sedermi sul divano, le avevo detto di quella strana farfalla caduta sul viso di Izumi.

– Yes, like a butterfly...

Geena si era alzata per rassettare il fuoco che non aveva mai acceso. Un gesto assurdo ma che lei ripeteva ogni volta come il resto, come una buona, educata abitudine. Guardarla riattizzare quella legna impolverata mi ricordava lo struggente gesto di denuncia dei ribelli. Fumando la nostra happy cigarette, seduti davanti a noi stessi, davamo anima con i pensieri e il desiderio a un mondo spento.

Cominciò a parlarmi del collegio dov'era cresciuta, dei geloni sotto i piedi, dei furti notturni di zollette di zucchero e alcol nelle cucine... Era lì che aveva fumato le prime sigarette e aveva sentito parlare di masturbazione.

– Le candele di notte passavano sotto le lenzuola... non c'erano ancora quegli attrezzi moderni per signore.

Ascoltavo la sua voce liquorosa che si drizzava di piccole impennate.

– C'era una ragazza nel collegio, una bella ragazza con due trecce massicce, una grande lavoratrice. Un giorno cominciò a sentirsi stanca, parlarono di sifilide... Era solo una voce, ma per noi fu un vero shock. Le suore la isolarono, povera creatura... Invece era una malattia del sistema immunitario. Si riempì di ematomi...

– Come si chiamava?

– Catherine Abigail.

– No, questa malattia.

– *The great imitator*, dissero...

Sorrisi, pensai a uno dei suoi soliti doppi sensi. *The great pretender* ero io, uno dei nomignoli di Geena preso in prestito dalla omonima canzone.

Ma il suo piccolo viso crocchiante adesso era teso e pieno di compassione.

– Perché imitava molte altre malattie, credo.

– Anche la sifilide?

– I suppose. Aveva qualcosa a che fare con il vostro *lupo*...

– Il lupo?

Spense le ultime luci e scendemmo insieme, camminammo sottobraccio nel buio fino al suo incrocio.

– Che fine ha fatto questa Catherine Abigail?

Fece una pausa, sospirò.

– Era molto tempo fa...

La baciai, mi passò una mano sul viso.

– Era solo uno scrupolo, caro. Buonanotte.

Quella sera c'erano Knut e la vecchia Betty a casa nostra. Izumi aveva apparecchiato con i nostri nuovi piatti color tortora, aveva preparato il pane con il lievito acido. Betty le aveva portato in dono creme e balsami, dal suo negozio di prodotti naturali a Fulham. S'erano chiuse in bagno e Izumi ne era uscita coperta da uno spesso unguento calcinoso. Sembrava una di quelle maschere del teatro Nō che si chinano dolcemente per dichiarare cose terribili.

– Ha l'aria di essere un eritema solare, cara, io ne ho avuto uno molto simile tornando dalla Spagna la scorsa estate.

– Potrebbe essere fuoco di Sant'Antonio...

– Nient'affatto Knut, quello viene sul petto, sulla schiena, non sul viso.

Betty era molto ingrassata, mangiò pochissimo ma buttò giù svariati drink che si preparava da sola andando e venendo dalla cucina. La sua storia con Harley era ormai agli sgoccioli. Avevano avuto una di quelle avventurose relazioni underground, davvero invidiabili, bisessualità, scambismo, piromania. Betty faceva parte della mia vita, era l'altra ragazza accanto a Izumi, sulla chiatta lungo il Tamigi dove l'avevo conosciuta, la splendida rossa con la quale avrei fatto volentieri il giro dei locali per un paio di notti. All'epoca era una groupie, gironzolava seminuda come un'odalisca nei retropalchi delle band. Vederla mi faceva inesorabilmente rimpiangere quei lunghi weekend di guerra con i Boomtown Rats che graffiavano la notte, e tutto era così fluido e magnifico e nonostante le sostanze alteranti eri semplicemente te stesso.

– Sono cose che hanno un tempo, giusto?

– Il tempo del cazzo.

Knut gode della battuta, serve l'ennesimo drink a Betty...

– Knut caro, noi eravamo dei veri pionieri, il sesso non era così importante alla fine, c'era quel senso di vera comunione... Oggi l'aria è soffocante, la politica e tutte queste nuove campagne di discriminazione sociale...

Betty ormai sembra una di quelle signore che escono dalla chiesa anglicana con i loro capelli tirati e i volti lignei induriti dalla fede.

Se non sapessi che è lei, che la sua carne ha visto tanta di quella pioggia, stenterei a riconoscerla. Se questa donna fosse passata accanto a Betty solo qualche anno fa, quando se ne stava spaparanzata con la sua minigonna e le cosce invitanti come budini di fragola davanti alle roulotte dei musicisti, lei le avrebbe ruttato alle spalle.

Questo significa invecchiare, ragazzi, andare incontro a un'altra persona e far finta di riconoscerla. Questa sera voglio riprendere nello scaffale il mio amico Musil. Perché se andare avanti implica far posto a un altro signore, disilluso e pusillanime, preferisco restare quello che sono, immobile, un uomo senza qualità ma con una portentosa memoria emotiva.

Betty si alza barcollando, stacca il suo pellicciotto che l'attende sull'attaccapanni come un vecchio animale domestico impregnato di fumo. Bacia Izumi senza toccarle il viso.

– Mi raccomando Izu, tre volte al giorno, la pelle deve bere, bere molto.

Knut l'aiuta a infilare la manica del braccio che muove poco.

– Anche tu hai bevuto molto mia cara, sei sicura di farcela da sola, non vuoi che ti accompagni?

– Entreremo a braccetto all'inferno, io e te, ma non questa sera.

Knut si gira la sciarpa degli Hammers sul collo, infila il suo nuovo cappello. Resta ancora un po', tutto vestito, le lunghe gambe accavallate sulla poltrona. Il suo compagno è morto pochi giorni fa al Charing Cross Hospital.

– Sai qual è la cosa positiva?

– Quale?

– Non dover vedere i tuoi preferiti invecchiare.

Chiude gli occhi, incrocia le mani sul petto, stira le gambe.

– Mi dispiace, Knut.

La salma norvegese si tira su con un salto. Nando guaisce, si avvicina alla porta dietro di lui.

– Vuoi che porto il tuo cane a pisciare? È tutta la sera che mi fa la corte.

Si volta, mi sorride con quella faccia nordica da miserabile Thor. Barcolla in mezzo alla strada.

– Come stai, Knut?

– Come te. A due passi dal paradiso, a uno dall'inferno.

La crema di Betty fece effetto e il volto di Madama Butterfly tornò pulito. Rimase il dolore alle articolazioni delle mani. Poi un giorno cominciarono i disturbi renali.

Imparai che solo la malattia definisce la materia umana, marca i vuoti e i pieni. Quando gli organi che tacciono nella nostra oscurità si fanno sentire come vivi pezzi di carne noi, di colpo, diventiamo il nostro corpo.

Prima di questi giorni la mia Izumi era una bella signora giapponese occidentalizzata che conservava l'eleganza delle sue origini. Adesso è una figura in allerta, sempre sprofondata nel suo organismo biologico. La pelle è semplicemente una garza che imprigiona i meccanismi interni di cui lei avrebbe voglia di vedere ogni singolo pezzo. Il suo umore è ormai l'orfano di quel corpo lieve.

Una mattina la cordicella di uno dei suoi sandali da casa si ruppe. La trovai in cucina, i sandali buttati nella pattumiera aperta, i limpidi occhi impietriti, la rottura dei suoi geta era un triste segno. Quello doveva essere il suo yakudoshi, il suo anno di sventura.

Finalmente arrivò la diagnosi. Il medico era una giovane indiana, una lunga treccia, gli occhiali rotondi come una nipotina di Gandhi.

– Systemic Lupus Herythematosus.

– Cos'è?

– Una grave malattia immunitaria.

Anticorpi che invece di aggredire i virus aggrediscono le cellule.

– È sicura?

– Sicurissima.

Sembrava una di quelle piccole collegiali di Nuova Delhi. Erano mesi che vagavamo e improvvisamente questa bambina con il grembiule bianco e le gambe sottili e screpolate, saltata fuori da un ambulatorio pubblico, era assolutamente certa delle sue parole.

– È una malattia difficilmente identificabile, per essere definita tale deve colpire almeno quattro organi. Oltre alla cefalea e ai disturbi addominali lei è risultata positiva a quattro criteri: rush cutaneo, disturbi renali, artrite, fotosensibilità...

Sorrise, non avevo mai visto una persona più tranquilla.

– E poi falsa positività al test sierologico per la sifilide...

Izumi se ne stava lì assorta, quasi intontita, poi divenne incredibilmente presente.

– Guarirò?

– No.

– Morirò?

Camminiamo insieme tra i bambù dei Kew Gardens. Izumi è entrata con delle semplici ciabattine e la sua borsa di rombi di legno. Muove leggermente le braccia, sfiora le foglie, le scaglie molli dei tronchi, si addentra così. La perdo e riappare. Si volta ad aspettarmi, poi si dimentica di me. Una situazione normale che dopo pochi secondi si trasforma in un limpido abisso. La verticalità dei bambù centenari, tra i quali lei dapprincipio è davvero piccola, di colpo sembra sollevarla. Avanza inorgoglita, un tacito e flebile gigante ligneo. Divento sempre più maldestro e affaticato, le canne sempre più frastagliate, accanto alle grandi le piccole, flessuose, ugualmente taglienti. Di colpo mi paiono un bosco di lance piantate, una trappola mortale. Izumi non è più visibile. Provo a chiamarla, non risponde. Il respiro incespica, sale dal petto ma è subito ingoiato. Le membra sprofondate in un cemento che si solidifica intorno al cuore. Ho una crisi di panico. Ho paura che Izumi sia scomparsa per sempre. Continuerà a frusciare tra i tronchi esfolianti con le braccia dischiuse e leggeri tocchi delle dita, prigioniera di quel labirinto oscillante, mi sembra di sentire il suono della sua anima che si allontana... Non so come riesco a venirne fuori. Izumi è seduta su una panchina.

– Shi.

– Cosa?

– Quella dottoressa ha detto che sono risultata positiva a quattro criteri... Shi è quattro in giapponese.

– E allora...

– Non è una buona parola. Shi vuol dire anche morte. Quattro e morte. Si pronuncia in maniera identica.

Una foglia cade, si posa sulla mia testa.

– È un buon segno questo?

– Oh sì, vuol dire che non soffrirai troppo...

Trascorsero tre anni da quella sera, Chandra Niral ormai era una divinità a casa nostra, una piccola Kali terrifica e benefica. Di ritorno dall'ospedale si fermava da noi, tirava fuori dalla borsa i suoi strumenti e nuovi medicinali che riusciva ad avere in omaggio o a prezzi di favore perché le cure erano piuttosto costose e tra il college di Leni e il resto le nostre finanze erano incerte come le luci stradali nelle giornate di austerity.

Un tempo ero stato un lupo mannaro. Ormai ero un esperto di lupus eritematoso sistemico. Avevo un intero scaffale della mia biblioteca carico di libri, opuscoli, riviste mediche, pubblicazioni universitarie dedicate all'argomento, e persino un manuale farmaceutico grosso come un dizionario. Quando avevo un po' di tempo libero non perdevo occasione di approfondire la mia conoscenza. Era un modo per stare vicino a Izumi, ma anche una fuga dalla realtà. Una tasca sanguinante dove nascondere e proteggere la mia propria malattia.

Con i corticosteroidi Izumi era rinata, le sue infiammazioni erano quasi del tutto scomparse, di fatto viveva in piena attività. Spesso si comportava con leggerezza, trascurava di prendere le medicine, esagerava con l'esercizio fisico.

Potevamo ritenerci fortunati. La malattia, esattamente come un lupo scacciato dall'inverno, trascorreva lunghi periodi di remissione in cui sembrava ibernarsi. La vita si svolgeva come una volta, anzi forse con maggiore passione.

Ma non era sempre possibile prevenire le fasi di riacutizzazione. Izumi si svegliava di notte, ricominciava quel tremore. Il lupo affamato scendeva dalla montagna. Ero pronto con la scure sulla porta del dolore. Ricominciavano i chemioterapici. Izumi cambiava faccia, si aggirava per la casa nervosa stringendosi il ventre, le mani doloranti... Il lupo era dentro di lei, ululava, la sbranava placidamente. Lei lottava con fierezza. Come un valoroso bushi, la sua forza fisica corrispondeva a quella del suo cuore.

Il sole, scoprimmo, era il migliore amico del lupo. Per noi divenne un nemico giurato. Izumi girava con un cappello anche nelle giornate di pioggia, il solo pensiero di essere sfiorata da un raggio solare la terrorizzava.

Poi tornava il sereno. Il viso di Chandra Niral si distendeva, non passava più per endovene mattutine. Izumi indossava il suo mantello e usciva tra la gente.

Leni tornava dal college ogni fine settimana e piuttosto che uscire con gli amici preferiva restare in pigiama sul divano davanti alla tv aggrappata alla madre come una bambina. Poi, quando la situazione si normalizzò e la malattia di Izumi diventò una logora routine, Leni cambiò. Non era semplicemente in grado di sopportare quel velo che di fatto era sceso sulla radiosa casa della sua infanzia, trasformata in un presidio ospedaliero di flaconi, boccette, siringhe. Non sopportava che la madre fosse debole, che avesse bisogno di attenzioni continue. Sentiva di aver perso un primato. Non mancava occasione per rimproverare Izumi. Aveva una memoria prodigiosa e tutta a senso unico. Azzannava l'animale ferito.

Stavo bene attento che non tornasse a casa nei periodi in cui Izumi non era in forma, facevo di tutto per rendere normali e piacevoli quei giorni. Ma la ragazza era troppo intelligente e nel giro di poco aveva acuito un suo fluido indagatore. Entrava in casa e storceva il naso, respirava l'odore del nostro quieto calvario. Anche Izumi si prodigava per imbellettare tutto, invitava gente la domenica, preparava il pasticcio di carne, i muffin al cioccolato. Ma Leni poteva sentire la crepa nella montagna. Sua madre, la sua yamagami, aveva cominciato la discesa verso il regno delle ombre, degli spiriti malevoli chiusi nel ventre della terra. Izumi divenne più severa con lei, come un precettore che non ha molto tempo davanti per lasciare i suoi segreti al discepolo migliore e allora lo tallona.

Facciamo una torta?

Si infilavano i loro grembiuloni e si chiudevano in cucina tra barattoli, pentolini, forme e fruste, bacche di vaniglia, mirtilli. Leni metteva la sua musica heavy metal, il suo *Breaking the Law*, Izumi spingeva il frullatore con la sua schiena dritta da maestro zen. E per un po' sembrava davvero una bella scena del passato. Uscivo con il cane, tornavo e trovavo Leni The Devil che sbatteva la farina per terra, gridava con una voce da sgozzata. Mi prodigavo, ma senza le capacità di un vero esorcista. Spazzavo la neve di zucchero e farina sul pavimento. Nell'altra stanza Leni urlava che si sarebbe uccisa.

– Ho tirato su un mostro.

– C'è una sola cosa che Leni non sopporta di te: che tu sia malata.

Il volto di Izumi era attraversato da tante piccole rughe come un vetro sottile, crepato internamente, piangeva senza muovere un muscolo.

– Io sono malata.

Leni riappariva per pochi secondi, truccata e con le gambe nude, come una giovane prostituta. Usciva per andarsi a buttare nel Tamigi.

Salivo in macchina, ricalcavo a passo d'uomo qualcuno dei suoi possibili itinerari. Abbassavo la testa nel vetro, frugavo i marciapiedi, i branchi notturni. M'infilavo nei locali alla moda. Approfittavo di quei giri per fare una mappatura della nuova generazione, dei suoi umori. Il nostro hardcore punk, il nostro animalismo cannibale, le nostre catene e bombette erano stati rimpiazzati dal mix eclettico dei nuovi grunger con scarpe da skateboard e vecchie criniere mohicane che attraversavano la città di notte saltando sulle loro tavole come onde nere.

Leni camminava sola per strada. Una placida falena notturna.

– Hi darling...

Non sembrava arrabbiata e neppure contenta di vedermi. Mi accostavo a lei, rallentavo. Avanzavo al suo passo, il gomito fuori dal finestrino.

Era la ragazza più bella che avessi mai visto e anche se adesso era piuttosto caustica con me non potevo dimenticare la gentilezza e l'intelligenza con la quale mi aveva accolto nella sua vita, tutto l'amore che mi aveva dato e insegnato. Non volevo assolutamente nulla in cambio. Solo rimanerle accanto, testardo e allucinato come lei. L'amore, lo sapevo fin troppo bene, si nutre di bocconi tirati quando meno te lo aspetti, è la nostalgia sotto i denti che ti fa resistere.

Quelle passeggiate per me erano gloriose. Intuire se avrebbe attraversato il ponte o svoltato a sinistra verso Charing Cross, fiutare il suo tragitto interiore, la miniaturizzazione di una vita. Mi sembrava di accompagnarla in un viaggio ben più lungo.

Evitava le aree dove le macchine non potevano circolare, se infilava un senso unico quando sbucava dall'altra parte sembrava aspettarmi. Non le dispiaceva quella scorta, era rimasta la mia principessa della giungla con lo scimmione appresso. Finalmente si fermava, si toglieva una delle sue scarpe con i tacchi, si massaggiava un piede. Poi, come se niente fosse, faceva il giro, apriva lo sportello e si sedeva sul sedile accanto al mio.

Il grande labbro inferiore catturato a lato da un anellino, i capelli scombinati e quei cerulei occhi giapponesi cerchiati di kajal. Continuavo a pensare a una foresta, a un incredibile regno nel nuovo mondo.

– You know, dad...

Anche se dopo avrebbe potuto aggiungere tranquillamente *you bastard, wimp, loser* non mi sarebbe importato, mi bastava quel *dad*. Flirtavo con lei, le davo ragione tout court. Il mio ego di omosessuale frustrato si muoveva dal fondo, sollecitato alla ribellione.

Poi finiva per piangere. Dichiarava di sentirsi la ragazza più sola del mondo, la più brutta, la meno considerata. Naturalmente non era vero, naturalmente le credevo. Era il mio ascendente su di lei: non sottovalutare mai le sue parole, i suoi sbalzi di temperatura. Amava follemente sua madre, non le perdonava di essersi incamminata in anticipo verso il giardino dei ciliegi rosa. Era ancora presto per lei, un giorno ce l'avrebbe fatta ad accettare il vigore turbativo della vita.

Un altro anno. Nuovi studenti, nuovi corsi. Un nuovo faticosissimo end of term.

Hai fatto una grande pulizia e Costantino ti è apparso in questo nitore, senza più interferenze sessuali. Una di quelle persone che resteranno sempre con te comunque vadano le cose, anche se non doveste mai più rivedervi, e ormai pensi che sarà così. Non vivi nell'antica Grecia. Non puoi tornare a casa dalla tua famiglia con il culo rotto e il cuore di un eroe. Soffri, ma poi il tempo passa e la sofferenza diventa un cane che dorme sullo zerbino e ogni tanto mugola a un sogno. La malattia di tua moglie ti ha insegnato molto.

Seduto sulla tua poltrona ti accorgi che la distanza ha spostato il suo corpo in un altro regno, e mentre tutto si allontana la sua presenza è *reale*. Sai che è vivo nel mondo dove ha gettato il suo progetto. Stai invecchiando e sai che un giorno morirete e forse non ci sarà un'altra occasione. Tutti questi anni all'estero hanno liberato il tuo spirito. Non hai sensi di colpa, non hai radici, sei un evoluto conservatore delle cose migliori: quelle che ti servono. Lui è rimasto un cattolico, si porta dentro quegli impedimenti culturali. Aveva ragione lui. Eri avido e senza scrupoli. Adesso questa distanza ti fa vedere la tua storia umana da un cielo molto più eclettico. Hai avuto la fortuna di sperimentare la complessione della tua natura. Grazie a lui, non sei rimasto ignoto a te stesso.

Ora lui è un semplice idolo posato davanti a te. È così che fa l'amore quando esce dalla carne e si deposita negli scaffali più alti. Sai che nulla di quello che ti circonda resterà, i corpi saranno polvere e ossa come quelle delle bestie che trovi nei campi, bianche, pulite dalla pioggia. Cosa ne è del cadavere di tua madre dopo tutti questi anni? Ricordi a malapena i tuoi nonni, ma non sai nulla più indietro, della carne che ha lavorato nei letti dei secoli per arrivare alla tua. Sei tutto per te stesso, ma non sei nessuno per la vita.

La tua memoria basta da sola, per entrambi. Non hai più paura di perderlo. Sei riuscito nella rinuncia. Lui si è spostato nel regno della rappresentazione. Puoi adorarlo e carezzarlo quando vuoi. Sai che attraversa la sua vita. E il solo fatto che abitate lo stesso pianeta, nello stesso spazio temporale, è già un sollievo.

Non ha un portatile, non lo ha mai voluto, si dev'essere alzato dal letto per venirmi a chiamare. Lo immagino in vestaglia nel corridoio, la mascella rigida. Il vecchio si schiarisce la voce, fa quel gesto, lo stesso mio, porta indietro i capelli, bianchi adesso, sulla testa rosa. Aspetta. Sono molti anni che non ci sentiamo.

– Zio Zeno...

– Mi piacerebbe vederti, Guido.

Il cancro dalla prostata si è spostato nelle ossa.

La sua voce sembra uscire da una serratura arrugginita.

Non volevo tornare in quel palazzo, lottavo contro quella eventualità. Leni trovò i biglietti aerei, aveva le vacanze estive. Era stata solo una volta in Italia, un giro della Sicilia da bambina, ma non aveva mai visto Roma.

Ci avviammo verso Heathrow in una mattina di rondini, fiumi di rondini che volavano strazianti e impazzite. Era una di quelle file a tre posti, Leni si sedette accanto al finestrino, il sedile in mezzo rimase vuoto. Pensai a Izumi, ci eravamo salutati bruscamente. La hostess s'infilò il salvagente e fece quei gesti di dovere tutto sommato demenziali. I bagagli erano sopra le nostre teste, piccole casse nere con dentro i nostri effetti personali, il nostro pigiama, lo spazzolino da denti, i flaconi di vitamine, i libri che stavamo leggendo. Quella roba che nei disastri aerei finisce a galleggiare in mezzo al mare. Non sarebbe stato male inabissarsi, e far tacere il futuro. Quella che agli altri, dall'alto degli elicotteri dei servizi giornalistici, sarebbe apparsa come una atroce sventura, a me per un attimo parve una strabiliante possibilità.

Non era quello che mi aveva insegnato mio zio? Prendeva un quadro e lo capovolgeva, metteva la terra al posto del cielo. *Guardalo così.* M'induceva a cercare sempre un punto di vista nuovo. *Non smettere di cercare il tuo sguardo. L'oltraggio è solo uno, non aver cercato se ne avevi la possibilità. Il coraggio contempla sempre un'indecenza, un errore che ti corre incontro per avviarti a una nuova verità...*

Nessuna verità mi era corsa incontro in tutti quegli anni. Avevo allenato la mia intelligenza fino al suicidio emotivo.

Lasciai Leni nel piccolo albergo che avevo prenotato. Pagai il taxi, entrai nel cortile. Forse avevano rifatto parte dell'ammattonato, per il resto tutto era identico. Le due palme sopravvivevano ancora, immense, leggermente invecchiate, prigioniere di quelle quinte di cemento e mattoni. La gabbiola del portierato era chiusa, la sedia vuota. Una mano mi bussava sulla spalla nel buio per dirmi che l'odio verso tutto ciò che era trascorso non avrebbe mai colmato la nostalgia.

Guardai su, le finestre illuminate nella casa di mio padre. E poi all'ultimo piano, l'unico riquadro di luce in fondo a una funebre teoria di persiane chiuse.

L'ascensore era lì, nella sua gabbia nera, riverniciata di fresco. Entrai, sentii *quel* rumore, prima la gabbia di ferro, poi le ante di legno che si aprivano e si richiudevano con i loro meccanismi oliati. Saliva lento come quarant'anni prima e così feci in tempo a ricordare molte cose. La piccola panca di legno dove mi sedevo, lo specchio d'una volta con il suo mistero di ombre, che aveva visto passare tante vite stupefatte. Vidi mia madre, si avvicinava alla propria immagine perplessa, ogni volta sembrava sorpresa di trovarsi in quello specchio. Mi aggiustava il cappotto, diceva qualcosa per distrarmi e subito si voltava, come se avesse visto qualcosa che non riconosceva.

Passai davanti alla porta di casa di mio padre, proseguii verso l'attico.

L'infermiere venne ad aprirmi. La lunga prospettiva del corridoio pareva pendere nel buio. Passai davanti alle sue sculture, ai suoi libri. C'era un buon odore di tisana, riconduceva a un prato di erbe tagliate, inumidite dalla pioggia. Le lunghe tende ricadevano disordinate dagli anelli rotti.

Lui era a letto, spostato tutto su un lato, una mano sotto la testa aggrappata a un cuscino piegato. Anche se dormiva non sembrava affatto in pace. Guardai le ossa della schiena nel golf, la mano con le unghie lasciate lunghe, il tessuto corneo giallastro di un animale. Stringeva il cuscino con rabbia, sembrava aver fatto una lotta che era appena finita, ma che presto sarebbe ricominciata.

– Chi c'è? – urlò.

Allungai una mano aperta, gli strofinai la schiena, lo sentii ansimare.

– Guido... sei tu?

– Sono io, zio.

L'unica luce era data da un abat-jour foderato di fogli di giornale. Non si mosse, rimase ancora un pezzo così, voltato. Però il suo respiro cambiò, divenne più calmo, appagato. Capii che aveva timore a mostrarsi. Presi una sedia, l'avvicinai al letto. Rimasi a pensare alle molte cose che ci avevano uniti. Quella stanza parlava, la vestaglia appesa al paralume spento, i mucchi di libri... la fotografia di Zeno e Georgette in bateau mouche da ragazzi... e poi quella discussione che ci aveva divisi, davvero stupida, ordita con precisione. Era stato lui a scacciarmi, volutamente, poco prima dello scadere del nostro tempo. A ripensarci quell'assurda rabbia ardeva di dolore, forse di puro amore. Poi era stato incredibilmente magnanimo, aveva scritto quella lettera di presentazione per il Courtauld. Di fatto mi aveva aperto le porte della vita accademica.

Fece leva sul braccio magrissimo, si voltò lentamente prima solo con il profilo, poi si portò appresso l'altra metà. Non restava che un livido involucro intorno alle ossa. Incolti peli spuntavano dai sopraccigli. Gli occhi erano rimasti gli stessi: immobili e penetranti.

Mi tese una mano, gliela strinsi. Sorrise, e quel sorriso era davvero nuovo, incerto, sembrava appartenere, molto indietro, al bambino che anche lui era stato. Un bambino che guarda il mare in una giornata di burrasca.

Mi chiese l'acqua, gliela diedi. Vidi i suoi denti tremare sul vetro. Non riusciva a ingoiare, la bocca, come un cassetto rotto, perdeva. Gli asciugai il mento con un pezzo di lenzuolo. Faticai a staccarmi da quel letto che emanava l'incredibile fluido dei morenti e mi attirava a sé come un magnete.

Tornai il giorno dopo e quello dopo ancora. Mentre con l'infermiere sbraitava, rifiutava i medicinali, con me era mite. Faceva un unico movimento, sprofondava. Lentamente calava verso il centro del letto.

– Aggrappati a me.

Feci leva con le braccia piantate sul materasso e lo trascinai su, gli aggiustai i cuscini. Era ancora piuttosto bello, la magrezza si era portata via l'arroganza della carne. Sembrava un uccello pronto a volare molto in alto.

Sapeva che non ci sarebbe stato modo di lasciare quel letto da vivo. Dal momento che la vita non gli offriva che quella, recitava la parte del morente. Mi lanciava lunghe occhiate inquietanti. Era stato un uomo vigoroso e quel ruolo sparuto gli calzava addosso come un travestimento. Più volte mi sembrò che fosse lui a spiare me, voleva darmela a bere, ma io lo conoscevo. Sapevo che non si sarebbe arreso, non davanti a me. Per quello mi aveva voluto lì. Per resistere. Per dimostrarmi il suo valore.

Aveva vissuto male, sbagliato molte cose, aveva preso male la mira e impallinato le persone migliori. Aveva finito per litigare anche con mia madre. Non dava l'aria di volersi pentire. Mi sorvegliava, nel terrore che me ne andassi. Lo avevo ascoltato e amato, venerato persino. Lo avevo detestato. Mi aveva insegnato molto più di quanto immaginassi. Mi offriva l'amaro pasto della sua sofferenza come l'estremo dono.

Si scoprì, vidi quella grossa benda circondata dalla tintura di iodio che lo fasciava.

– Guarda, Guido. Guarda come mi hanno ridotto...

Nella parte superiore lui aveva resistito, schifava il pigiama, indossava uno dei suoi vecchi girocollo di cachemire, gli anelli ancora alle dita delle mani, il suo tatuaggio armeno sul collo... e sotto la cinta quello spettacolo penoso, quel bambolotto fasciato, quelle zampette da paralitico. Era quella parte che adesso mi mostrava. Stava lì a gambe aperte, ansimando, come un neonato decrepito. Provai una fitta di dolore ai testicoli, strinsi le gambe. Fu un dialogo surreale quello che seguì. Sapevo che non c'era più tempo, che le mie parole avrebbero viaggiato con lui, lasciato il mondo e attraversato la morte. Sapevo che un giorno anch'io come ogni essere umano avrei compiuto quel viaggio. Scelsi le parole, le levigai come ciottoli di fiume sotto la corrente. Partii dai nostri eroi... dai nostri Cleobi e Bitone, anche a loro mancavano un braccio, una mano, parte dei genitali, eppure nulla spariva della loro bellezza nel museo di Delfi, anzi proprio quelle menomazioni li rendevano unici, abitati dalla nostalgia, impenetrabili. Puri, perché sfregiati. Tirai su le lenzuola.

Tornai in albergo per una doccia e lui spirò. Quella notte a occhi aperti pensai all'uccello di mio zio. Ricordai quella gita sul fiume Sangro, era una giornata calda, i grilli si lagnavano, assordanti. Dopo pranzo facemmo il bagno. Non avevamo con noi i costumi così ci immergemmo nudi. Galleggiammo in quelle pozze ghiacce parlando amabilmente, filosofando come Parmenide con il giovane Empedocle. Ebbi freddo per primo. Uscii correndo e subito mi rinfilai i pantaloni. Ero timido, introverso, avrò avuto quindici anni al massimo. Zio Zeno emerse parecchio più tardi, camminò lentamente, fiero della sua nudità, si stese accanto a me e rimase a lungo nudo a parlare, a fumare... e io faticavo a distogliere lo sguardo da quella specie di bambino che gli dormiva tra i peli. Sembrava così rilassato, il suo uccello si spostava con lui, respirava con lui, ogni tanto se lo toccava con naturalezza, così come si grattava la pancia, un orecchio.

Mi ritrovai a fare da apriporta, a percorrere il corridoio molte volte, e scoprii che il ruolo mi era tutto sommato congeniale. Servivo bicchieri d'acqua, allungavo sedie a chi voleva sostare davanti al corpo. Insolitamente mi trovavo a essere erede di quel santuario e di quel morto, e fu come se un grande spazio s'aprisse per me. Frugai in un cassetto, trovai un mucchio di foulard impregnati di quel suo profumo al sandalo, forte e liquoroso. Ne scelsi uno, me lo girai intorno al collo.

Non avevo dormito, gli occhi sporchi si muovevano lenti tra le ciglia come insetti impolverati. Era il fratello di mia madre. Questa veglia funebre mi appariva una seconda occasione, il secondamento che aspettavo da sempre.

Mio padre si affacciò come una comparsa, fece pochi passi nel corridoio, sbirciò nella camera. Non si erano mai potuti soffrire. Zeno guardava Alberto come un attaccapanni, un gambo a cui passare il cappotto.

Ci accomodammo in cucina, parlammo un po'. Non era più entrato in quella casa da anni.

– Gente scontenta, presuntuosa. Solo tua madre era diversa.

Affogai un conato di repulsione, di rivolta, e provai a guardarlo da lontano. Ero in pace in quella casa della quale avevo preso possesso, mio malgrado. Adesso era come se fossi vissuto sempre lì dentro, in quell'appartamento all'ultimo piano, il più sontuoso di tutto il condominio, con il suo bovindo interno, le sue alte finestre che dominavano Castel Sant'Angelo. Ormai era decrepito, la vernice cadeva dagli infissi, in bagno mancava il vetro, al suo posto c'era un pezzo di plastica incollata con lo scotch, la vasca era colma di piante secche.

– Viveva come un barbone, Guido...

Eleonora mi aveva abbracciato con grande ardore, per zittirmi con il suo corpo e soffocare i pensieri che avrei potuto avere, le parole che forse avrei potuto dire. Fumava accanto alla finestra, le gambe accavallate, quella faccia infelice anche quando non lo era affatto.

– L'infermiere gliel'ha messo tuo padre, credi che tuo zio gli abbia mai detto grazie?

Sapevo che aveva ragione, ma sapevo anche che dovevano pagare per quello che avevano fatto a mia madre. Mio padre mi fissava con i suoi piccoli occhi azzurri, sembrava totalmente assente. Si capiva che andava ancora in palestra, sotto il collo aveva dei capillari rotti, forse dallo sforzo di tirare su il bilanciere. Era un po' più basso di una volta, indossava pantaloni di tela e scarpe da ginnastica, non aveva perso quella sua abitudine di inclinare la testa. Guardava Eleonora come se guardasse il principio di un uragano, quei vortici che si formano lontani sul mare.

Era davvero una bella signora fiorita, i capelli legati, quella dolente supremazia delle donne del Sud. Uno di quegli sguardi che s'inabissano e soffrono. Il resto, le parole che diceva, non erano altro che la punta di un iceberg dove lei piantava bandierine di segnalazione del pericolo.

Andarono. Eleonora si fermò davanti alla porta, entrò, si avvicinò al cadavere e restò a guardarlo, ma più che altro sembrava volersi accertare che fosse davvero morto. *Dio quanto è brutto...* sussurrò a se stessa, spaventata quasi. Ma io feci in tempo a udirla. Si fece il segno della croce e uscì.

– Costantino l'hai visto?

Scossi la testa.

– Non mi chiedi come sta?

– Come sta?

Sospirò e i suoi occhi si allargarono e si inumidirono.

– Non è felice, sai...

– Nessuno di noi lo è.

– E tu, Guido?

– Mi hai mai visto felice, Eleonora?

Scosse la testa, fece quell'espressione di quando non capiva ma fingeva di capire.

– Perché dovrei essere migliorato?

– Sei invecchiato, sai.

La misi alla porta, aveva voglia di dirmi molto di più ma non gliene diedi modo, non avevo intenzione di essere suo amico.

Ricevetti altre visite, poche, vecchi condomini che mi riconoscevano e mi abbracciavano stringendomi troppo, sussurrando assurde parole di cordoglio. Cercavo di lasciarmi turbare senza riuscirci. Salì un gruppo scalcinato, ex ragazzi dell'accademia d'arte che girarono un po' intorno al suo letto. Anche se avevano una gran fretta di andarsene, mi parvero i più sinceri.

Quando il silenzio si allargò nel vuoto e l'intera casa divenne una bara, mi sedetti stremato.

Leni si aggirava nella mia città con la sua guida nella borsa, il suo cappellino di paglia per il sole. L'avevo portata ai Musei Vaticani quella mattina molto presto, le avevo fatto da guida per chilometri, l'avevo tenuta lontana da quella mestizia. Quando chiamai per dire che non sarei tornato, fu felice di restarsene in camera e mangiare stesa sul letto in accappatoio.

Avevo chiamato il servizio funebre, discusso i penosi dettagli.

Ero passato dal notaio. Ero l'unico erede, speravo in un po' di soldi. Invece zio aveva già venduto la nuda proprietà dell'appartamento e in banca non gli restavano che poche migliaia di euro, appena sufficienti a coprire le spese funerarie, e i debiti con i negozianti della zona. Non mi rimanevano che la sua biblioteca, una modesta collezione di acqueforti e *Il canto del vento*, un piccolo olio dai colori torvi, di scuola fiamminga, era specificato nella lettera. Ma io avevo il sospetto che fosse la crosta di un artista di via Ripetta. Ero uscito da quello studio notarile più povero di prima e con un mucchio di incombenze. Contattai i nuovi proprietari, una coppia di danarosi quarantenni, notai a loro volta. Tutto sommato ero contento che le cose fossero andate così. Pensai a quanti aloni le case trattengono. Quella era la vita, la pacifica industria del mattone, delle ristrutturazioni.

Nonostante la pesantezza di quel luogo, la paura nel silenzio, non riuscivo ad alzarmi, a chiudermi la porta alle spalle. Qualcosa era ancora lì, e ora che la gente era passata e il vuoto era netto si depositava intorno a me come neve notturna. Ora la casa era solo mia. Solo per quella notte. Già l'indomani tutto sarebbe cambiato. Tornavo a guardarlo, livido, composto. Era già stato vestito, la sua giacca napoleonica che per anni non aveva più potuto indossare ma che adesso gli stava a pennello.

Mi appisolai un attimo e mi tornarono addosso nere fascine di ricordi, mia madre che ballava con il fratello in un Capodanno lontano... si lasciava trascinare, girare, spazzava con i capelli il pavimento, completamente abbandonata... poi lui la tirava su come un cadavere raccolto da un fiume e la baciava sulla bocca come un amante.

Mi ridestò un tuono, uno di quei temporali estivi, disordinati, invadenti. Mi alzai per chiudere le finestre che sbattevano. All'ingresso mi misi a frugare nei cassetti. Trovai un album di fotografie e altri mucchi sparsi, in vecchie buste strappate e scolorite. Cominciai a spargere tutte quelle immagini sul pavimento. Da ragazzo mio zio mi somigliava davvero molto, alto, magro, lo stesso vortice nei capelli. Poi nel tempo la somiglianza si era persa, lui aveva cominciato a ingrassare, già a quarant'anni aveva il doppio mento, io invece rinsecchivo. Molte fotografie erano tagliate a metà con le forbici o strappate, come se mio zio avesse voluto cancellare alcune persone dalla sua vita o forse soltanto una, sempre la stessa.

Camminai nel buio, lasciandomi abbagliare dalle luci delle macchine che passavano. In basso c'era il fiume, potevo sentire il suo incessante rumore. Vidi una macchina dall'altra parte del Lungotevere. Una Mercedes nera, ferma con il motore acceso. Feci qualche passo di corsa ma dovetti aspettare il semaforo, e l'auto era scomparsa.

Attraversai il ponte, raggiunsi il centro a piedi.

Vagai un po' per le strade della mia città di notte, in quel presepe di muri storti, di tetti porpora e colonnati, come un turista, un uomo nuovo e stupito. Le strade mi sembrarono più sporche, forse perché c'erano molti più neon di una volta. Il centro storico era pieno di chiasso, di bottiglie rotte... Da ragazzi noi restavamo nei nostri quartieri, sui nostri muretti. Era un mercoledì qualsiasi e sembrava Capodanno. A corso Rinascimento la libreria Croce non c'era più. Box luminosi di gelaterie con troppi gusti, indiani in ciabatte davanti alle pizzerie. Il vecchio puzzo di piscio dei gatti mescolato a quello degli hamburger. Ma era comunque Roma, quella vecchia ragnatela di degrado e splendore. Una città che non sarebbe mai sembrata europea, semplicemente la periferia era avanzata verso il centro, squadroni di facce allucinate, fuoristrada parcheggiati sui sampietrini. Il Tevere era pieno di gabbiani, scappati dal mare. La luce era sempre la stessa, quella eterna ricompensa a ogni malumore.

Mi persi nei vicoli. E quando stavo per tornare sui miei passi mi ritrovai davanti a quel ristorante... vidi l'insegna, due vetrate posate sulla strada sotto i ponteggi di una ristrutturazione.

Spinsi la porta di quella trattoria con la scritta sul vetro satinato, gli adesivi delle carte di credito. Avevo immaginato mille volte di farlo, di prendere un aereo, di sedermi a uno di quei tavoli, di aspettare che faccia avrebbe fatto. Di dirgli *sono qui e non ho intenzione di muovermi, tornerò ogni sera, invecchierò qui al caldo, a due passi dalla tua cucina, come quei clienti fissi, vedovi con una buona pensione. Mangerò minestra e piatti del giorno. Mangerò sogliola e purè perché sarò vecchio.*

Avevo i muscoli stanchi, la camicia spiegazzata. Entrai stralunato, come un turista che vuole rifocillarsi, mi guardai intorno. Avevo fame, adesso, ma era una strana fame che si gonfiava di tanti pensieri.

Riuscii a trattenere il turbamento e a fotografare l'ambiente, mediamente elegante, fingendo che fosse un ristorante qualsiasi. Solo un tavolo era occupato, gente che se ne stava andando, un marito che aiutava una moglie con il soprabito. Un cameriere mi venne incontro.

– Si può mangiare?

– Abbiamo chiuso la cucina.

Mi guardai intorno. Forse mi bastava così, aver visto quel posto dove lui spendeva le sue giornate. Quel posto che avevo immaginato tante volte, il caldo dei vapori, gli aromi delle cotture, i piatti stagionali, le matriciane, le grice... i clienti abituali, i turisti, gli ordini, il caos... le cene oscure dei politici, quelle chiassose dei giornalisti sportivi, quelle romantiche di San Valentino, le lasagne domenicali per le grandi famiglie del ghetto... Il luogo invece era imbevuto di silenzio. Quei tavoli vuoti, apparecchiati con i bicchieri capovolti.

– Anche soltanto qualcosa di freddo.

– Chiedo.

Mi fece sedere accanto alla vetrata. Mi portò l'acqua, il pane. Sollevai il menu, di lui nessuna traccia, mossi la testa in giro. Mi alzai.

– Dov'è il bagno?

Scesi pochi gradini dietro la cassa e m'infilai in un orinatoio profumato. Passai davanti a una porta socchiusa, una stanza che doveva essere l'ufficio... quello dal quale mi telefonava. Vidi un tavolo disordinato e una specie di soppalco, un corpo steso, due grandi scarpe. Giovanni dormiva davanti a un televisore con i cartoni che andavano. Mi chiesi quanti anni potesse avere, diciassette, diciotto forse... Mi avvicinai. Aveva un po' di saliva calcinata ai margini della bocca, russava forte, come se avesse le adenoidi.

Sollevai gli occhi sulla finestra. Vidi una schiena bianca. Spinsi la porta con la maniglia antipanico. C'era un cortile interno con le scale antincendio di metallo, Costantino fumava in piedi accanto ai secchi del pattume. Rimasi a guardarlo senza che mi vedesse... la nuca curva, un paio di pantofole di plastica, una maglietta sporca... il corpo rilasciato, appesantito... sembrava un cameriere stanco.

– Ciao...

Si voltò e inciampò.

– Guido...

Uscì dal buio. Ci abbracciammo. Era ingrassato o forse le mie braccia erano più magre e fragili di una volta.

– Eleonora mi ha detto di tuo zio...

Era sudato, in disordine, e aveva parecchi capelli bianchi.

– Hai fame?

– Non ti preoccupare, è tardi.

– L'acqua bolle ancora.

La cucina era lì accanto, mi affacciai al vetro. Costantino s'era messo il grembiule e il cappello bianco... si voltò e lo salutai con la mano attraverso l'oblò. Mi fece un caldo sorriso da oste.

Tornai nella sala, mi tolsi la giacca, aprii il tovagliolo, me lo misi sulle gambe. Era tutta la vita che sognavo quel momento... ma ormai mi sembrava troppo tardi per avere ancora dei sogni. Mi arrivò un piatto di gnocchi, i più buoni che avessi mai mangiato.

Tirò giù dallo scaffale una bottiglia di vino rosso, la pulì con il grembiule.

– Flaccianello della Pieve... questo è per pochi.

La aprì, odorò il tappo.

– Per te... per noi...

Di nuovo mi parve la persona più cara al mondo... Lo avevo visto lì fuori triste, pensieroso, sconfitto... Adesso sembrava aver ripreso vita, e quel locale aperto solo per me mi sembrò un insperato premio nella notte. Mi portò davanti una infinità di piatti diversi della cucina romana del ghetto, animelle, carciofi fritti. Il vino aveva i suoi quattordici gradi, al secondo bicchiere ero completamente arreso. Non facevo un pasto decente da giorni, e fu un vero banchetto. Lasciavo scendere quei sapori che riconoscevo. Pensavo a lui di là, alle sue mani che toccavano quei cibi, li accudivano nella cottura, li disponevano sui piatti... soltanto per me. E mentre mangiavo sentivo che avrei rimpianto quel pasto per l'eternità. Ma non ero triste, così non feci nessun cerimoniale, mangiai e basta, di gusto. Mangiai con la fame di un operaio, intinsi grossi pezzi di pane nelle salse. Alla fine ero un uomo con la pancia piena, alticcio e beato.

Il cameriere se ne andò, Costantino si sedette davanti a me, con una bottiglia di grappa e due bicchieri.

– Ti sono piaciuti gli gnocchi?

– Sì...

Scherzò, aprì la porta e fumammo con l'aria della sera che entrava. Ci guardammo, la grappa colò nei bicchieri, ci raccontammo un po' di vita. Gli dissi della malattia di Izumi, di quanto tutto intorno a me fosse cambiato... di quanto rimpiangessi tutto.

– E tu?

– Tutto bene.

Ma io avevo sbirciato nel suo ufficio... Quel letto spiegazzato sul soppalco, camicie appese nelle buste di tintoria, una specie di roulotte attrezzata.

– Dormi qui?

– Qualche volta, sì... faccio troppo tardi per tornare a casa.

Piegò la testa, si grattò la nuca, eravamo seduti tra quei tavoli vuoti... Poi si arrese. Con il sorriso in bocca mi disse che la sua vita rotolava, che la moglie lo disistimava, aveva fatto degli errori, il socio era finito nei guai per delle cambiali e i politici della vecchia legislatura avevano lasciato molti conti che nessuna segretaria sarebbe più passata a pagare. Giovanni era cresciuto... Fronteggiare un adulto con pulsioni sessuali era un'altra storia. Aveva ricominciato con le stereotipie...

– Lo mando solo dal giornalaio... Qui intorno tutti lo conoscono, ma io ho paura, lo seguo... Chiunque potrebbe fargli del male e lui non potrebbe dire una sola parola.

Mi accorsi che anche lui tremava, la sua gamba batteva contro il tavolo. Allungai una mano, toccai il suo muscolo. Lo sentii calmarsi. Come quella volta, ricordavo tutto. Guardammo il vuoto del ristorante, guardammo la notte che ci restava.

– Almeno ti ha lasciato ricco, tuo zio?

– Solo un quadro, finto.

Ridemmo di quell'immensa fregatura che era la vita.

– Almeno ogni tanto ti diverti?

Il suo sguardo alticcio era greve.

– Vivi nella città dei culi liberi, vuoi dirmi che non ti diverti ogni tanto?

Era imbolsito, aveva scure occhiaie e il bianco degli occhi pareva ingiallito. Tirò giù un'altra grappa di colpo, come acqua. Strinse la bocca, ruttò dentro. Non l'avevo mai visto bere così. Pensai che ero solo, che lo ero sempre stato, che avevo fatto male a tornare, a vederlo. Pensai che sarebbe diventato vecchio e flaccido, l'età cominciava a tirare fuori sui nostri visi le nostre anime confuse e insincere. Sollevò la bottiglia, si sporse verso di me con un sorriso triste e implorante. Misi la mano sul bicchiere. *Basta, grazie. Sono cotto.*

La macchina funebre era parcheggiata sotto il palazzo con il portellone aperto. I becchini mi aspettavano al bar. Tre ragazzi simpatici, parlammo un po' della crisi economica. Anche il negozio di giocattoli lì accanto, dove compravo le figurine da bambino, aveva chiuso, e quello era davvero un triste segno. L'industria della morte non subiva flessioni, anzi incrementava il suo fatturato. *Ci sono molti suicidi,* scherzavano i ragazzi. Pagai io il caffè. Prendemmo l'ascensore insieme, e mi sentii davvero troppo stretto accanto a quei tipi in divisa Matrix, professionali e impassibili, al colmo di un placido turbamento volevo semplicemente ridere. Si portarono via la bara faticando lungo le scale, l'avrebbero parcheggiata a Prima Porta con un numero sopra, in fila per la dispersione. Nessun funerale, come lui desiderava.

Uscii sul terrazzo. La cupola di San Pietro sembrava così vicina, allungai una mano con la sensazione di poter toccare il suo guscio bianco, l'aria era ancora fresca, piccole lame di vento frustavano l'altezza. Ero stanco. Non avevo quasi dormito. Tornai dentro. Presi dall'attaccapanni la vestaglia di mio zio e me la infilai sulla camicia. Feci qualche telefonata per donare la biblioteca, ma nessun ente o associazione culturale volle saperne. Molti di quei libri erano magnificamente illustrati, le pagine seghettate dal tagliacarte. Zeno li trattava come reliquie, mi consentiva di sfogliarli solo in sua presenza. Mi fece tristezza pensare che il suo tesoro non valeva nulla. Raccolsi in una sacca quello che potevo, per il resto mi sarei accordato con uno di quei librai di strada dove si fermano squattrinati pensionati. Chiusi le vecchie persiane, diedi un'ultima occhiata a quel santuario in penombra. Suonarono alla porta. Era Costantino.

– Ciao...

– Entra.

Mosse lo sguardo alle mie spalle.

– Sei solo?

– Sì.

Andammo in cucina.

Stava partendo, mi disse, accompagnava il figlio giù, dai suoi, in Puglia... lo avrebbero tenuto un po' loro.

– Vuoi un caffè?

Aveva i capelli bagnati e addosso l'odore di una doccia appena fatta.

– Scusa.

Mi chiusi in bagno, non so perché, soltanto per respirare. Mi sedetti sul bordo della vasca, accanto a quella serra di piante stecchite. Mi faceva male la pancia. Tornai in cucina, non c'era.

Era in piedi davanti al letto vuoto di mio zio. Le gambe larghe, le mani dietro la schiena. Sembrava una guardia davanti a un mausoleo. Il suo scrittoio, i medicinali ammucchiati, le due candele bianche che io avevo acceso nei posacenere, liquefatte e indurite... Di nuovo mi sembrò così caro, così familiare. Sapeva che quello era l'ultimo sangue dalla parte di mia madre...

– Cosa ti sei messo...?
– La sua vestaglia.
– Ti sta bene.

Sentii le sue braccia che mi fasciavano, la sua testa che si piegava su di me, di colpo divenni fragile e vuoto. Mi voltai a cercare i suoi occhi. Mi strinse una mano sulla bocca. Mi spinse la nuca contro il muro, mi graffiò. Scese a baciarmi. Sentii il suo peso, il suo odore. Riconobbi la pelle e la saliva e tutto. Tutto. Conoscevo fin troppo bene quel sacrificio. Conoscevo la solitudine e il dolore dopo, e tristemente pensai a quel dopo. Lui aveva reso quella strada così cupa, coatta... io ero pronto ad accettarla molto tempo fa. Provò a saltarmi addosso, gli diedi una spinta. Era eccitato, felice...

– Come vuoi, come vuoi tu...

Si tolse i pantaloni, si chinò davanti a me carponi come quando giocava ad asina per strada... mi sorrise con la sua faccia migliore, la più dolce e sottomessa.

– Vieni... ti prego...

Lo vidi perdere i freni, il suo muso torcersi, il suo naso respirare ogni oscenità, il suo intero corpo lacerarsi, soffrire miseramente e rinascere avido. Lo trascinai come un insetto su un altro insetto sussurrando parole d'amore e di stupro. Non chiusi mai gli occhi. Per la prima volta guardai tutto, ogni singola goccia del suo sudore, ogni sussulto della sua schiena. Non vidi nessuna bellezza. Di nuovo pensai a lui vestito da chierichetto, con quella tonaca bianca che toccava terra e raccoglieva il sudicio delle scale, quando saliva appresso al prete per benedire le case... Sentii la forza di quella vittima che mi dominava. Non lottavo più contro me stesso né contro di lui. Non avevo più paura di perderlo, perché lo avevo già perso. Perché ogni volta che avevamo fatto l'amore lo avevo perso. Lui non era lì, era nel suo nucleo duro, roccioso, che sempre sarebbe rimasto oscuro. Avrei voluto offrirgli una cura profonda, la profondità non era quella che credevamo di trovare nelle nostre membra. Non riconoscevo l'odore del suo cuore... non vedevo altro che ali di ombra. Una parte di me rimase lucida, rifiutò il dolore che poi sarebbe venuto. Ero un uomo provato dalla vita, non ero più un pollastro. Ma ero un uomo libero, se avessi voluto avere una vita scabrosa avrei potuto averla. Ma non volevo. Lo amavo, lo avrei amato fino in fondo ai miei giorni. Ma non lo conoscevo, mi era ignoto. Sentii il mio sesso diventare inutile, morto.

– Scusa, non ce la faccio.

Mi staccai da lui, violentemente mi rimisi in piedi, *è l'ultima volta*, pensai, *è una coda*. Non avevo nessuna intenzione di ricominciare. Mi sentivo guarito e non sapevo da cosa. Rimasi così, assorto, incredulo. Non di quello che era passato nel mio corpo. Ma di quello che era accaduto nella mia anima. Sapevo che sarebbe scappato, che in fretta si sarebbe rinfilato i suoi stracci e sarebbe tornato a fare il padre di famiglia. Attesi la sua faccia ricomposta, il suo brutale saluto. Non m'importava. Lo avrei lasciato andare con una sola preghiera, di non farsi vedere mai più. Mi tirai su i pantaloni, mi chiusi in bagno e attesi che se ne andasse. Guardai in basso il cortile... e sentii la stessa solitudine, la stessa voglia di cadere.

Tornai di là per riprendermi i vestiti. Lo trovai esattamente dove l'avevo lasciato, di spalle, nudo, anche lui guardava il cortile.

– Cosa fai lì?

Scosse le spalle, buttò la cenere della sigaretta in basso, sorrise.

– Sei diventato impotente.

– Forse.

– Colpa mia?

– Forse.

– È tutto forse, oggi, Guido... tutto forse...

Si stese sul pavimento. Rimase lì a pancia in aria, avvolto dal buio, come un sontuoso animale morto.

– Non te ne vai?

– Vuoi che vada?

Sollevò le braccia, accavallò le dita delle mani, fece due animaletti. Un gioco d'ombre che si rifletteva sul soffitto nel cerchio di quell'unico abat-jour ancora acceso. Tirò fuori due voci, una infantile, una greve. Cominciò a parlare e a rispondersi con quelle dita. *Ciao, come stai? Sono molto stanco. E perché? Perché la vita è una schifezza. Cosa ti è successo? Sono stato maltrattato. Ma non hai qualcuno che ti ama? Non lo so se mi ama. Chiediglielo.*

Strisciò in terra, mi prese le gambe...

– Vieni qui, Guido...

Mi chinai accanto a lui. Piangeva, tirava su dal naso. Un pianto rotto, straziato, che sembrava sollevarsi dallo stesso abisso dove lo avevo visto gioire poco prima...

– Mi ami?

Allungai una mano verso il soffitto e feci il mio animaletto con le dita, mossi la mia ombra zoppicante.

– Non so chi sei.

– Sono Costantino.

– Chi è Costantino?

– Sono io.

– Genere e specie.

– Uomo. Traumatizzato.

– Genere e specie.

– Uomo. Omosessuale.

– È questo il trauma?

– Sì.

– Non è un trauma, sono io. Sono Guido.

Unimmo le dita. I nostri animaletti si raggiunsero, le ombre si baciarono, le dita si strinsero. Ci rivestimmo. Attraversammo il cortile.

Il Tevere era ancora lì. Tutto era intatto come capita al centro di certe estati, di certe giornate al centro della vita. Quando la gioia e il dolore, lo slancio e il disgusto, ogni nostra metà sembra in perfetto equilibrio sul filo dell'orizzonte.

Leni dormiva ancora, la testa nascosta, i luridi piedi da camminatrice scalza fuori dalle lenzuola. Mi piegai su quel letto stropicciato, impregnato del suo sonno, raccolsi la sua telecamera. Mi aveva filmato davanti al Pantheon mentre le raccontavo di Romolo tratto dall'aquila in cielo e poi con la mano infilata dentro la Bocca della Verità. Accesi la telecamera e ripresi la stanza e il suo corpo meraviglioso e la finestra e la semina delle sue cose in giro. Poi la rivolsi verso di me, contro il mio viso distorto.

– Ti va di andare al mare?

Aveva ancora quel fine settimana di vacanza... Fuori c'era il sole, quel meraviglioso sole di settembre.

S'infilò il costume sotto un vestito hippie. Con le cuffie nelle orecchie, urlava *viva la vida*, mentre si stendeva lo smalto turchese sulle unghie dei piedi. Mi tolsi i mocassini, i pantaloni scuri, indossai jeans e trainers.

Costantino arrivò con la sua vecchia Mercedes ammaccata dagli anni, *ha più chilometri di me e di te*, il tettuccio aperto. Saltammo dentro. Giovanni era lì dietro, ricordavo di averlo lasciato su quel sedile molti anni prima.

– Ciao Giovanni.

Aveva un paio d'occhiali da sole con la montatura arancione, oscillava la testa. Balbettò un *ciao* gutturale e lunghissimo. Leni si mise accanto a lui.

– Hi darling...

Giovanni emise un gemito, s'irrigidì. Costantino fece una battuta nel suo pessimo inglese... *non è abituato ad avere accanto una modella*, e Leni rise.

Lasciammo Roma come una tranquilla comitiva di amici, attimi irreali, di totale sospensione da tutto. Guardavo le quinte dei palazzi alle mie spalle che si chiudevano come in un cambio di scena a teatro... Cominciò l'erba e il grande viale del raccordo. Costeggiammo quella spiaggia sporca, quel recinto marino dove avevamo camminato vicini in attesa di un futuro che adesso sembrava saltarci incontro, di una pace che adesso sembrava arrivata. Un aereo passò sopra le nostre teste.

Guardammo la strada, quello che se ne andava...

Ci immettemmo nell'autostrada, quel grigio nastro silenzioso che scivolava sotto le ruote, la vegetazione di oleandri nello spartitraffico, un autogrill sospeso. E fu come lasciare indietro davvero tutto.

Avevo il gomito fuori dal finestrino, guardavo il suo profilo... quella situazione inaspettata... qualcosa che avevo sperato, tanto tempo fa. Quante volte avevo immaginato una soffice fuga.

I ragazzi erano dietro, mi voltai a sorridere. I nostri ragazzi... quella comitiva sbalestrata, Giovanni con gli occhiali da rockstar, la principessa della giungla con il laccio del bikini al collo... e noi due, lui con i suoi chili di troppo, io troppo magro, con i miei capelli rossastri e radi che spazzati dal vento dovevano essere terribili.

Costantino indossava una semplice T-shirt.

Superavamo Caianello ed eravamo ringiovaniti di infiniti anni. C'era vento, Leni non capiva l'italiano, Giovanni era nel suo mondo... così potevamo parlare tranquillamente, sussurrarci tenere parole d'intesa.

– Ti piaccio ancora...

Anche lui era bello quella mattina, il volto rilassato, il petto aperto. Guardavo il suo braccio forte, la sua mano gentile.

La infilò nel cruscotto, cavò fuori il vecchio Lou Reed. *Don't you know, they're gonna kill your sons... until they run run run run run run run away...* Gli avevano fatto l'elettroshock, a Lou Reed, a quattordici anni, per curarlo dalla bisessualità... il padre e la madre, le persone che dovrebbero amarti e rispettarti e mai negarti... ne avevamo parlato una volta.

Avevo voglia di mettergli la mano sulla nuca, in quel buco dove cominciavano i suoi capelli con quella punta, come una specie di cuore.

Ci fermiamo in un autogrill per far mangiare un panino ai ragazzi.

Mi avvicino al frigorifero del ristoro per prendere dell'acqua. Ci guardiamo smarriti, le ciglia di Costantino si aprono e si chiudono intorno all'occhio.

– Vado al bagno.

Seguiamo semplicemente il moto. Tacchini decapitati che avanzano con gli impulsi residui dei muscoli e dei nervi, più che sufficienti per scendere le scale. La cicciona con il carrello e i guanti blu ci vede entrare. Ho buttato un euro nel suo piattino di peltro. L'ultima cabina è la migliore. Ci chiudiamo lì dentro. Restiamo semplicemente abbracciati per qualche secondo. Quando usciamo Leni è lì, ha accompagnato Giovanni al bagno dei maschi, lui è dentro, in una di quelle cabine, quella con la porta aperta. E così per un attimo siamo tutti nello stesso cesso.

– He was pissing his pants, dad.

Sorride, sembra lei quella imbarazzata. Mi porto una mano al cuore. Potrebbe essere un infarto. Il petto è una lastra rigida. *Dio, fa' che non abbia capito.* Perché adesso so che la mia più grande paura è quella, è che Leni possa *vedermi*. Se mi *vedesse* non avrei più pace. E per un po' la strada è un groviglio di rotaie nere che si sollevano e si agitano insieme al mio terrore.

Usciamo dall'autostrada, il mare è lì accanto. Una benda azzurra, infinita. Fermiamo la macchina, scendiamo sulla spiaggia. Ha piovuto da poco, la spiaggia ha quella crosta vergine e quell'odore di puro mare, di natura che si è rovesciata e poi è tornata. Leni si spoglia subito, corre in acqua con il suo corpo da modella, io sono bianco e rachitico e ho freddo. Rimango con la maglietta e lei mi schizza, e così cedo e tutti facciamo il bagno. Costantino salta tra le onde, e io guardo il suo grande corpo in controluce... e sento che ogni momento di questa giornata inventata è semplicemente caduto da un cielo che finalmente sembra volerci tutti, insieme, ognuno con le proprie difformità. Adesso nuota con il figlio. Si immergono in quell'acqua ancora imbevuta del freddo della tempesta. Costantino è il miglior nuotatore che abbia mai visto, violento e leggero, spazza l'acqua, sembra camminarci dentro e sopra senza alcuno sforzo. In acqua è un altro uomo, è libero. Anche Giovanni è a suo agio, il padre lo ha immerso fin da piccolissimo, nuota alla sua maniera, scuotendo troppo la testa, rovesciandosi a galleggiare di colpo.

Si spingono fino al largo, Costantino emerge soltanto per sputare acqua, sembra un immenso delfino che avanza scortando una piccola anatra. Torna a riva con il figlio sulle spalle, il corpo liscio appoggiato al suo come un guscio. E anche quella scena appare da una vita che ho immaginato mille volte. Lui è a pochi passi da me, e io sono in pace. Ci bagniamo nello stesso mare.

Leni si stende a prendere il sole. Costantino mi raccoglie la mano, me la bacia. Giovanni è lì accanto a noi, ma lui è un testimone muto. Questo fatto me lo rende caro, il fatto che lui veda ma non si stupisca di nulla. Il suo mondo è migliore del nostro. Il muro che ha dentro non ha giudizio ma soltanto passione e dolore. Lo sguardo degli animali che hanno già visto la vita molte volte. Mi alzo e gli compro un gelato, se lo mangia sull'asciugamano.

– Si rovina la cena – dice il padre. – È facile viziare e poi scomparire...

Sorride. No, stavolta non scomparirò, ho intenzione d'invecchiare accanto a lui, a loro. Giovanni si agita, diventa morboso con il padre.

– È geloso...

Più tardi restiamo a guardare le schiene dei nostri ragazzi piegati sul bagnasciuga. Leni tenta di educare Giovanni ad ammassare un castello, ma lui ci salta sopra con i piedi. Scava, quello sembra piacergli, e così lei lo asseconda e scavano. Giovanni alla fine s'infila nella buca e Leni lo copre. Si volta verso di noi, sporca di sabbia fino ai capelli.

– At least he'll stay still for a while...

La spiaggia comincia a popolarsi troppo e noi ce ne andiamo. Ci fermiamo sul sentiero per lasciar passare famiglie di paesani con gli ombrelloni e i coccodrilli gonfiabili. Giovanni adesso non vuole camminare e il padre si mette al collo quel corpo troppo grande, sale sudando, gli occhi bassi sul sentiero. Sono dietro di lui e ancora una volta vedo la sua schiena, le sue smagliature... e quel viaggio in salita, controcorrente, ancora una volta, racconta tutto il suo destino.

Pizze mangiate sui cartoni, due birre. Ci siamo ustionati. Potrei friggermi un uovo sulla testa. Giovanni sputa con la cannuccia. Si è innamorato di Leni. Le pianta la testa nella pancia come fa con il padre. Lei gli parla in inglese e lui sembra ascoltarla. Adesso lei fa i versi degli animali, gracchia come un corvo, bela come una pecora. Giovanni ride, guaisce. Restiamo a guardarli, quel giovane indifeso e Leni che ha quella capacità di farsi capire, di scivolare dentro l'ignoto senza alcuna fatica. Sono così orgoglioso di lei, e di nuovo sono convinto che abbia già vissuto molte vite prima di questa, lunghi fili di saggezza e di amore. Costantino si alza per liberare Leni da quella morsa ossessiva. Ma la mia figlioccia scuote la testa, stringe il ragazzo.

– He's so sweet... leave him be, please...

Gli cede un auricolare e ascoltano i Coldplay, dondolano insieme.

Adesso Giovanni è stanco, si spinge i pugni negli occhi. Butta per terra il cellulare di Leni, lei simula clemenza... *if you break you pay, the broken bits you take away...*

Abbiamo preso un'unica camera, una di quelle con più letti, quelle quadruple per famiglie. Non è questo che vogliamo sentirci, alla fine dei giochi e del sole? Una famiglia. Stanotte. Affannata, sghemba, acciaccata, la nostra famiglia con due capifamiglia, due maschi che meritano uno straccio di rispetto, una pillola di ristoro. È fine estate, è un residence svuotato. A noi sembra Las Vegas.

Giovanni salta sul letto con le molle rotte come una molla rotta. Costantino è in canottiera come un vero operaio, ha la sua pancia e i suoi anni, è semplicemente l'immagine più sexy del mio illimitato immaginario.

Leni, con le sue culotte, già un po' storta per quel dormitorio. Ha sonno e c'è troppo casino e quel freak del cazzo le ha rotto il cellulare.

Costantino lava i denti al figlio, gli fa la doccia. Gli stende la crema Nivea sulla schiena bruciata, massaggia, soffia. Assisto alla dolcezza, alla premura con cui l'accudisce... uno di quei fisioterapisti con le mani grosse e morbide che sanno toccare la profondità.

Quante cose non so di lui, quante cose vedo stasera. Stasera vedo che staremo insieme, comunque vada staremo insieme.

Mi ha raccontato che d'estate nella casa di Anzio dei genitori di Rossana dorme all'aperto, su un materassino di gomma, che neanche la moglie lo cerca più. Le femmine dormono insieme nel lettone, scendono al mare tardi, sotto il sole peggiore. Giovanni invece si sveglia prestissimo, lui gli prepara la colazione e lo porta in spiaggia prima di chiunque altro. Fanno una vita a parte, il suo compito in famiglia è solo quello, alleggerire la moglie e la figlia del peso sociale del ragazzo.

– Cosa ne sarà di questo figlio...

– Starà con noi – gli ho detto. – Tutto quello che tu ami è mio.

E non sentirti più in colpa, perdio.

Ha quella sua croce d'oro al collo, così italiana. Si è piegato per dire la preghiera con Giovanni. *Padre nostro che sei nei cieli... Costantino mio che sei in terra*, ho pensato. Naturalmente ho bevuto un po', e sono brillo, e apro la finestra e fuori c'è l'aria del Sud, di questo mare grande che tutto unisce e tutto mischia e solo una cosa trascina, amore, amore mio infinito. Amore mio oltre le tempeste e i sogni, amore mio oltre gli orchi e la vergogna, amore dolce, amore violento, amore violato. Amore.

Quando i ragazzi si addormentano restiamo a fumare sul piccolo balcone.

È una limpida notte, alle nostre spalle quei corpi giovani, sudati. Il ragazzo scalpitante adesso è fermo. *Vieni Costanti', lo senti, tutto tace. La vita non ci ha cavato niente, e se anche c'ha cavato tutto, tutto ci rende stasera. È questa normalità che tanto c'è mancata, questa la quiete che tanto desideravamo. Siamo una coppia, vedi. Possiamo esserlo. Chi ci sputerà in terra, chi dal cielo? Il tuo Gesù Cristo? Ma quello è nostro anche lui. Che ci fa con tutti quegli angeli, e perché sono maschi ma non hanno sesso?* Lui ride. Riesco sempre a farlo ridere.

– Sei matto, Guido, sei ubriaco.

– Completo.

– Andrai all'inferno.

– Prenotato.

– Io non ci vengo.

– Certo che ci vieni, mi sei sempre venuto dietro.

C'è solo una lampada accesa. Gli occhi di Costantino si riempiono come meduse luminose, e anch'io devo respirare fino in fondo perché penso alla nostra tenda, a tutte le cose mosse, trascinate, sbattute.

Si lava i denti, fa i gargarismi con il collutorio.

– Così lento sei, che palle, così noioso...

– Ho la gengivite...

Sarà una rottura di coglioni invecchiare con te. Dovrò imboccarti, metterti la padella... Forse, forse... Ridiamo sotto pelle nel silenzio per non svegliare i pulcini. È uscito dal bagno con un timido pigiama chiuso fino all'ultimo bottone. *Vergine santa, Ave Maria. Sei contro ogni tentazione... Non credere sai, non credere, tenti e tenterai. Buonanotte mio eroe. Buonanotte Guido.* Ci stendiamo vicini, ci teniamo la mano.

Leni il mattino aiutò Giovanni a vestirsi, lo scortò a colazione, gli imburrò il pane. Quella selvatica pigrona che a casa sua non metteva neanche il piatto nell'acquaio rivelò insospettate doti terapeutiche. Giovanni succhiò dalla tazza con un rumore da lavandino, ma non fece cadere neanche un goccio di latte.

Salimmo in macchina, un calabrone entrò, Leni urlò e Costantino lasciò il volante per scacciarlo e rischiammo la morte giù dai tornanti. Ma siccome non era ancora la nostra ora, ascoltammo di nuovo e per sempre Lou Reed.

Ci fermammo a Matera. Fu l'ultima tappa, il paese di Costantino era a una cinquantina di chilometri da lì. Mi sentii sollecitato a fare un po' il professore e guidare il gruppo vacanze giù nel vallone bianco, in quei *due mezzi imbuti separati da uno sperone di roccia* dove il Cristo di Carlo Levi passò prima di fermarsi a Eboli.

Camminammo in quel presepe paleolitico di tufo lunare, che di punto in bianco ci saltò addosso e capovolse i sentimenti e di nuovo tutto fu confuso e perduto e ci sentimmo trascinati indietro.

Grotte, buchi primitivi nel fianco della roccia. Strati su strati di architettura, di morti e di vivi che s'affacciano e moriranno. E di colpo ti chiedi quanto vale resistere... Saremo tutti larve nel fumo della terra, nell'olio del suo dolore. Questo presente è tutto quello che abbiamo, che possiamo toccare. Siamo già visioni di un'altra era, scaraventate indietro.

Avanzavamo in quel giardino di pietra nel sasso caveoso, storditi dal caldo che sospirava dalla pietra, in punta di piedi quasi, perché davvero era un salotto scolpito e noi eravamo ospiti ingrati e chiassosi... i morti in alto, sepolti sui tetti delle chiese rupestri, i vivi in basso, il gocciolio delle vecchie cisterne, le celle dei monaci benedettini... tutto quel gravitare sotto i piedi... Facevo la mia lezione, ma a un certo punto la mia voce mi suonò vana e odiosa e mi zittii e tutti tacemmo, levitati dentro, affumati dal fluido di tutti quei terrazzamenti di civiltà che agonizzavano incandescenti ancora, murati sotto di noi.

Il sole incocciava, era l'ora di pranzo e la gente sembrava risucchiata... così per un pezzo quel labirinto fu solo nostro, e ognuno compose i propri pensieri. Leni camminava avanti e la sua figura quasi si liquefaceva. E per un attimo pensai a *Picnic ad Hanging Rock*, a quella ragazza risucchiata nel calore bianco. Sfiorai la mano di Costantino... Tutto era lì e tutto non era già più lì, come tutte quelle vite impastate con la pietra, il loro passato, il loro divenire.

Giovanni era a pochi passi da noi. Il padre gli aveva comprato una girandola che lui faceva girare, poi smise il gioco, trascinava lo stecco di plastica battendo sui muri come un cieco, un lebbroso. Non so cosa... ma so che lo pensai guardandolo, guardando quella testa mitologica, murata come quella pietra. Pensai che era il suo luogo quello, quel cuneo primitivo di sangue imprigionato nei graffiti, di grida coperte dal sole... Ma furono solo ombre, spettri nemmeno formulati, sensazioni scaturite da quella pietra fasciante e solitaria.

Un attimo dopo, Giovanni era scomparso.

– Giovanni! Giovanni! Giovanni!

Cominciammo a chiamarlo, il torpore si ruppe, l'allerta ci riportò violentemente al presente, al fatto. Da principio senza troppa forza, non poteva essersi allontanato più di tanto. Ma perdemmo subito il controllo dei nervi e dei pensieri, violentemente il panico s'aprì, pietrificò il labirinto.

Corremmo tutti, nella stessa direzione, allungandoci nei vicoli, negli orti pensili. Leni aveva gambe lunghe e veloci, prese ad arrampicarsi, a scomparire e a riapparire correndo. Un solo richiamo abitò il silenzio... i nostri passi affrettati, maldestri, agitati. Qualcuno s'affacciava da quelle case sepolcrali, il presepe si animò di presenze surreali, per un attimo sembrò che tutta la vita sotterranea s'ergesse... e davvero vedemmo il capovolgimento. I morti in alto, il cielo sotto i piedi. Costantino si piegò nelle cisterne, si graffiò nei rovi, negli speroni, scese nelle celle... Fu un terrore caleidoscopico, che si posava indietro... Vidi la caverna aprirsi sotto i nostri piedi, come uno specchio che trasmutava immagini. Ci guardammo affacciati in una cisterna e l'acqua nera e greve ci inghiottì... e io mi sentii colpevole, indicibilmente colpevole e non ne avevo ragione, eppure sì, ero colpevole.

Poi ci separammo e furono secoli di travaglio e affanno e pensieri che portavano spavento. Quel luogo archeologico tirava fuori antichi grovigli psichici... quegli imbuti sotterranei, quelle case ammassate, infilate nella terra come tizzoni di un inferno che adesso si rivelava. Costantino corse fino al colle della Civita, gridò il nome del figlio fino allo sfinimento, un latrato davanti all'altopiano della Murgia. E io sentii che perdendo Giovanni avremmo perso tutto. La nostra vita sarebbe finita quel giorno. Perché pure se guardarlo significava chiudere il cuore in un carcere, fuori da quelle grate c'era tutto l'amore di suo padre.

Fu Leni a trovarlo, *the fucking idiot*. Non s'era mosso di molto. Se ne stava a pochi metri da noi, dietro un masso, stretto alle proprie gambe, dondolava come un uovo di carne. Forse la nostra paura lo aveva spaventato. O forse voleva darmi una lezione. Doveva avere una sua percezione molto più profonda e misteriosa. Era l'unico che aveva capito. Quell'uovo di sasso.

Il padre gli strinse la mano e gliela tenne con dispetto, con forza, come mai faceva. Il terrore scolò ma non del tutto, restò un residuo greve, un pallido frammento variopinto che ci rimandava indietro a tante paure, e all'unica paura della vita. Per ognuno diversa, eppure identica. Camminammo separati. E ognuno di noi aveva fatto un viaggio.

Lasciammo Matera, e per un pezzo restammo stonati.

Leni adesso aveva fretta di tornare dalla madre.

Costantino guidò fino all'aeroporto di Bari in silenzio, come un autista. Avevamo un volo diretto da lì. Lui avrebbe proseguito fino al suo paese, avrebbe lasciato Giovanni dai suoi genitori, poi avrebbe approfittato per visitare qualche vigneto più a sud, a Melissa, a Crucoli, a Cirò Marina.

Scendiamo dalla macchina. Quei due giorni ci sono sembrati

un'intera vita. Le ciglia di Costantino si aprono e si chiudono intorno all'occhio. Giovanni, la sua testa che non vuole staccarsi da Leni, batte dentro.

C'era da aspettare, salimmo con la scala mobile, ci sedemmo a mangiare. Io feci lo scontrino, *che vuoi? Pizza? Yes, dad. E da bere?* Portai il vassoio, cadde la Coca-Cola, ci buttai sopra un mucchio di carta.

Guardai la vetrata. Poco più in là c'era il mare... Il cellulare sibilò. Non trovavo più gli occhiali, avvicinai lo schermo per leggere il messaggio. Cercai ancora gli occhiali, probabilmente li avevo dimenticati nella macchina di Costantino o forse li avevo perduti correndo. Cominciai a sudare, ad agitarmi. Pensai che in aereo non avrei potuto leggere, mi sentii perso. Entrai nella farmacia open space lì accanto, mi avvicinai al trespolo degli occhiali, ne presi un paio, li provai, i gradi erano sbagliati, cercai di rimetterli al loro posto ma l'etichetta prese il gancio, tirai, non so come tutta la fila d'occhiali rotolò giù. Mi ritrovai per terra, Leni si curvò per aiutarmi... ci ritrovammo vicini come quando c'eravamo conosciuti, quel giorno lontano sul Tamigi, quando io ruppi la sua borsa e ci mettemmo a raccogliere perline sul molo. E come allora tutto sembrò sfuggirmi dalle mani...

– Non posso partire, devo sistemare ancora delle cose...

La guardai negli occhi e non sapevo cosa stavo facendo, ma lei annuì.

Chiamai Izumi, le dissi che avevo ereditato un quadro, che volevo provare a venderlo in Italia. Accompagnai Leni al check-in, attesi che il suo bagaglio passasse il nastro dei controlli. Ci salutammo attraverso il vetro. Lei accese la telecamera e filmò il passaggio... *Take care.*

Mi sedetti fuori sui carrelli, respirai. Aprii la borsa, tirai fuori la camicia rossa un po' scolorita, quella delle nostre battaglie migliori, mi tolsi le scarpe e i calzini lì in terra. Comprai un pacchetto di sigarette e ne fumai due. Rientrai per prendere una bottiglia d'acqua, la scolai e la buttai nel cestino. La gente entrava, trascinando trolley, carrelli carichi. Guardai un aereo alzarsi. Costantino arrivò dopo un bel pezzo, rallentò con la portiera già aperta.

– Ciao ragazzo.

– Sei rimasto.

Voglio stare con te, mi aveva scritto in quel messaggio.

Gli misi una mano tra le gambe, chiuse gli occhi un attimo.

– Così moriamo.

– Sarebbe ora.

Lo sportello del cruscotto s'aprì, rotolò fuori un rossetto, roba di sua moglie. Me lo strofinai sulla bocca.

– Mi trovi ancora bello?

– Molto di più...

Gli sollevai la maglietta e gli piantai un lungo bacio rosso sul petto.

– Mi ami?

– Lo sai.

– Dillo, urlalo forte.

Scuote la testa, è sempre lui, la piccola staffetta, l'impavido ragazzo dalla testa china, dal cuore saldo ai buoni principi della famiglia e della patria. Ma io sono la troia più tenera e amabile. Urla che andrà fuori strada, che farà un altro incidente, stavolta davvero mortale. Sarebbe un finale possibile schiantarmi con lui, non uscire mai più da questa macchina. Come Thelma con Louise.

– Ti amooo!

Urla e lo stringo ancora più forte.

Il tettuccio è aperto e io mi affaccio con il petto e lo grido alla natura, ai cespugli e alla sabbia.

– Mi amaaa, mi amaaa...

Saluto un camion che passa.

Poi torno dentro e lui ansima. Siamo noi. Quelli di una volta. Quei piccoli ramarri lì. Mette la freccia, mi guarda...

– Forse è meglio che accosto...

Se qualcuno ci avesse visti avrebbe riso di noi, ci avrebbe trovati ridicoli, patetici, finocchi. Ma nessuno sapeva la verità, solo noi conoscevamo quella terribile nostalgia dell'amore, che era la nostalgia di noi stessi, della nostra anima profonda. Era la nostra luna di miele, rimandata per trent'anni.

– Dove mi porti?

– Dove vuoi tu.

Continuammo a dondolare nella macchina, scesi sculettando, raccolsi un fiore e glielo misi dietro l'orecchio, un grande fiore spampanato e profumato.

Ci guardammo ed era davvero ricominciare da capo. Da una verginità che sussurrava nel silenzio della natura. Era l'inizio di settembre.

Giriamo per vigne, facce di uomini lavorate dal sole ci vengono incontro. Costantino si china, schiaccia i germogli, li annusa, parla quel suo gergo enologico. Costeggiamo viticci ordinati come grate di una prigione, scivoliamo in cantine umide con grosse botti dove fermenta il vino, assaggiamo un formaggio che odora di vermi e substrato, di noi.

Dormiremo insieme, è questo che penso, che non c'è alcuna fretta perché dormiremo insieme. Sono millenni che non dormiamo insieme. Che non chiudiamo gli occhi vicini.

Immagino una vita, la nostra, docile, accoppiata. Darsi la mano, fermarsi a comprare un po' di viveri, aspettare la notte. Non voglio dovermi separare mai più. È assurdo farlo.

– Andiamo a vedere i Bronzi di Riace, quello con la barba, quello senza un occhio...

Avevamo camicie chiare nella notte. Costantino aprì le braccia come un vecchio angelo.

– Mi sento libero, Guido, libero...

C'eravamo comprati due cappelli di paglia, li lanciammo, li riprendemmo. Ci fermammo a mangiare in un paesotto balneare sfregiato dall'edilizia abusiva. Una paninoteca con un maxischermo spento e le slot machine, tirammo giù qualche colpo, ridemmo, perdemmo. Risalimmo in macchina. Prendemmo la strada del mare, scivolammo sui tornanti accanto a quella distesa luminescente. La luna era quasi piena, mancava solo un occhio, un morso. Accostammo accanto al guardrail abbozzato. Costantino aprì il bagagliaio, strappò lo scotch a una di quelle casse di vino per prendere una bottiglia. Vidi una corda abbandonata lì accanto, la presi, la toccai con le mani e mi sentii gelare, c'era un cappio già fatto.

– A cosa ti serve?

– A niente, adesso.

Appendersi a un albero, era quello che prima o poi contava di fare. Era quello che pensava ogni volta che prendeva la macchina e partiva. Raccolse la corda e la lanciò dall'alto in mare, con un urlo da ciclope.

Scendemmo gli scogli, raggiungemmo la spiaggia, camminammo nel buio fino alla riva. Ci spogliammo e facemmo il bagno. L'acqua era tiepida e aveva un suo chiarore, si poteva vedere il fondo... Scivolammo in silenzio, davvero come pesci. Costantino nuotò nel buio e io ebbi paura. Il mare era fermo. Poi tornò sott'acqua. Riemerse accanto alle mie gambe come un grande Nettuno. Mi sputò mare addosso. Ci baciammo, ci rovesciammo. Tirò fuori il cavatappi del suo coltello svizzero e aprì la bottiglia, bevemmo al collo di vetro. Faceva appena freddo, la sua pelle era leggermente turgida. Era molto sensuale, il telaio dei muscoli era ancora visibile, e quel po' di pancia gli stava bene. Avevamo vissuto, certo, ma non vicini.

– Cosa conti di fare?

– Niente, quello che sai.

Avevamo parlato a lungo quella sera. Lui sembrava incredibilmente deciso. Tutto il coraggio che non avevamo mai trovato da ragazzi adesso era lì, fermo davanti a noi come quel mare.

Di fatto viveva già separato dalla moglie.

– Voglio essere me stesso, Guido. Adesso posso essere me stesso.

Lì davanti c'era la Grecia, a poche miglia di mare, una nave passava, un traghetto di turisti diretto a Patrasso. Per un attimo immaginammo d'essere lì sopra, con gli zaini, più giovani di molti anni... ricordammo quella gita, quell'insenatura, quel baracchino abbandonato con il cartello VENDESI. E tutto ci sembrò così vicino. Il mare era nostro amico, fluiva lento sui ciottoli con un unico ricciolo, sembrava non dover accogliere più nessuna tempesta. Costantino aveva il fiato corto del fumatore, io avevo una lucente fronte calva. Non eravamo più così giovani, ma nemmeno vecchi. Le emozioni si erano depositate e finalmente ci eravamo raggiunti. Ci sarebbe voluto un po' per organizzarci, avremmo fatto le cose per bene, ordinandole al meglio. Non c'era altro da fare, non eravamo cani, eravamo stanchi di comportarci come cani, di leccarci e ringhiarci. Avremmo chiesto scusa alle persone care, non ci saremmo vantati di noi stessi, ma nemmeno il contrario. Non c'era una tenda su quella spiaggia, ci alzammo e cercammo un rifugio nella roccia alle nostre spalle.

Quella grotta, quella quiete. La stanza nuziale dei vivi, degli atleti che moriranno. Siamo due uomini, e allora? Chi vuoi che noti da lassù, dal coperchio celeste, questa piccola differenza nell'abisso delle bestie umane? Gli carezzo la schiena. Facciamo l'amore come la prima volta, con lo stesso ardito stupore. La violenza è morta, stanotte. Tutto tace. Lui è una vergine gravida.

Naturalmente non ricordo, il suo petto era semplicemente il posto più sicuro del mondo.

Dopo avrei ricordato, quando avrei cercato di mettere insieme i pezzi. Quei ragazzi nella paninoteca accanto ai videogiochi che vi hanno guardato, quando siete entrati e vi siete rintanati in quel tavolo accanto al cesso... vi siete dati la mano sotto quel tavolo, e lui ha sculettato un po' mentre portava dal bancone i bicchieroni con l'ombrellino di carta e il pezzo di ananas. Una bibita tropicale, finta, come tutto quel mare che non sono i Tropici, ma eravate contenti. Una piccola luna di miele che per voi è una crociera e quel posto di merda è lusso, è sfavillante, perché la vostra intesa è il lusso, gli occhi che s'incontrano e non vogliono più essere così timidi.

Vi siete guardati a lungo, e avete dimenticato il fondale intorno... Quei ragazzi incollati ai videopoker. Forse sono loro che vi hanno seguiti. Avete dato spettacolo senza accorgervene. Che spettacolo sarà mai, lo spettacolo dell'amore? Siete due maschi, certo, e non così freschi e tonici, forse siete addirittura fragili, dovrebbero farvi un applauso. Forse lui si è commosso a un certo punto, quando su quel tavolo sporco tu gli hai dato un braccialetto di corda. L'hai comprato dal ragazzo africano che si è fermato a parlare con voi, ha tirato giù il suo carico da cammello, i suoi calzini e i suoi manufatti da spiaggia e avete scherzato con lui... *Amigo fai vedere, quanto costa amigo, buona fortuna amigo...* e tu per la prima volta in tanti anni che lo conosci hai pensato *è lui, è completamente lui, è felice.* Allora hai teso la mano per togliergli quella lacrima e ti sei fermato su quell'occhio bellissimo, che solo tu sai quant'è bello, che solo tu hai visto morire e rinascere e sai che non ha avuto molto e sai che merita tutto, sai che non siete più giovani, ma non definitivamente fottuti, e tu vuoi dargli tutto ma non sai come dirglielo, allora gli stringi quel braccialetto al polso e gli dici *ecco, è su questo tavolo di metallo sporco che si consuma l'amore, è su questo mare silenzioso e rapito come noi, è tutto questo il nostro splendore.*

Forse sono quei ragazzi con gli occhi flashati che vi hanno seguito, che hanno pensato di dare una sterzata al buio.

Che posto è quello? Un lembo di terra tra la Calabria e la Puglia, un paese con un nome che di sicuro ricorderai per tutta la vita. Siete lì, in quella grotta appartata, esposti. Il rumore del mare copre la paura. Il rumore del mare coprirebbe qualsiasi urlo. Avete paura, ma è una paura che appartiene a un tempo lontano, alla paura di perdervi che ogni volta torna.

Costantino era sopra, il primo colpo arrivò a lui. Sentii il sapore del suo sangue nella mia bocca. Provò a sollevarsi. Urlammo, ci coprimmo con i gomiti. Ci trascinarono fuori.

Mi svegliai nel sangue. Strisciai fino al suo corpo. Non rispondeva, ma il suo petto si muoveva. Provai a rizzarmi, tornai a cadere. Strisciai sugli scogli fino alla strada, su un braccio solo, trascinandomi dietro l'altra spalla. Non pensai a nulla, solo a Costantino che stava morendo, che forse era già morto. Una macchina rallentò, una coppia anziana, contadini, forse, che andavano nei campi. Era l'alba. L'uomo scese, mi toccò con un bastone come si fa con i serpenti schiacciati, quando temi che possano ancora saltarti addosso. Parlò in dialetto. Sollevai la testa. Se ne andarono. Ma probabilmente furono loro ad avvertire i carabinieri.

So che mi trovarono così, come un serpente acciaccato al margine della carreggiata. Sentii la frenata, il puzzo forte del carburante. Vidi una figura sfocata e capovolta avvicinarsi a me. Ripresi conoscenza sull'ambulanza. Urlai il suo nome, ma non mi compresero.

So che lui venne trovato molto dopo di me, che dovettero tornare indietro a prenderlo. Scesero sulla spiaggia e lo raccolsero dietro gli scogli, e si sorpresero che respirasse ancora, pareva uno di quei tonni persi alla rete dopo la tonnara.

Non so quanto dopo mi svegliai, ma era notte. Ero sotto il mare da molto tempo, coperto di granchi che risalivano la marea, il corpo di Costantino sbatteva, trascinato dalle onde che adesso entravano nella grotta, e io cercavo di portarlo in salvo. Nausea di mare e sangue che risaliva dallo stomaco, a fiotti, trascinando un dolore inaudito che raggiungeva la testa. Di nuovo mancavo. Per molte ore non feci altro che svenire e lottare per non svenire ancora. Eppure credo che rimasi sempre presente. Il mio sforzo fu principalmente quello, sollevarmi dallo stato catatonico. E non seppi se morivo o tentavo di nascere.

Sentivo il sapore dolciastro dei medicinali in fondo al fango, sapevo che tentavano di stordirmi, che una figura si avvicinava e mi tirava giù il braccio. Lottavo contro quella presenza, ne sentivo il respiro ma non potevo difendermi. Vedevo solo assassini intorno a me. Finalmente riuscii a intravedere qualcosa, oltre la fessura tra le ciglia. Una figura robusta, un respiro rumoroso. Chiesi di Costantino, invocai aiuto. Una mano mi spinse in basso. Urlai così forte.

Lui era in terapia intensiva, ancora sedato. Lo seppi il pomeriggio del giorno dopo. Fu l'infermiere grasso a dirmelo, a portarmi lo specchio che gli chiedevo. Intravidi un rospo tumefatto, la testa fasciata, due testicoli invece degli occhi.

Mi abituai all'odore di quel luogo, ai suoi rumori, al suo silenzio. Non mi fidavo di nessuno di loro, ma dovetti fidarmi. Il dolore delle tumefazioni interne premeva su ogni organo.

Mi avevano messo da solo, in una stanza con altri due letti vuoti accanto. Non era una delicatezza, era un confino. Nessuno parlava. Gente con le bocche tappate. Non potevo certo mangiare, eppure assurdamente mi portavano i pasti. Mollavano lì il vassoio e tornavano a ritirarlo intatto, senza degnarmi di uno sguardo. Mi avevano operato, lo capii dal drenaggio. L'infermiere entrava a cambiarmi il sacchetto. Quando mi cercavano la vena, in due mi tenevano fermo il braccio, capii che avevano il terrore di pungersi con il mio ago. Dalla benda in testa il sangue mi colava nell'occhio, lo videro, ma nessuno aveva voglia di fasciarmi di nuovo. Provai a lamentarmi, poi smisi.

Al mattino presto entrarono tre persone, due ragazzi in divisa che restarono in piedi e un uomo con un giubbotto di camoscio color aragosta che prese l'unica sedia, raschiando il pavimento, se la posizionò tra le gambe nel verso contrario, come nei film western.

Appoggiò il mento e i gomiti sulla spalliera, nelle mani un giornale arrotolato. Riuscivo a malapena a vedere quella faccia, udivo quella voce insinuante che non faceva nulla per celare il disprezzo, che m'incalzava con domande assurde alle quali non ero minimamente in grado di rispondere. Doveva essere un fumatore accanito, non faceva che schiarirsi la voce, staccarsi i catarri dalla gola, e per tutto il tempo ebbi l'impressione che volesse sputarmi addosso. Prima d'andarsene aprì il giornale alla pagina locale. Vidi le nostre fotografie, quelle dei passaporti, sotto un titolo insultante.

Poi il volto di Izumi si materializzò. La sua mano stringeva la mia. Chissà da quanto. Non mi chiesi come mai fosse lì, come c'era arrivata. Mi sembrò naturale. Entrò nella stanza con la sua larga faccia bianca, i neri capelli raccolti. Posò la borsa, lentamente fece scivolare il foulard che aveva al collo.

Non sapevo cosa le avessero detto, sembrò semplicemente rimettere in ordine i pensieri. Era allarmata, ma non stupita.

Izumi era una fuoriuscita, la sua famiglia era stata perseguitata. Aveva una sorta di bussola che nei momenti peggiori riusciva a posizionare. Mi guardò, e subito cercò il nord in quella stanza, la direzione verso la quale saremmo andati.

Tirò fuori la sua poca roba, la sua borsetta con lo spazzolino e le scatole per le lenti a contatto. L'infermiere tirò giù uno di quei materassi, mollò lì le lenzuola. Si fece il letto da sola. Mangiò il mio vassoio di cibo. Si stese sul letto.

Nessuno dei due dormì veramente. Ma credo che sognammo insieme le macerie sulle quali camminammo per tutta la notte. All'alba Izumi era alla finestra, avvolta nella sua vestaglia guardava fuori. E davvero c'era l'aria tersa dei grandi eventi che puliscono, cancellano pensieri e intenzioni che non servono più a nulla.

Riuscivo a parlare. Le dissi esattamente la verità, che ci eravamo appartati, che era una storia che andava avanti da sempre.

Mi lasciò piangere e credo che davvero avesse pena di me. Sentivo che non sarei più riuscito a vivere.

Andò in bagno, si lavò il volto, si cambiò. E rimase lì come una qualunque moglie che assiste un marito malato. Un operaio caduto da un'impalcatura. Un incidente sul lavoro.

La sua schiena ritta e immortale cercava una speranza per noi. Poi la vidi piegarsi, nei giorni successivi, ma mai completamente. Come qualcuno entrava si ritirava su, ristabiliva i confini.

Ero coinvolto in uno scandalo sessuale che riempiva le pagine dei giornali locali. Ma lei non sembrava considerare la sua tragedia, guardava oltre, metteva a fuoco le necessità di quelle ore. Si posizionò tra me e il gretto mondo di quel luogo in fondo allo stivale. Gonfiò il manto di un istrice, cavò fuori punte per difendermi.

Tornò il commissario. Si accomodò, si mise di nuovo la seggiola girata sotto il culo da sceriffo. Izumi aveva gli occhiali sul naso, gli tese una delle sue mani piccole e fredde.

– Do you speak English?

– Purtroppo nemmeno il giapponese, desolato.

Riprese l'interrogatorio, lanciando occhiate d'intesa e allusioni in dialetto ai due piantoni accanto a lui. Voleva sapere come stavamo messi, chi sopra, chi sotto, se c'erano altri uomini con noi. Provai ad aprire gli occhi affondati nel cervello. Chiesi di Costantino, avevo paura che non ce l'avesse fatta e che non me lo dicessero. Il commissario si mise in bocca una sigaretta spenta, disse che non avevano ancora sciolto la prognosi, che lo avrebbero interrogato tra qualche giorno.

Izumi conosceva poco l'italiano ma decifrava ogni bassezza di quel mellifluo ispettore che voleva soltanto offenderla, dare prova della sua virilità al capezzale di un pervertito esibizionista.

Non si lasciò intimorire. Chiese di conoscere i dettagli delle indagini, se avevano identificato i colpevoli, se li stavano cercando. Pretese un interprete per essere capita. Il commissario sorrise davanti alla caparbietà di quella giapponese che minacciava denunce e cattiva pubblicità per la costa calabra. Finsero di darle retta, ma intanto le consigliavano di prendersi qualche calmante. Era chiaro perché fosse così nervosa... Perché non si preoccupava del culo di suo marito invece di scassare la vronca a loro? Quella non era Londra. Era il Sud Italia, la gente non era abituata a quelle indecenze.

– Dalle nostre parti certe situazioni creano sconcerto...

Poi scoprimmo che ero stato denunciato per atti osceni. Cominciammo a ritrarci, ad avere paura. Izumi tossiva, apriva e chiudeva le mani, i crampi erano tornati e io adesso temevo per lei. La situazione era così assurda, così penosa. Avrei dovuto occuparmi di lei e invece l'avevo trascinata in quell'abisso. La implorai di andarsene, di lasciarmi. Ma lei non si fidava degli infermieri. Restammo isolati in quella stanza. Un fotografo riuscì a entrare mentre lei era in bagno, mi immortalò con la testa fasciata e gli occhi del pazzo.

Avevo la febbre, tremavo. Il dolore del corpo adesso era tangibile, presente. Sentivo gli ematomi interni, le fratture pulsare nella gamba maciullata. Vedevo quella pietra che batteva sulla sua testa e Costantino che provava a difendersi con le nocche insanguinate delle mani.

Era Izumi a portarmi notizie, a fare la spola tra la mia camera solitaria e screpolata e il luogo dove lui era confinato, tra tubi e teli di plastica. Mi disse che era uscito dalla rianimazione. Che era in un altro reparto, in un altro piano. Non mi disse che aveva subito un intervento alla testa. Non potevo muovermi, così non potevo far altro che leggere nei suoi occhi. Sapevo che non era in grado di mentirmi.

Sonnecchiavo a tratti come un bambino, sapevo che Izumi era lì. Sognavo di essere a casa, nel nostro letto, avvolto dai riflessi rosati di quella tenda di seta selvatica che evocava il sole e ci difendeva dal maltempo e dalle perplessità. Izumi era quella tenda, il suo corpo lieve che filtrava il dolore, lo rendeva accessibile. Aprivo gli occhi per quel poco che potevo... ritrovavo quelle pareti, quel ferro, quella finestra immensa e sporca, quel sole vero che mi sembrava terribile. C'erano api e mosche, c'era l'odore del mare e io credevo di essere all'inferno. Avevo dimenticato di essere lì, avevo dimenticato il mio scandalo umano.

Adesso quella condizione suscitava in me sensazioni da una memoria profonda, quando la nascita mi aveva privato dell'amore, del caldo tatto di mia madre e io dovetti vedermela da solo nel ventre artificiale di una incubatrice.

Mi avevano operato alla gamba e alla spalla. Il mio corpo era stato prelevato, anestetizzato, aperto e richiuso. Mi lasciavo sballottare senza più oppormi. Volevo morire e intanto lottavo per vivere, per rivedere Costantino in vita. I farmaci mi rendevano ebete e inutile. Avevo perso il senso del tempo e forse non volevo più ritrovarlo.

Tolsero la morfina dalla flebo. Mi ridestai con un nuovo dolore, duro, scolpito. Avevo un collare di gesso, una gamba appesa a un gancio in trazione, una spalla fasciata. Sapevo dov'ero e chi ero. Sapevo di essere sopravvissuto a una inaudita violenza. Anche se di quella notte non restavano che schegge conficcate in una memoria agonizzante che mi ricacciava indietro. Rimasi sommerso nel mio corpo a caccia di ricordi, testando ogni parte di me.

Volevo guardarmi.

Izumi aprì la borsa, estrasse uno dei suoi belletti, aprì lo specchio davanti a me. Ero tumefatto e ricucito sul naso e sotto un labbro. Mi tolsi la benda dall'occhio coperto, era completamente rosso, sembrava esploso. Ma le retine si erano salvate. Ero un mostro, ma almeno non ero cieco, provai a tendere una mano verso mia moglie ma non ce la feci, all'impulso non seguì il gesto.

Solo dopo una settimana mi accorsi che non sentivo più i testicoli, giacevano tra le mie gambe come frutti caduti. Strinsi lo scroto, ma niente, nessuna erezione. Provai a cercare un'immagine erotica. Ma non avevo più immagini erotiche. Non riuscivo a vedere altro che violenza, calci tra le gambe. Questo era il mio terminal, tutto quell'insensato viaggio correva verso questo ghiaccio genitale.

Venne il giorno in cui finalmente riuscii a scendere dal letto. Diedero a Izumi un vecchio girello arrugginito, mi aggrappai a lei, mi trascinai fino alla finestra. Il labbro era ancora tumefatto, una specie di arancia premeva sulle gengive con i denti spezzati, le radici ancora infilate dentro. Il dolore del freddo, delle ossa violate. Il pudore della vita scoperchiata. Guardai fuori quella terra, quel golgota nel deserto di cespugli e aride dune. Che luogo era mai quello? Sapevo che non l'avrei mai dimenticato. Un edificio a U, un parcheggio con poche auto, una rotonda con una scultura bronzea e oblunga, un orribile angelo moderno. Intravedevo qualcosa di me nel vetro, lo sguardo allucinato nel cranio nudo, le ossa di un animale denutrito. Faticavo a espellere il fiato. Raggiunsi il tavolino di formica. Fu un breve viaggio e invecchiai di cento anni. Mi sedetti senza nessuna compassione di me stesso né di chiunque intorno a me. La mia vita era un infinito fallimento, a cui tutti potevano assistere.

Più tardi entrò la ronda medica. Un ragazzo in camice mi disse che avevo subito una trombosi venosa pelvica con frattura peniena perché probabilmente al momento del trauma ero in erezione. Trovai la forza di annuire. Mi disse che mi sarei ristabilito. L'infermiera accanto a lui mi sorrise, ero vivo, era l'unica cosa davvero importante. Aveva pregato per me e per *l'altro signore*. Furono le uniche persone umane che ricordo, una donna di mezza età, la faccia rossa di una cuoca, e quel giovane andrologo calabrese che somigliava a D.H. Lawrence. Erano sinceramente addolorati.

– Li hanno presi, quei mostri?

Tornò il commissario e al suo seguito un uomo magro, pallido come una salma, con il collo sudato e un papillon, un ritrattista. Il commissario s'accese una sigaretta, aprì la finestra e se ne stette lì contro il davanzale a fumare con il suo culo sporgente mentre l'artista locale mi pressava per ricostruire l'identikit. Ricordavo solo qualche frammento. Ripetei quello che già avevo ripetuto, era buio, eravamo stati presi di spalle.

Il commissario ormai non era più interessato. Appoggiato al ferro dell'infisso, discuteva con qualcuno in basso. Organizzavano lo spettacolo pirotecnico per la festa del santo patrono, elencavano un arsenale, cipolle, bombe mortadella, pioggia cinese... Contavano di farsi vedere fino a Patrasso. Sapevo che non li avrebbero presi mai, che probabilmente non li stavano nemmeno cercando.

Avevano dato una lezione a due ricchioni e adesso si sarebbero goduti i botti sul mare. Entravano afa e grossi mosconi che cadevano sul letto. Annuivo a tutto. Tutto quello che volevo era lasciare quel luogo. Quella coda di sangue tra gli scogli.

Anche Izumi sembrava essersi arresa. Mi portava notizie di lui. Così seppi che anche sua moglie era venuta da Roma, si erano incontrate ma non si erano nemmeno rivolte la parola.

Un brandello alla volta, il corpo si rimetteva insieme, ricominciava a lavorare per la sua unità. La vista migliorava, le cose intorno tornavano ad avere contorni precisi. E ogni cosa che tornava mi faceva male. La luce del giorno penetrava come un incendio, le voci erano insopportabili.

Non so quanti giorni restammo chiusi lì dentro. L'unica grazia che ci fecero fu quella di lasciarci perdere, di dimenticarsi di noi. Fu un matrimonio, la parte centrale di un matrimonio. Un marito malato, una moglie umiliata che non smette di accudirlo. Izumi aveva comprato un piccolo bollitore per fare le tisane, mangiava dal vassoio il cibo che io lasciavo, sbucciava un mandarino, me lo metteva nella mano. Aprivo gli occhi di notte e la vedevo con la tazza in mano, la fronte posata contro la finestra buia. Una convivenza obbligata, piena di silenzio, resa docile dallo spavento. Due ostaggi che attendono conferma della loro esistenza. Un giorno qualcuno, qualcosa ci avrebbe liberati da quell'angoscia. Ogni volta che la porta si apriva aspettavamo la liberazione o la definitiva condanna. Speravo che lui venisse da me, che entrasse. Volevo rivederlo dritto sulle sue gambe anche per pochi istanti.

Nel dormiveglia mi illudevo che nulla fosse accaduto, riaffioravo alla realtà precipitando. I testicoli avevano ripreso a formicolare, un giorno mi avrebbero rimesso i denti in bocca. Ma nulla avrebbe potuto riabilitarmi dalla vergogna. Avevo bisogno di Izumi. Anche soltanto della sua ombra. Sapevo che non era più con me, che restava come gli uccelli quando subiscono il vento. Fasciata da un dolore che cresceva separato dal mio. Si obbligò a rimanere lucida. Organizzò la mia difesa. Scrisse al rettore dell'università, spedì i referti dell'ospedale, le lastre delle fratture, i fogli chirurgici. Era una piccola università, una specie di casa, ero benvoluto, tutti mi mandavano i saluti, tutti mi dicevano di non preoccuparmi, mi scongiuravano di rimettermi presto. Pensavo a quel microcosmo di gente discreta, a quella città dove i ragazzi si baciavano liberamente accanto a vecchiette vestite di azzurro che nutrivano gli uccellini nei parchi. Ero chiuso nel tugurio di quel luogo ostile. Ogni giorno temevo che qualcuno di quei tipi entrasse per uccidermi, per finirmi sparandomi in bocca, tra le gambe.

Quella mattina Izumi compose il numero di Leni.

– Dad... I love you so much...

Non riuscii a dire quasi niente, succhiai le mie gengive vuote. Un fiotto di amore disperato, di prostrazione e volontà di vivere. La madre le aveva detto che ero stato rapinato. Fu l'ultimo gesto che fece per me.

Quando chiuse la telefonata se ne andò verso la finestra, e per la prima volta durante quei giorni di agonia la vidi precipitare. Cercava di nascondersi, ma la sua schiena tremava. Piansi con lei, e fu l'unico dialogo. Perché Leni era l'orgoglio e la purezza, era l'unico futuro.

Il mattino dopo il bollitore era lì sul tavolino di formica ma lei non c'era più. Aveva ripreso il suo spazzolino da denti, si era legata i capelli e se n'era andata.

Passai qualche ora pensando a lei seduta su un taxi lungo quelle strade malmesse, poi in quel piccolo aeroporto sul mare. Una donna oltre i cinquant'anni con scarpe basse, tratti asiatici. Mia moglie.

Nessuno entrò fino a sera. Mi chiusi nelle lenzuola, nel mio odore. Adesso che lei non c'era potevo finalmente marcire. E mi sentii sollevato.

Chiamai per essere aiutato. Dissi che volevo andare al bagno, mi avvicinarono il girello. Uscii nel corridoio, strusciando la spalla rotta sul muro. Riuscii a raggiungere l'ascensore. Scesi al primo piano. Nella stanza della guardia medica era in corso una riunione sindacale notturna, se anche fecero caso a me nessuno mi fermò. Entrai in ogni camera, vecchi, spalle di uomini in canottiera, rantoli, voci di televisori. La testa mi girava, la ferita sotto l'inguine era bagnata. Infilavo la testa oltre quelle porte sporche, segnate dai colpi delle barelle sbattute. Cercavo la sua testa, la sua forma su uno di quei letti. Salii al secondo piano, poi al terzo. Mi fermai davanti a Pediatria. Ridiscesi tutti i piani. Un ragazzo fumava, davanti a una porta di sicurezza spalancata, il lividore dell'alba e una gelida corrente. Avevo male al petto, nella bocca il sapore del digiuno e dei medicinali.

– Me ne dai una?

Infilò la mano nella tasca del pigiama, mi tese il pacchetto. Parlammo un po'. Occhi senza sopracciglia, la magrezza di un burattino. Aveva visto la mia faccia sul giornale. Anche la sua non era un granché, butterata e spenta. Uno di quei fiori appena aperti massacrati dalla pioggia. Un tossico, una marchetta. Fu lui a dirmi che Costantino non era più in quell'ospedale, la moglie lo aveva caricato su un'ambulanza e se lo era riportato a Roma.

Trascorsi le ultime notti con quel ragazzo, ci incontravamo in fondo al corridoio quando nessuno dei due poteva dormire. Mi aspettava senza aspettarmi. Uscivamo a fumare. Mi raccontò una storia, la storia di un paese di morti, dove l'ultima vecchietta muore e anche il campanile si ferma e resta solo un cane affamato e pieno di spavento. Un cane bianco. Intanto i lupi si avvicinano, il povero cane si mischia alla terra, si sporca il pelo e quando arrivano si mette a ululare rauco, e quelli se lo portano nel branco. Tempo dopo si avvicinano a un gregge, il cane vede un agnellino, fa finta di ringhiargli ma gli dice *scappa, vattene.* È un cane da pecora, ha quella natura. I lupi se ne accorgono e passano nel fiume, lo fanno apposta, così il pelo del cane torna bianco nell'acqua. Allora prendono i bastoni e lo ammazzano.

– Essere frocio in Calabria è come essere un cane da pecora tra i lupi.

Anche lui si tingeva il pelo, però di giallo. Si chiamava Nuccio Surace. Mi mostrò la ferita sul petto. Il padre gli aveva sparato durante una lite familiare.

Scrissi molte lettere, tutte indirizzate a Costantino, le stracciai tutte. Una settimana dopo lasciai anch'io quel nosocomio. Un'infermiera mi aiutò a indossare gli abiti che Izumi aveva portato per me. Firmai i fogli dell'ospedale e tutti i fogli del commissario, tutti quelli che mi mise sotto il naso, senza leggerli. Non sapevo dove andare, avevo una gamba ingessata e la giacca posata sulla spalla fasciata. Presi un treno regionale e poi un lento diretto. Scesi in una città, Caserta. Dovevo prendere un nuovo treno, invece mi fermai lì.

Mi feci portare alla Reggia, era una gita che avevo fatto con mio zio e mia madre, una lunga giornata in quell'immensa dimora barocca, noi tre da soli. Lui davanti con il suo panama color tabacco. Mia madre con la borsa a tracolla, la macchina fotografica. Camminavano mano nella mano.

Non entrai, rimasi fuori, nei giardini, camminai storpio in quelle curate praterie. Mi voltai a guardare la prospettiva del palazzo, la sua magnificenza, il suo ordine. Respirai. Era quello di cui avevo bisogno. Una cartolina spedita dai ricordi. Girai tra le cascatelle e i gruppi marmorei, mi fermai davanti alla statua di Atteone circondato dai cani che lo vogliono sbranare. Ripensai alla favola di Nuccio Surace, la villa era deserta e di colpo ebbi paura ma non potevo correre. E mentre scappavo, trascinandomi dietro il gesso, sentivo che quella paura non era naturale, era violenta, raggiungeva il parossismo.

Entrai in una trattoria. Guardai il calendario sul muro accanto a un San Sebastiano e ai fiaschi di vino. Così mi ricordai che giorno era. Una data nel mondo, nella mia vita. E mai avrei creduto di potermi trovare lì. Il volto ricucito, la testa nuda, un mappamondo di croste che tiravano. Non avevo denti, chiesi una zuppa di arselle, ciucciai un po' di pane e sugo. Ordinai il vino e quello cadde nel vuoto. Il primo vino dopo tanto tempo, come il primo latte dopo quella morte e quella bocca. Una sola stanza per pochi tavoli azzeccati che si riempirono e si svuotarono diverse volte, non mi mossi. La vita era quella, di quella gente che si riprendeva le giacche, lasciava la mancia sotto il bicchiere, di quella che entrava con la saliva in bocca per l'appetito.

Cominciò una sorta di recupero. Mi trovai una pensione. *Per una notte*, dissi. Era sulla strada, e i vetri erano deboli. Si sentivano le macchine, e anche il letto non era buono, faceva la conca. Ma il televisore c'era, lo accesi e lo lasciai acceso sulla notte, sui tappeti, sui gioielli, sugli spogliarelli di Telecapri. E dormii e non dormii. Nel bagno il telo di plastica della doccia s'incollava al water. Calai i pantaloni e mi vidi, il pene storto, annerito. Pisciai e tornai a letto. L'indomani mi strozzai un babà per strada, il profumo metteva voglia.

Guardai la gente, i ragazzini che correvano, c'era il sole che mi faceva male agli occhi. Tornai alla trattoria. Mi infilai una forchetta nel gesso della gamba per grattarmi. Solo vestirmi era un lavoro, lavarmi a pezzi, con l'unica mano buona.

Non avevo più il cellulare. Comprai i gettoni e telefonai. Se avesse risposto mio padre avrei buttato giù. Invece rispose Eleonora.

– È tutto vero?

– Sì.

– E quando avete cominciato?

Adesso di sicuro pensava indietro a se stessa, a quella volta che c'eravamo baciati sulle scale e Costantino era arrivato e le aveva detto *cammina, dentro, papà ti sta cercando.*

– Lui non è come te.

– Dov'è?

– Gli hai rovinato la vita, non ti basta?

Urlai, la supplicai nella cornetta perché sapevo che non era vero.

– Siete una brutta famiglia, Guido, solo tuo padre si salva.

Mi sono seduto sullo zerbino, dietro la porta il cane mugolava. Izumi è arrivata con il buio, mi ha trovato lì sul gradino. Ha preparato il tè e lo abbiamo bevuto. Dalla mia testa le croste sono cadute e adesso ho delle macchie rosate un po' in rilievo che ricordano gli sfoghi cutanei del suo lupus. La disgrazia ci rende molto simili, facciamo qualche battuta in proposito. L'umorismo macabro non manca mai nelle case londinesi. Sono uscito con Nando e il mio unico braccio buono è troppo debole per sopportare la sua contentezza. Poi si è calmato e ho capito che anche lui è invecchiato.

Ho dormito sul divano. Al mattino ho preparato i toast, ho versato il succo d'arancia nei bicchieri. Izumi è scesa con la sua vestaglia con le cicogne, il volto riposato di una bambina. Avevo preparato la faccina con le medicine sul suo piatto. Ha cominciato da quelle. Ha messo la capsula blu in bocca, ma non l'ha ingoiata, l'ha sputata lontano. Poi ha preso i toast, li ha sbriciolati tra le dita. Si è alzata come se avesse finito, invece s'è tirata dietro la tovaglia. Sono rimasto lì, assorto in quel fragore, soddisfatto della sua forma fisica. Ha sollevato il braccio, ha spazzato le mensole. È incredibile quanta forza possa sollevarsi dalle creature miti. Dovrei essere spaventato, invece la lascio fare, nemmeno provo a fermarla, le lascio distruggere il suo bottino messo insieme negli anni, nei mercati, negli shop dei musei, nei negozi di design. La rabbia è comunque una forma della vita. Non scaraventa la mia roba, anzi sta molto attenta a evitarla. L'esatto contrario di quello che ogni moglie di buon senso farebbe. L'ho sempre vista nuotare controcorrente ma oggi sta superando se stessa. Sono terribilmente addolorato per lei. È una donna sfiduciata e distruttiva. Mi mostra con i fatti quello che le ho fatto. Capisco che vuole innanzitutto disfarsi di se stessa, di tutto ciò che ha rispettato, curato e amato. Ha preso la mia mazza da golf ed è uscita. Sta distruggendo il suo niwa, il suo amato giardino dove riproduce e semplifica la vita per poterla avere sempre davanti a sé e poterla toccare. Non ha saputo leggere i simboli, non può darsi pace.

Ruppe tutto quello che c'era, che aveva costruito intorno a me, senza sfiorarmi. Poi infilò il suo poncho, prese la sua cartella nera e uscì. Rimasi solo ai piedi di quelle macerie. Se Leni fosse stata in casa l'avrei pregata di fare un bel film, di soffermarsi su ogni scheggia, su ogni pentola ammaccata, su ogni pianta divelta. Avevo solo i miei occhi e fotografai con quelli. Le cose di tanti anni distrutte da una mano ardita e fiera. Mi misi al lavoro con il braccio al collo, stringendo il manico della scopa con la punta del mento. Riempii diversi sacchi di pattume. Al pomeriggio era piuttosto in ordine. Raccolsi le mie cose in una sacca e me ne andai.

Telefonai a Geena.

– Sono fuori di casa.

Sentii quella voce che scivolava come una spada cara e amica nel mio supplizio.

– Tu ce l'hai una casa, Guido.

Geena, a te dovrei dire molte cose, molte davvero, ma tante ce ne siamo dette nel silenzio e così è passata. Ricordi il nostro Seneca? *Io parlo non per molti ma per te...*

Mi raccolse calvo e ricucito alla stazione, assente come un reduce di guerra. Mi annusò cercando di restituirmi almeno un odore. Preparò una apple pie e un letto. Usciva e io rimanevo in quella casa, scansavo la tendina, guardavo il biancore fuori nel giardino, un cane di pietra e un unico albero, un olmo rossastro. Guardavo le foglie per terra e il vento che le faceva girare. Una settimana più tardi uscimmo, scivolai dietro ai capelli celesti di Geena in un grande concept store. Comprai tutto il meglio. Alla cassa Geena mi passò il suo pennarello rosso, quello con cui riempiva il tabellone delle lezioni. Sopra la parola FRAGILE, stampata sulla scatola grande come un uomo da far recapitare a Izumi, scrissi una delle sue frasi preferite, *un samurai ha una sola parola.*

Appena fuori dal negozio volevo tornare indietro a cancellare quella stronzata, ma Geena s'aggrappò al mio braccio con la sua trasparente figura e mi trattenne.

Mi tolsi il gesso e cominciai la fisioterapia. Il mio pene rimase storto, ma avevo l'erezione del mattino. Andai da un dentista e nel giro di pochi giorni avevo nuovi denti, molto più bianchi dei precedenti con i quali avevo masticato e fumato parecchio.

Ma avrei portato per sempre i segni dell'aggressione. La schiena sembrava sibilare all'interno come se fosse rimasto un foro aperto nel quale continuava a insinuarsi un lungo ago, che ogni giorno penetrava un po' più a fondo nei centri del dolore. La psiche avanzava disarcionata come un cavallo che ha in groppa un cadavere.

Resistetti ancora qualche giorno da Geena, poi cominciai a sentirmi davvero troppo triste davanti a quell'armadio con vecchie grucce imbottite, circondato da gatti che di notte passavano da un mobile all'altro come inquietanti ombre. Il grosso castrato siamese dormiva in fondo al mio letto sul sofà, mi scaldava i piedi, ma ogni tanto me li mordeva, per giocare probabilmente. Ma io cosa ne sapevo di lui, del suo carattere, delle sue abitudini? Avevo timore che volesse saltarmi in faccia. Era un vecchio gatto impulsivo, malandato almeno quanto me, e quello era il suo posto.

Avrei dovuto prendere degli ansiolitici, era quello che il dottor Spencer mi consigliava, ma volevo resistere. Avevo dei trascorsi chimici nel sangue, temevo quella china. Non volevo occlusori di emozioni. Volevo restare me stesso, catatonico, furioso, marcio, ma me stesso. Avevo visto l'effetto dei *regolatori di umore* sui volti inebetiti di gente come Betty, come Jonathan, non mi sembrava quello il modo per venirne fuori. Rimandare la vita in attesa di tempi migliori che non verranno mai più.

Provai a chiamarlo, decine di volte. Il suo telefono era morto. Al ristorante aveva risposto una donna, un architetto, il locale era passato di mano. Eleonora parlava come una voce registrata. Lui aveva subito tre interventi, era in un centro di riabilitazione, la moglie gli era rimasta sempre vicina.

Pensavo a quei luoghi, a quelle cliniche convenzionate... quel puzzo di amuchina e cloro, quei rumori attutiti. Vedevo il suo corpo in una piscina, trascinato, poi in tuta da ginnastica su un tapis roulant, lo sforzo terribile per fare un passo, gli arti bianchi e magri. Magari aveva perso la memoria, la parola, l'affettività. La moglie accanto come l'infermiera cattiva del nido del cuculo. Sognavo di ucciderlo, di soffocarlo con un cuscino.

Andai in pellegrinaggio da Knut, speravo di trovare un po' del vecchio conforto, della vecchia baldoria. Naturalmente fu tutto molto triste e consunto. Knut conosceva bene il supplizio dell'umiliazione sessuale. Mettemmo il nostro Boy George, il suo *Crying Game*, e io piansi soltanto. Me ne andai a dormire in piccionaia, su quel materasso posato in terra. Costantino mi saliva sulla faccia, prima con un piede poi con l'altro, mi schiacciava, mi calpestava come uva. Tornai al presente sbalordito, la bocca amara, il senso insostenibile della caduta. Knut era lì accanto. Stavo urlando. Infilai la testa nella sua pancia. Lasciò sul pavimento le sue pantofole cinesi e si stese accanto a me, mi strinse come una madre maschio, si mise a cullarmi con un bånsull in quel suo norvegese.

Mi trovai un piccolo appartamento già arredato in un grattacielo modesto ma ripulito da poco a Tottenham Hale. Una sola stanza, al nono piano, ma la vetrata prende tutta una parete, arriva fino al pavimento. Dà quel senso di sospensione, una scatola sul precipizio. Compro soltanto gli asciugamani e le candele. Ne accendo una la sera, la poso in terra contro il cielo che ingombra tutta la vetrata. Cambiano un bel po' di colori lì sopra, le nubi passano correndo. Una grande ciminiera è il cielo. Brucia e si calma. Ogni tanto sento una sirena tagliare la afro zone, giamaicani, mafiosi turchi all'opera. Guardo le unghie e il lungo pallore delle mie estremità. Il cielo sprofonda e mi fa compagnia nascosto dietro lo sfilaccio delle nubi e il vento del Golfo dirige il mio traffico interiore. Mi verso da bere da una bottiglia di rosso. Il cimitero, mi dico, è senza dubbio in cielo.

Mi fermo davanti agli strilloni e interloquisco con loro a voce alta. Sono un'ottima spalla. Prendo il secchio e ci salgo sopra io. Faccio un comizio su Francis Bacon, sulla sua patologia estetica, sui suoi volti deformati, imbavagliati, i suoi corpi scomposti e mutilati, i suoi pezzi di carne da macelleria... Qualcuno si ferma, un giovane emo mi guarda affascinato. Bevo come non ho mai bevuto. La notte sento l'odore dell'alcol sollevarsi dalla mia pelle, riempire di gas la stanza. Fumo a letto sperando in un incendio.

Dopo la morte di Castore il mortale, Polluce chiese a Zeus di farlo morire con il suo gemello, di non condannarlo all'eternità. Guardo il calendario. Che giorno è? Data e momento. Per mettere il chiodo, per appenderci il mio spettro. Benvenuto nulla. Raccontami se ci sarà un'altra misura temporale e un altro spazio fermo fuori da questa orbita dove io potrò rivivere ogni attimo senza sbagliare tanto e perdere tutto. Vivo per terra, dormo tra le bottiglie. La casa adesso sembra lo studio di Bacon, una costruzione artistica di supplice degrado.

Mi tolgo le scarpe e il resto, cammino nudo sui miei vestiti. Accendo una candela, me la infilo nell'ombelico. La guardo a lungo, poi la prendo e faccio scivolare la fiamma sulle gambe, mi brucio i peli. La cera calda cola sulla pelle. Respiro l'odore di pollo bruciacchiato. Tolgo le croste di cera. Inseguo la fiamma, il suo luccichio che diminuisce e pulsa, ma poi riprende vita nello sfrigolio della cera. Al centro del suo bagliore c'è un'altra larva di fuoco, una liquida favilla che pare pallida e ghiaccia.

Il buio divorò la vetrata, la luna apparve, sbilenca ma insolitamente scolpita, una stella sospesa appena sopra le antenne e i Roof Gardens. Mi alzai e camminai su e giù per la casa. Mi ritrovai i piedi bagnati. La moquette era intrisa d'acqua, zuppa. C'era una perdita in bagno, sotto il lavandino. Mi piegai, provai ad avvolgere il tubo con un asciugamano. Dopo un po' l'asciugamano era gonfio d'acqua e io piangevo.

Mi infilai il cappotto. Arrivai allo spaccio all'angolo, il muso del pakistano alla cassa, l'odore di ortaggi marci. Entrai, comprai due bottiglie di gin, un pacchetto di arachidi tostate e una barretta vitaminica. Solo dopo un po' mi accorsi che sotto il cappotto ero nudo, il freddo danzava nei miei testicoli.

Aprii la bottiglia per strada, bevvi e beccai la raffica di mitra nello stomaco gelato. La barretta cadde e non mi chinai a raccoglierla. Mi fermai sul ponte. Pensai che, se il tumulto della vita è impressionante, la violenza degli argini è terribile.

Davanti alla stazione dell'underground c'era il solito pendolarismo di brutte facce. Per nessuna ragione al mondo avrei dovuto fidarmi. Ma l'unica persona della quale non volevo più fidarmi ero io stesso. Raggiunsi quei pimpanti rottami d'importazione. Chiesi che sostanze avessero. Il tipo con il cappellino da baseball declinò il suo elenco. Comprai un po' di erba e due blotter dei più imbevuti. Fece il gesto del missile che parte, emise il suono del razzo. Guardò le mie zampe nude fuori dal cappotto. Sorrise, *take care*. Ma quando voltai le spalle sentii che si divertivano a insultarmi.

Mi stesi di nuovo davanti alla finestra, finii la bottiglia, iniziai la seconda. Mi feci il primo cartone.

Sapevo che non avrei dovuto bere. I trip hanno bisogno di regole e di una degna preparazione, di un buon set, di buoni amici pronti a soccorrerti intorno. Ma io non avevo alcuna intenzione di rispettare regole. Non sentii niente per un pezzo. Solo un po' di fluidità, i muri che un po' si spostavano, la luce che un po' colava. Pensai che m'avessero tirato un bidone, che non ci fossero più che cinquanta milligrammi di acido in quel cazzo di super hoffman.

Mi feci il secondo cartone, quello più colorato. Avevo la bocca amarissima e le pupille pulsavano. Passò un'altra mezz'ora. Le cose scivolarono in fondo alla stanza e io mi trovai in equilibrio su una lastra trasversale, il vuoto di qua e di là. Una specie di tappeto volante, molle, però gelido. Cominciai a stare meglio, a tremare e ad andare, senza alcuna paura. Avevo una tale voglia di infilarmi in un altro mondo... Il sangue correva in infinite strisce pulsanti, arterie luminose di una città sommersa. La pelle era una pellicola impalpabile e gli organi interni non pesavano più dell'anima. Mi toccavo le braccia, le gambe, mi carezzavo la pancia, mi pizzicavo a fondo. Non sentivo niente, nessun dolore in quella massa di carne che conoscevo e che avrei volentieri infilato in un tritadocumenti. Sentivo moltissimo, in profondità, come se le mie emozioni giacessero in un fondo vergine. Conosco abbastanza bene le droghe e so che l'unico trip riuscito è quello davvero raro in cui una volontà nascosta permane per vegliare su di te come un ottimo anestesista, così che la sostanza alterante segua precisamente le indicazioni del tuo bisogno e raggiunga le zone più doloranti. Così la festa può cominciare nel migliore dei modi creativi. Nel silenzio mi guardavo un alluce raggiunto dal beneficio, il grande dolore si riduceva a una microscopica pallina che scivolava in un soffice e liscio velluto. Sentivo solletico e così risi e mi torsi come da bambino. La carne sospendeva il suo peso, mi trasformai in infinite farfalle, dal corpo di ognuna nasceva la successiva, membrane vergini che io dispiegavo e asciugavo nel vento caldo di un'estate remota.

Il corpo si ripuliva, si svuotava. Restavano miti inquilini, le ciglia che continuavo a guardare come setole all'ingresso di un canale asciutto, la lingua, un cuscino sul quale dormiva la mia stessa testa, chiusa nella bara della bocca. Una voce gracchiava in un angolo, come una radio lasciata accesa. Era un bollettino meteorologico, parlava dei mari e dei venti, delle correnti atlantiche. Poi invece era la voce di mia madre al telefono. Ordinava la spesa, il prosciutto cotto, il pane, l'Emmenthal. Il timbro limpido, ogni frequenza accessibile. Poi di colpo rimasi al buio, i colori uscirono di scena, i microfoni si spensero. Ma non ebbi freddo, era una tiepida serata estiva, dormivo all'addiaccio in terrazzo su un materassino di gomma. Raggiunsi un'isola, salii direttamente sulla terraferma, come un maiale marino della flotta di Sua Maestà sulle Falkland, lì trovai la grande vetrata di Harrods, quella con gli accappatoi e i prodotti per il bagno. Mi sedetti accanto ai pennelli da barba con il manico d'argento e un grande specchio tenuto dalla molla. Costantino era lì, un grosso manichino abbronzato coperto con un accappatoio regale, fumava e buttava la cenere in terra. Non gli chiesi nulla, rimanemmo lì per un bel pezzo, nella stessa vetrina. A un certo punto aprì un armadietto da bagno che invece era un ostensorio e cominciò a ingoiare ostie, masticandole. In terra c'era una bacinella di metallo vuota, che a un certo punto si riempì. Nell'acqua galleggiava qualcosa, un membro, ma non raccapricciante, uno scherzo di Carnevale. Ogni tanto per strada passava qualcuno che conoscevo. Londinesi, ma anche gente meno recente. Passò il bidello della nostra scuola, aveva il cesto con le rosette al salame che vendeva di straforo nell'intervallo. Rimase lì più degli altri perché io volevo comprare un panino ma lui non poteva attraversare il vetro. Sentivo che anche Costantino aveva fame, ma che non c'era niente da fare e così non avremmo mangiato. Ma poi il bidello se ne andò e la fame cessò subito. Così mi accorsi che ogni cosa o persona che passava non lasciava alcun residuo. Mio padre e mia madre si fermarono, Eleonora era con loro, parlava amabilmente indicando qualche prodotto, era ancora piuttosto bella, ma più segnata di mia madre che avrà avuto una trentina di anni. Porsi loro un rasoio con il manico d'avorio, ma mio padre non sembrava così deciso e se ne andarono, passarono alla vetrina successiva, però io quella non potevo vederla. Mio zio passò, lui riuscì ad attraversare il vetro con la mano, gliela strinsi e sentii che aveva una forza incredibile, che stava precipitando, così lo lasciai andare. Più tardi passò un cane con un'alopecia rosata sul dorso, un eczema piuttosto rivoltante, appresso a lui riconobbi il gigolò con la faccia di Grace Jones, era senza trucco e molto magro, indossava una giacca smorta, spingeva le mani nelle tasche, mi guardò attraverso la vetrina e attaccò qualcosa, penso uno di quegli stickers NO SILENCE NO AIDS, il cane alzò la zampetta e pisciò. Spensero le luci, ma un po' di chiarore continuava a filtrare dalla grossa scritta luminosa. Costantino si adagiò nella vasca da bagno. Io rimasi ad alitare contro la vetrina finché la strada fu completamente deserta.

Molte ore dopo camminavo in alta montagna e volevo raggiungere un nido tra le rocce bianche. Sentivo il fiato entrare dentro di me e uscire con sempre maggiore fatica. Adesso avevo caldo, sudavo e il sudore era cedrata Tassoni. Aveva lo stesso sapore.

Da quel momento cominciò il vero viaggio. Una intelligenza superiore che rotola come una pallina in un flipper cosmico. Portai a casa un'infinità di punti, sbancai. Cominciai a battere la testa contro il vetro per uscire. Cominciai a leccarlo. Costantino era dall'altra parte di quel vetro e l'unico modo per non lasciarlo cadere era leccare il vetro dove la sua fronte, le sue mani aderivano. Se avessi smesso di farlo sarebbe senza dubbio caduto. Non so quante ore rimasi lì, nudo, a leccare ossessivamente quella vetrata. Caddi per terra.

Sapevo che era ora di tornare, il telefono squillava. Avevo provato a rispondere, ma il viaggio per raggiungere la giacca era incredibilmente lungo e complicato, passava attraverso un ponte dov'era appena accaduto un incidente, un corpo in una pozza di sangue, un'auto rovesciata, una suora che corre tra casse di frutta capovolte, arance che rotolano. Ma erano tutte finzioni teatrali, aspettavano il mio passaggio per ripetere la scena. E questo accadde un'infinità di volte. Così capii che non volevo uscire. Avevo bene in vista il luogo dal quale ero partito e dove in teoria sarei dovuto tornare, ma ero ancora in viaggio, orbitavo intorno al mio corpo. L'approdo era molto vicino ma irraggiungibile. Il tempo si era rallentato e infine fermato. Così capii che stavo assistendo alla mia morte. Potevo sollevarmi e guardarla, sentire gli spasimi dell'anima e l'aria addensarsi intorno, in basso, e la lotta in quella palude, mentre finalmente il cielo mi stimolava ad avere coraggio, a lasciare la flaccida sindone. Intanto la mia maestra di musica delle medie mi dava indicazioni di flauto dolce, solfeggiava le note della marcia trionfale re sol la re la si si si si do sol si la sol...

Continuai a basculare in quell'aggregato molle di sensazioni ipersviluppate, disgiunto da me stesso, in un incredibile tempo sospeso, in attesa della fine. Una capsula spaziale perduta che continua a orbitare nei vuoti cosmici. Il trip adesso calava male. I sensi acutizzati non mietevano altro che un lancinante dolore. Mi sembrava di stringere un gigantesco cactus. Ogni organo interno era tornato voluminoso e d'una pesantezza ferrigna. Il rumore dei miei denti che battevano era incredibilmente tagliente. L'angoscia era una specie di ordigno, il ticchettio del suo orologio pulsava nella mia testa. Tante microesplosioni si susseguirono. Lacerazioni su lacerazioni, elastici tesi che una mano crudele faceva rimbalzare sulla mia pelle. Cominciai a graffiarmi, a strapparmi la pelle. Tutto il dolore della vita era lì, nelle sue varie forme, una pianta tagliata da una motosega, un cane torturato con un filo spinato, l'abbandono, la paura della notte, la soffice violenza delle relazioni umane, il gocciolio in una cisterna dove un bambino si nasconde. Ero in fondo a un tunnel, nel culo della paranoia. Avevo bisogno di un abbraccio. Di un solo abbraccio. Una grande onda si sollevò dalla moquette bagnata e ruppe la vetrata. Tutto, esattamente tutto divenne panico.

Una settimana dopo sedevo tranquillamente in un pub. Era il mio compleanno e Geena mi porse un piccolo regalo simbolico, *The Dream of a Ridiculous Man*. Guardai sulla copertina la faccia scavata e la lunga barba di Dostoevskij nel vecchio cappotto troppo largo. Lessi la dedica scritta con la penna azzurra.

Non vergognarti del viaggio.

Scoppiai a ridere.

C'era un po' di musica, qualcuno ballava, qualcuno batteva i bicchieri sul tavolo e la vita era di nuovo lì, per poche sterline, per due birre. Geena disse qualcosa del futuro. Ma io non avevo nessun piano.

– Tutti hanno un futuro, Guido.

– Anche i suicidi?

– Anche loro immaginano qualcosa dopo.

– Cosa?

– Anche soltanto l'effetto che la loro morte avrà sui vivi.

– Un effetto comico.

– Ogni vita ha un messaggio nella sua bottiglia.

Avevamo ancora le nostre pinte mezze piene ma stava per finire l'orario, così ordinammo un altro giro. La ragazza fece schiumare la Guinness, infilò i talloncini di cartone sotto le pinte che ancora colavano.

– Cosa dirai agli altri?

– La verità.

Ripresi l'università e tutti furono molto gentili. Il rettore mi accolse nel suo ufficio, davanti a quel muro di onorificenze ingiallite di accademici sepolti da un pezzo. Mark si portò una mano davanti alla bocca, tossì. Dissi poche parole esplicite, suppongo ripugnanti per un eterosessuale figomane. Ma io cominciai a stare subito meglio. Era la prima volta che dicevo a voce alta *sono un omosessuale,* che lo dicevo a me stesso. Non ero affatto teso, né questuante. Quelle parole non mi facevano nessun effetto, come se fosse un caro amico a pronunciarle per me. Ero morto e adesso mi godevo l'effetto della mia morte sui vivi.

– È scandaloso... è terribile.

Annuii, pronto ad alzarmi, a lasciare la sedia e il mio incarico sotto il suo rettorato. Ma dopo un po' capii che Mark si riferiva al fatto che non ci fosse stata una vera indagine, nessun colpevole, nessun processo. E quello davvero non gli sembrava possibile. Allora mi ricordai che era figlio di un giudice di pace e aveva fatto a sua volta studi giuridici. Era in imbarazzo, ma non voleva offendermi.

– Non l'avrei mai detto, Guido, onestamente.

– Nemmeno io, onestamente.

Tentò di rimanere serio ma scoppiò a ridere. Quel college era pieno zeppo di sospettabilissimi fags, ma io... Studentesse camminavano fuori dalla finestra, altre, oltre la siepe, si davano il cambio sui campi da tennis.

– Non ti piacciono quei fiori lì fuori, vuoi farmi credere questo?

– Non in quel senso, no.

Rise ancora, vidi i suoi occhi stravaganti incendiarsi e spegnersi di colpo.

– Avrei detto che le stendevi tutte.

– Io?

– Hai quell'aria lì, dello stallone sotto gli occhiali.

Alzai il pantalone e gli feci vedere la ferita sulla gamba, gli feci sentire il ferro delle placche, dei chiodi.

– Cosa ne è del tuo partner?

Sorrisi, al pensiero di Costantino come *partner*. Ma poi quella parola mi sembrò così anglosassone, così lontana dall'Italia, da lui, da tutto... e cominciai a tirare su con il naso, a tremare.

– È finita.

Spinse l'interfono, chiese a Cindy, la sua segretaria ormai sessantenne che saltuariamente impalmava ancora in segno di gratitudine e rispetto verso le glorie passate, di portarci il tè. Chiuse la comunicazione, spinse di nuovo il tasto.

– Porta anche qualcosa per il raffreddore.

Lasciammo il tè, ci servimmo un Old Pulteney. Assaporammo quel retrogusto di fumo di torba, caramello, tartufi. Mark era in vena di confidenze. È quello che mi sarebbe capitato molte altre volte, leggere negli occhi delle persone un avido languore, vederle saltare sul mio carro. Mark aveva un figlio tossicodipendente e una moglie che aveva chiuso i battenti, cominciò a parlarmi di figa e ambulanze nella notte.

La notizia si diffuse, viaggiò leggera insieme al calpestio autunnale nel parco del college, lucidò ogni buco come un buon lubrificante, si sollevarono le ali del compiacimento e della prurigine... Non tutti furono comprensivi come Mark, naturalmente c'erano le faide interne, i vecchi corvi accademici. Frida e Nathan sparirono dalla circolazione, Ted fece in modo di non intrattenersi più solo con me nella stanza di dipartimento. Gli studenti del mio corso mi strinsero la mano, si congratularono per il mio coraggio, si innamorarono delle mie cicatrici facciali. Nonostante facessi di tutto per dissuaderli, mi scelsero come guida. La mia gamba claudicante, il sorriso del pazzo, persino le mie improvvise assenze mi trasformarono in un superstite allettante. I miei corsi erano affollati e godevo di una notorietà che mai avevo avuto prima. Entravo in classe e mi sentivo fasciato da un silenzio militante, finivo di parlare e crosciavano applausi. Così, contemporaneamente all'afflizione dello spirito, sperimentai il potere carismatico dell'intelletto omosessuale. Le mie parole luccicavano nel setaccio del culto, la mia intelligenza ne usciva rinvigorita. Mi imitavano persino nell'abbigliamento. Una misera sciarpa indiana trovata a casa di Geena pencolava dal mio magro collo... e tutti i maschi avevano sciarpette simili sulle giacche. Avrei dovuto cominciare a coprirmi la calvizie, cambiando parrucca ogni giorno come Elton John. Facevo scorrere le slides, mi sedevo accanto alla *Crocefissione* di Masaccio. Non avevo nulla da insegnare oltre la morte. Così, onestamente, credo che feci delle vere lezioni d'arte. Ma a volte era più forte di me, tacere e inghiottire nel silenzio parole che avevo perso, tutte insieme, di colpo, come se si fosse aperta una botola sotto i miei piedi. Ogni notte scrivevo la mia lettera di dimissioni a Mark. Interrompevo le lezioni per chiedere ai miei studenti:

– Cosa vi aspettate da me?

Alzavano il braccio uno alla volta, risposte egregie. Ma fu Lisette a dare la migliore.

– Io mi aspetto che lei sia almeno bisessuale.

Molte ragazze cominciarono a corteggiarmi in maniera piuttosto esplicita, come un uccello da strappare ai rovi, a discapito di colleghi più arrapati e sessualmente frustrati. Anche Mark cominciò a guardarmi con sospetto, come uno di quei reduci che traggono prestigio da medaglie conquistate in eroiche imprese cui nessuno ha di fatto assistito. Cominciò a pensare che fosse tutta una scena, una colossale bufala, a chiamarmi amichevolmente *fottuto attore italiano*.

Avevo almeno un paio di studenti gay dichiarati e altrettanti sospetti. Cominciarono a guardarmi con gli occhi del sindacato. Dust, che veniva in autobus dalla campagna, lo trovavo appostato in stazione davanti al giornalaio, spuntava fuori tra gli scandali del "Sun" e del "Daily Mirror", si metteva dietro ai miei passi. Parlavamo liberamente. Avrebbe voluto fare lo scultore, l'ossessione sessuale incrementava ogni sua attività artistica. Ma il suo impeto omoerotico era lontano anni luce da me.

Mi vennero incontro selve di *light in the loafers* che non avevo mai considerato tali e così il mondo si mise prono, mostrò il suo languido culo di puri desideri e violente oscenità. Mi accorgevo di quanta nascosta sodomia ci fosse tra i miei amici uomini. E di come tutti volessero *girare la cartolina*, uscire dal retro e venire alla ribalta con me.

Cercavo di rimettere in sesto la mia dignità, e naturalmente non c'è niente di più patetico che un uomo impegnato nel recupero di un bene drammaticamente interiore. Bastava che un'anatra al parco mi guardasse per spaventarmi e farmi retrocedere.

Il trip continuava a salirmi su. Non tornai mai esattamente lo stesso. Certe porte si erano aperte, è così che capita. Il mio cervello era più morbido, le cose intorno si muovevano leggermente, soprattutto al mattino. Mi infilavo nella doccia e vedevo le maioliche scivolare nello scarico.

Alla fine mi sono presentato all'appuntamento. L'unico giorno di vero nervosismo, quando senti che hai ancora qualcosa da dimostrare. Mi sono cambiato due volte la camicia. La prima si è riempita di sudore soltanto stando in casa, facendomi la barba, chinandomi ad allacciare le scarpe. Ero già arrivato alla porta quando sono tornato indietro. Ho tirato via il cellophane della tintoria, ho preso una nuova camicia, stavolta celeste. E speriamo che anche questa non si trasformi in un sudario mentre salgo e scendo dalla metropolitana e affretto il passo.

Un piccolo ristorante, con un cortile interno, di mattoni grigi, asfittico ma molto trendy con i suoi tavoli piccoli, le sue sedie pieghevoli in stile mangia e fuggi. Lei è già lì, la faccia contro il muro a cortina dipinto a smalto bianco. Ha un libro aperto, un bicchiere di acqua colorata davanti. Sembra rilassata, troppo. Sembra una posa studiata. Anch'io ho un libro con me, da leggere nel caso fossi arrivato prima di lei, avrei appoggiato la testa contro il muro nello stesso identico modo. Mi avvicino.

– Hallo...

Solleva gli occhi. Abbasso i miei. Mi siedo, la borsa mi cade e anche la sedia sta per chiudersi. È un appuntamento d'amore. Avverto l'emozione dell'innamorato sconfitto che tenta l'ultima risalita mentre precipita. Mi basta guardarla per capirlo. La amo. Nessun turbamento sarà mai simile a questo, perché lei è una dea bellissima e io un uomo di perduto fascino, perché Leni è giovane, l'età della carne che si arrampica come uva colma sul gracile viticcio, e io sono un vizzo grappolo di passioni, e sono qui per dirle che posso ancora essere tutto per lei, e ancora e per sempre strapperò la spada dalla roccia per difenderla.

Sogni formulati nella vaghezza di pochi battiti di ciglia. Di fatto lei è pallida e incerta e si capisce che non ha così voglia di stare qui. Vorrebbe scappare, ma chi è dei due che non vorrebbe scappare e tornare indietro? Nei mille luoghi accessibili ai nostri ricordi comuni... davanti a quella scuola primaria, per esempio, il giorno del masquerade party, per esempio, il suo lungo abito di fodera fuori dal cappotto, la sua bacchetta magica nella mano con il guantino di lana, gli occhi truccati e la corona di plastica dorata in testa. L'aria solenne e smarrita dei grandi eventi, l'ascesa al trono della mia regina, un fagotto elisabettiano. *Da che cosa sei mascherata?*, le chiede una vocina, una di quelle bambine che già trasformano il mondo in un covo di perplessità. *Da regina*, risponde pronta Leni. *Allora perché hai la bacchetta magica?* Leni tace. Di fatto non abbiamo scelto una strada precisa lei e io, troppa ingordigia da parte di tutti e due, e questo è il clamoroso risultato ibrido. *Perché è anche una fata. È una regina fata. A little fairy queen.* Leni mi guarda, le stringo forte la mano con la complicità dei furfanti di strada. La bambina scettica sgrana gli occhi sull'incredibile, sulle cose che non sono ordinate come dovrebbero essere.

– Ordiniamo?

Apro il menu, ordino non la prima cosa che leggo, nemmeno la seconda, la terza va bene. Dà l'aria di aver pensato. Lei ci mette più di me, e dopo, quando la cameriera ha già trascritto l'ordinazione sul suo blocchetto, cambia di colpo, come me con la camicia.

La donna seduta accanto a noi con il computer aperto ha sulle ginocchia un piccolo cane che coccola. Vorrei fare come quello yorkshire, buttarmi con la testa addosso a Leni e lasciarmi carezzare. Ma sono qui per rinfrancarla.

Sono un superstite, l'incidente ha cambiato il mio sguardo, ho ripreso quasi del tutto il mio peso ma non tornerò mai più come prima. Le mascelle hanno qualcosa di strano, sembrano più pronunciate, più tese. Si capisce che c'è qualcosa di alterato in tutta la mia figura. Solo chi mi ha conosciuto prima può notarlo. Mi sono svuotato e ricomposto. La seconda carne non è mai come la prima. L'eco del vuoto è rimasta, un oltretomba mi abita. E la mia voce è leggermente diversa. La paura è la più grande memoria dell'uomo.

Mi gratto un braccio, parlo con il tono di sempre, semplice e cordiale, deambulando un po' troppo con la testa, ma nel complesso mantengo un atteggiamento rilassato. Le chiedo del college, parliamo anche un po' di politica perché le elezioni si avvicinano e in televisione non si parla d'altro. Sto cercando di galleggiare. Sto sudando di nuovo e continuerò a sudare. Ho molti costumi addosso, molte maschere sovrapposte come lei quel giorno, decida lei quale tenere.

Fata regina, sono padre omosessuale.

Vorrei dirle qualcosa di quand'ero bambino, di quando divenni ragazzo, dei miei problemi ai testicoli. Ma so che tutto suonerebbe come un'assurda giustificazione, e ciò renderebbe ogni singola parola scabrosa. Non sono orgoglioso di me ma non voglio scusarmi per quello che sono.

Izumi ha cercato la strada migliore, credo. Ma c'è una strada migliore per una notizia del genere? Non ho idea di come sia deflagrata dentro di lei. Ho mentito. Eppure so che neanche questo è vero, sono stato un marito e un padre sincero.

Il tavolo è davvero piccolo, ma è diviso in due esatte metà. Mangiamo educatamente senza scollare i gomiti dal corpo, due bagnanti su due sponde diverse, tra noi un tacito lago che occulta. Allungo una mano nella sua direzione, per raggiungere il cestino del pane, resto lì con quella mano che mendica fuori dal recinto.

– Dove vivi adesso?

Le dico che può venirmi a trovare quando vuole, c'è un letto per lei e un divano letto per me.

– Non è cambiato nulla.

– È cambiato tutto.

Si guarda intorno con i suoi grandi occhi colmi di sciagura. Il cagnolino della nostra vicina adesso è sotto il tavolo, e di nuovo vorrei seguire le sue orme, buttarmi in terra, annusare il pavimento. Vorrei dirle che questo è soltanto uno strano giorno, ma altri ne verranno, più naturali. Sono un superstite e non vorrei spaventarla. Ho addosso quella scia lì, dei malati truccati. Di Freddie Mercury che va a prendere l'ultimo Brit Award con la giacca troppo larga e il sorriso del morto.

Due giovani gay sono entrati con borse a tracolla e fazzoletti intorno al collo, hanno preso posto in un tavolo al centro del cortile. Li lascio vivere accanto alla mia spalla senza mai guardarli, ma sento che in quella metà del corpo la tensione si diffonde, mi irrigidisce la nuca, entra nelle ossa e tira le ferite. Leni li sfiora appena con gli occhi, è abituata al colorato pollaio della comunità giovanile, alle differenze di abito, di razza, di scelte sessuali. Poi mi guarda. E forse mi vede, e *si ricorda*. Adesso sento che è in imbarazzo per me.

Le prendo la mano e le parole vengono ingenue, eroiche, e sono pezzi di una lunga battaglia, mi aggiro tra i mille corpi che sono stato, fin dalla prima volta, quando Costantino raccolse e ricompose per me quel guerriero acheo, l'attrazione sessuale per qualcuno che è semplicemente quello che vorresti essere. Lei annuisce, ma non smette di fuggire, continua a grattarsi le braccia. Le dico che ho passato la vita a vergognarmi.

– E adesso non ti vergogni più?

– Mi vergogno moltissimo, ma non per quello che sono, Leni.

È tardi, prende la borsa, infila il libro lì dentro. Mi alzo per aiutarla con il cappotto, le sollevo i capelli, fa finta di non notarlo ma so che le piace. La sua generazione è composta di maschi poco galanti. Rosicchio dove posso, come ogni padre.

– Giovanni come sta?

È una testata, naturalmente. Anch'io ho pensato a lui poco fa, a quel volto bellissimo e vuoto, quella testa piantata nella pancia di Leni all'aeroporto di Bari.

Ogni vita ha il suo viale dove tramontano lampadine. E io m'ero incamminato. Dietro di me un sacrestano con lo scaccino mieteva candele. Avrei voluto ricordarmi il giorno della festa, quando tutte le luci della vita si erano accese per me, per consentirmi di cantare con la mia voce interessante ma stonata, ma non ricordavo che ci fosse mai stato un giorno così. Solo fuochi di Sant'Elmo, fragili scariche elettromagnetiche nella vecchia e noiosa tempesta.

Rincasando da Monument Way verso Stainby Road guardavo il filare delle luci incespicanti e sapevo che la vita era esattamente così, una lampadina sporca appesa a una fune elettrica il cui unico generatore di corrente è l'amore.

Mi tagliai i capelli, cominciai a chiudere camicie grigio antracite fino all'ultimo bottone, a prediligere golf neri con accollate scollature a V. Ero diventato molto attento al mio aspetto fisico, all'effetto che avevo sugli altri, scrupoloso, quasi ossessivo nella cura della persona, nella scelta dei dettagli dell'abbigliamento, delle posture. Una gamba era rimasta leggermente più corta dell'altra ma con un plantare riuscivo a nascondere quasi del tutto la zoppia. Presi l'abitudine di sedermi accanto al mio interlocutore possibilmente dal lato del mio profilo migliore, quello meno danneggiato dall'aggressione. Ero un omosessuale accreditato, eppure questa rivelazione non rese più spontanea e lieve la relazione con me stesso. Invecchiavo, sentivo la caustica corruzione della materia che se la ride in barba allo spirito ancora pulsante. Mi stavo semplicemente avvicinando a quello che ero, a quell'ombra capricciosa che mi aspettava da tempo sdraiata su un'agrippina come una prostituta che conta gli ultimi spiccioli. E così ancora una volta scoprii quanto ingannevole fosse la mia natura. Avevo cercato il delirio chimico, lo sfaldamento dell'io posticcio, deciso a saltare in aria come uno stupido pavone impallinato da un fragoroso colpo di fucile. A distanza di due anni sembravo uno di quei funzionari della Evangelical Alliance. Anche il mio portamento era più rigido, meno elastico, forse per contrastare il timore dell'anima divenni incline al controllo.

Vivere da soli a una certa età rende pusillanimi, si comincia a giocare con le piume, a risparmiare persino il fiato. Mi ero iscritto in un centro sportivo. Aprivo la mia borsa, tiravo fuori la maglietta perfettamente stirata, mettevo un piccolo asciugamano sulla panca prima di sedermi. Divenni piuttosto bravo nel fare la spesa, nel catalogare i cibi, inserirli nei pensili, negli scomparti del frigo. Cominciai a curare la mia alimentazione come mai avevo fatto. Avevo sempre creduto di voler morire e adesso che cominciavo a invecchiare facevo di tutto per prolungare quel campo vuoto che era la mia vita. Il gioco della morte faceva parte dell'amore. Non avevo più bisogno di misurarmi con il grande dolore della vita. Potevo semplicemente raschiare la superficie.

Giravo per casa nudo. Appoggiata alla parete, l'anta a specchio di un vecchio armadio mi guardava. Il corpo sottile e nervoso, ancora tonico, nelle luci che tenevo sempre al minimo, così che il chiarore restituisse un senso di fluttuamento. La vista, sforzata per anni dalla lettura, era meno limpida, potevo avere qualunque età, potevo ancora credere di scorgere un ragazzo in quell'acquario. Era per lui che mi preservavo, per conservare la memoria del tempo in cui il mio corpo era l'utensile dell'amore. Ma ero soltanto il monaco di un tempio senza più fedeli, che continua a fare ordine, a mettere fiori freschi ogni mattina, senza alcuno scopo, in attesa di un visitatore che altri non è che lui stesso.

Cucinavo per me. Superbi pranzetti ipocalorici, e sempre un bel bicchiere di vino. Bevevo meno ma sceglievo meglio, assaporavo lentamente, sorsi di cui trattenevo il corpo e l'aroma prima di inghiottirli. La bocca è il primo e l'ultimo cassetto del piacere. È facile, in una vita senza più progetto, vivisezionare, dividere quello che resta in bocconi sempre più piccoli. Ero sempre stato nevrotico e affrettato nell'assorbimento di ogni piacere, fantasticavo, procrastinavo l'attesa, ma poi violentemente mi sbrigavo, spesso con dolore. E conoscevo così bene il sapore della delusione. Adesso scoprivo un'altra regola di vita.

Sposai la formula di una compagnia immaginaria, un occhio nascosto davanti al quale mostrarmi ancora in tiro. Ogni sera apparecchiavo per questo ospite fisso, mangiavo a bocca chiusa, non scoreggiavo, non piangevo. Un brindisi solitario alla voce velata di Johnny Cash, *you are someone else, I am still right here*... Il vulcano si era richiuso, mi muovevo accorto sulla sua necropoli.

Il mio piccolo appartamento ormai aveva tutto il necessario e viverci era abbastanza piacevole. Ogni mercoledì una ragazza di colore veniva a pulire i vetri e a stirare, per il resto me la cavavo da solo. Trovare tutto esattamente come lo avevo lasciato era un vantaggio, il mio disordine era ben strutturato. La mia vita era sempre stata manomessa, Izumi aveva l'abitudine costante di muovere l'arsenale domestico. Il letto disfatto era la fotografia dell'abbandono, del giorno che passava senza cure umane.

Il mio raggio d'azione s'era ristretto. Cercavo di prevenire ogni minima forma di sconforto. Raggiunsi punte di vera e propria isteria. Spremevo un'arancia e già buttavo le bucce, bevevo e sciacquavo il bicchiere, tiravo subito a liscio il lenzuolo sul letto, chiudevo il dentifricio, mi voltavo a guardare se tutto era al suo posto prima di uscire. Buttavo la spazzatura in sacchetti mai troppo pesanti, perfetti, avevo un piccolo contenitore di legno per il pane e uno termico per i formaggi. Accostavo le pantofole sotto il letto. Ma per tutta la giornata restavo con il pensiero fisso che qualcosa non fosse al posto giusto. Tornavo in una casa in ordine, accendevo la luce e tutto era netto e imbevuto di silenzio. Di colpo mi perdevo, passavo ore a cercare gli occhiali, allora avevo voglia di urlare.

Ogni tanto Leni veniva a trovarmi, la sua sostanza luminosa faceva scintillare quella casetta. Mi ero separato da sua madre, e adesso tra noi non c'era più quella figura troppo potente nei suoi silenzi, davanti alla quale ci eravamo spesso sentiti due corpi impiccati alla medesima fune di seta. La nostra era una relazione sporadica, completamente libera da vincoli. La mia sensualità, sollecitata da Leni, si risvegliava. Ero un single magro, sessualmente stravagante, tubavo con la mia ironia, solleticavo la sua curiosità culturale. Avevo sempre preziosi regalini per lei, raffinati breviari filosofici, cataloghi di collezioni private stampati in pochissime copie. Camminavo scalzo, le offrivo subito un bicchiere di vino. Anche lei gettava le sue scarpette bagnate o i suoi stivali da guerriera, piegava le gambe sotto il sedere sul divano, si toccava i piedi, i capelli. Mi provocava con la sua intelligenza, raccontava agitata del World Social Forum a Dakar. Mi portava notizie fresche dalle comiche del nuovo mondo, il volantino del primo ufficio turistico gay aperto sopra il Ku Bar, il coming out di Crispin Blunt. I suoi giudizi erano così taglienti, il suo umorismo così acido. Se aveva i capelli bagnati correvo a prenderle il phon, guardavo il suo nuovo orecchino, il suo nuovo reggiseno arancione. Era sempre affamata.

– Che buon odore, dad.

Era stupita che avessi imparato a cucinare così bene. La guardavo mangiare, le braccia conserte come una vecchia balia con un vizzo seno asciutto ma un cuore gonfio.

Tirava fuori la sua telecamera e mi filmava mentre rassettavo la cucina e parlavo agitando i guanti da casalinga insaponati.

– Cosa conti di farci, con tutto questo materiale?

– Un documentario.

– Di che tipo?

– Antropologico.
– Tipo *Noi vecchi orsi dello zoo di Londra.*
– Tipo.

Venne qualche volta con il suo nuovo ragazzo, Thomas, cucinai anche per lui, rimasi fino a notte a sentire ragionamenti aleatori. Dovevo arrendermi all'evidenza che Leni nutriva una predilezione per un certo tipo d'imbecilli, quelli più bassi di lei, piuttosto sporchetti, loquaci salami con i quali doveva seppellirsi per ore sotto le coperte. In ogni caso ero astioso e di parte, aveva ragione sua madre. Ma era colpa mia se aveva messo al mondo una tale fuoriclasse? Una creatura che bucava il mondo con l'intenzione di resuscitarlo.

Conseguì il PhD in Scienze antropologiche ed etnologiche. Era diventata attivista di una associazione che si batteva contro l'infibulazione, così l'anno successivo, abbandonato Thomas, apparso e scomparso come una meteora un certo Paco, Leni lasciava il suolo inglese e partiva per un lungo viaggio africano. Non mi rimasero che la sua voce una volta alla settimana, osteggiata dalla lontananza, e lunghe email in cui mi raccontava il suo impegno umanitario, le sue giornate nei villaggi, il buio della notte e i rumori del deserto.

Ogni tanto esco con i vecchi amici. Non c'è niente di peggio di un'intera generazione che invecchia, li guardi a uno a uno e davvero nessuno più è giovane intorno a te. E il tuo sguardo non è così benevolo. E davvero nessuno è migliorato, nessuno ha accettato di passare a una terra più discreta. Se parlano vogliono avere sempre ragione, sentono di meritarselo. Se stanno zitti, non è vero che pensano più di una volta, sono semplicemente molto più tristi e sospettosi. Nessuno ha cambiato abbigliamento, ma è come entrare in un negozio dell'usato, la stessa puzza di tessuti incarniti. Alcune amiche sono piuttosto inebetite, hanno mollato il peso e si siedono sui divani come grossi piccioni questuanti, altre hanno perso la testa, come uccelli usciti vivi da un forno, calzano stivali sadomaso, ti aggrediscono verbalmente con le loro rivelazioni.

Tutti sentono di aver capito qualcosa, ma nessuno sa dire cosa, così passano rapidamente al drink successivo. Tutti hanno paura del cancro, ma tutti bevono, tutti fumano, perché la notte cancella le rughe, perché è l'unico gesto che ricordano della loro giovinezza. Dove sono i grandi vecchi in questo ovile di spenti peluche? Tutti vorrebbero accreditarsi come saggi, ma io non vedo altro che adolescenti decrepiti. Giornalisti, accademici, scrittori, gente che sulla pubblica bilancia fa ben valere il proprio peso senile e a letto cerca la compagnia di chi, quando loro erano già in pieno esercizio sessuale, ancora sedeva sui banchi dell'asilo. Garrett ha mollato Bess e i quattro figli per la giovane figlia del suo dentista, il quale aveva a sua volta mollato la moglie per un cioccolatino di trent'anni, lasciando la figlia con un tale ammanco paterno da indurla a buttarsi tra le gambe del vecchio Garrett. È pieno di storie così nella uptown. Una virtuosa catena di fughe e unioni strampalate. Sembra essere l'ultima moda, giocarsi la vita fuori tempo massimo, vecchi tacchini farciti di sollecitanti erotici. Si ride, si finge stupore davanti a un'aragosta o sotto un neon d'artista. Le vecchie solide coppie tornano verso casa nelle loro auto, fermi dietro ai tergicristalli i loro volti tristi, i loro pensieri ancora più tristi aspettano il semaforo. C'è un tempo per la speranza e un tempo per i semafori sotto la pioggia.

Izumi e io abbiamo ripreso a frequentarci con una certa assiduità. Indossa un cappotto bianco e scarpe di vernice nera. Ha quasi sessant'anni ma non è cambiata, solo il magro collo ha qualche anello del tempo, come le piante. Ogni tanto andiamo all'opera, siamo diventati due melomani. Parliamo della leggerezza degli archi e dei fiati nell'ouverture del *Flauto magico*, del tenore un po' monocorde. Le porgo la mano per attraversare i viali dove le macchine vanno troppo veloci. La ruota di una Ferrari ci schizza, malediciamo la brutalità della nuova ricchezza piovuta dall'Est. La aiuto con il cappotto nei ristoranti etnici dove qualche volta ci fermiamo a mangiare. La lascio davanti alla porta di casa, metto il guinzaglio a Nando e faccio un lento giro con lui. È quasi cieco e il pelo è logoro. Attraversiamo il Tamigi, tira verso gli argini, odora gli angoli, i muri pisciati da altri cani. Scava odori negli sporchi strati ma è un istinto residuo, attendo paziente quel lavoro olfattivo necessario a un cane.

La discussione con Izumi è sempre stimolante, la sua curiosità è di gran lunga più viva della mia. Va a tutte le mostre più interessanti, conosce i nuovi poeti, adora il lavoro dei cineasti scandinavi.

Siamo orfani di un sodalizio che avevamo creduto assoluto. Il fatto di non essere più condannati a condividere la frustrazione di un matrimonio ci rende più lievi. Izumi è diventata molto più simpatica. Si sente libera di darmi sui nervi. A volte litighiamo, ma più che altro per sentirci ancora tonici. Le piace gesticolare per strada come un tempo e a me piace guardarla. Vuole avere uno spettatore, qualcuno che le ricordi la precarietà della giovinezza, quando tutto era ancora possibile.

Credo che quello fu il dono che le feci, non smettere mai di guardarla con una sorta di soggezione, come un amante che teme l'abbandono. Un giorno mi aveva detto *è triste pensare che nessuno si aspetta sorprese da te, nessuno più ti crede capace di un movimento.*

Venne l'estate e cominciò a uscire meno, a non rispondere al telefono. Passavo tutti i giorni nel tardo pomeriggio, con i sacchetti del fruttivendolo, del macellaio, suonavo il campanello, aspettavo. Oltre la porta mi mancava il guaito di Nando. Era sepolto in giardino, accanto al barbecue incappucciato. Izumi indossava la sua vestaglia con le cicogne, aperta su una maglietta bianca. Sorridevo sulla porta, *salve splendida Yuki*. Mi lasciava entrare per dovere, come un rappresentante di vangeli. Sistemavo la spesa in frigorifero. Si sedeva sul divano, spesso il televisore era acceso ma lei non lo guardava.

Non faceva che ripetermi di non venire, allora capivo che era felice delle mie visite. Apparecchiavo, cucinavo il riso come piaceva a lei, con l'aceto e qualche bacca di vaniglia incisa. Conoscevo bene quella cucina, sapevo esattamente come muovermi. Riuscivo a dominare il forno, a scartare le foglie alle cime di rapa, ad apparecchiare senza dimenticare i coltelli, come un'ottima moglie. Cose che non avevo imparato a fare quando vivevamo insieme e io ero un pessimo marito. A volte coglievo il suo sguardo, come una piuma che mi passava accanto. La sera veniva, umide fette di buio calavano oltre i vetri, il traffico delle sette stagnava all'incrocio, le foglie dell'erica per un attimo divennero viola.

Se torno a pensarci ancora adesso mi fermo in mezzo alla strada, mi chiedo perché quel tempo non sia rimasto eterno. Forse questo è un matrimonio, la vicendevole cura nell'alternanza delle stagioni.

C'era una pianta malata in giardino e per tutta l'estate ci occupammo di lei. Il sole era come il demonio appostato fuori dalla porta. Fortunatamente il nostro era un giardino in ombra. Durante tutti quegli anni avevamo inseguito l'unico raggio di sole. Izumi, coperta da un cappello, con i suoi grossi occhiali neri, mi dava indicazioni che io eseguivo alla lettera, tagliavo i rami morti, scavavo la terra intorno all'albero, concimavo le radici con gocce rivitalizzanti. Quell'impegno botanico ci distrasse dalla sua malattia.

La fase di acutizzazione fu molto più improvvisa e dolorosa delle altre. Le macchie sulla faccia di Izumi riapparvero nel giro di una notte e non se ne andarono più. Un giorno, dopo aver lavorato in giardino, mi sedetti sul divano sudato, a torso nudo, e quando mi staccai mi accorsi che la mia schiena era coperta dei capelli che lei perdeva.

Quella sera mi fermai a dormire da lei. Erano tornati i dolori interni e di nuovo faticava a urinare. La sua voce era cambiata, sembrava una voce registrata e sporca, le feci una puntura di cortisone ma il beneficio fu davvero misero.

Divenne sciatta e silenziosa. Il lupo scardinava i cancelli, rompeva a morsi la rete che lo teneva prigioniero. Gli occhi di Izumi erano rossi e pieni di terrore. Le mani si erano piegate come uncini. Non l'avevo mai vista piangere di dolore. L'aiutavo a vestirsi, a camminare. Svuotai lo scrittoio in camera, preparai l'altare delle medicine. L'ultimo atto di un matrimonio riuscito.

Accompagno Chandra Niral alla porta, guardo le scale buie, lassù dove riposa Izumi, parliamo sottovoce di un trapianto renale.

Non ebbi il tempo di fare dei piani, di decidere nulla. Non riuscimmo neanche a scegliere una terapia precisa. L'ordine era saltato, i sintomi coprivano i disturbi, si accavallavano. Cominciammo semplicemente a rincorrerli, mescolando farmaci e panacee.

La lasciavo sola poche ore, andavo a casa, ritiravo la posta, ascoltavo la segreteria telefonica, mi facevo la doccia e tornavo da lei.

Gli amici partirono per le vacanze e noi restammo completamente soli. Riempii una valigia e mi trasferii nella vecchia casa. Tremava avvolta in un piumone invernale, nel semibuio. Era estate piena, io camminavo in maglietta nel mercato dei crostacei e della frutta tropicale per allettarla con qualche boccone.

Certo toccava a me. A chi altri. *Avrò il coraggio?* E *avrò il coraggio? Chiudete le porte di questa casa. Tirate le tende. Qui dentro noi abbiamo lottato e sognato, abbiamo sudato. Ci siamo svegliati e messi in moto.* Una notte lei mi dice *stai scontando la tua pena, vecchia regina.* Sorride e non è buona, è già il lupo. Le spiagge lontane, le macchine cariche di bagagli sulle autostrade estive. Sono una domestica che ripete le sue mansioni, passo la spugna sul tavolo. La carne di Izumi è molle e giallognola, la buco accanto a un osso.

Vorrei dirle che vorrei averla portata in paradiso, che vorrei essere stato un vero marito e non un timido pervertito. Lascio la camera di Leni, mi corico accanto a lei, ho paura. Diamanti cadono dal cielo. Dormo finché lei dorme, quando si sveglierà le laverò il collo. Anche Chandra è partita, ha un marito e un bambino adesso. Non esco nemmeno per fare la spesa. Prendo la bottiglia del latte e rientro. Piange. Piango. Ride. Rido. Metto *La Cumparsita,* la prendo tra le braccia, la cullo. Adesso abbiamo lo stesso odore. Le ali della morte sono quelle di un gabbiano che vola verso un mare davvero lontano.

Urina sangue, mi dice che è già successo altre volte. Ma io corro per strada impazzito, trascino in casa un dottore notturno.

Poi la tregua, si sveglia senza dolori, fa colazione. Mi chiede come sto. Sono mesi che nessuno mi fa questa domanda. E la giornata passa liscia come un filo di seta in un telaio. Le leggo una poesia haiku, *il tetto si è bruciato, ora posso vedere la luna.*

È il sedici settembre, il suo compleanno, il sole non c'è, piove. Vuole uscire, mi chiede di portarla a Greenwich. Guido fino all'imbarcadero. I nostri corpi superano il tornello. Il ferry boat è quasi vuoto, raffiche di vento marezzano il Tamigi.

La vista della città che si allontana è imperiosa, spettrale. La famiglia di Izumi arrivò qui dall'America in fuga dalle persecuzioni dopo l'attacco di Pearl Harbour, suo padre era un ottimo medico oculista, trovò un impiego come commesso in un negozio di occhiali, vissero in un alloggio modesto. Izumi frequentò le scuole pubbliche con il suo haori, i suoi calzini con l'alluce separato, un'orchidea in un campo di ruvide rape. Le appiopparono nomignoli, le orinarono nella cartella. Pochi anni dopo, in jeans e ciabatte greche, manifestava accanto ai minatori, piangeva ascoltando *Riders on the Storm.*

Izumi indossa la cerata color senape, fa freddo ma vuole restare fuori. Si è truccata le macchie sul naso e sulle guance, un sottile strato fangoso le copre il viso. Ci fermiamo in un pub accanto al Vascello, una piccola band suona dal vivo.

La guardo e capisco che sono già solo, seduto a questo tavolo. Che un giorno tornerò qui senza di lei, mi siederò esattamente dove siamo adesso. Ascolto il suo testamento. Elenca una serie di piccole cose, con la sua voce piana, la sua mente agile. Un cassetto da aprire, un conto bancario da chiudere, la liquidazione per la domestica. Poi sospira, scaccia l'aria fino in fondo, mette a tacere ogni vana superficie. La sua voce arriva da una profondità ventrale. Pronuncia il nome della figlia, guardandosi intorno, come se cercasse Leni, se si aspettasse di vederla apparire. La sua fronte s'incrina, le narici sono quelle di un animale che partorisce, si arricciano bagnate, soffiano. Capisco che per una madre la morte è semplicemente separarsi dai figli. Attraversare la stessa soglia del travaglio.

– Ti prenderai cura di lei, vero?
– Hai bisogno di chiedermelo?
Allora mi ricordo che quella a Greenwich fu la prima gita che facemmo tutti e tre insieme, il giorno in cui conobbi Leni, in cui cercai di essere all'altezza delle loro vite.
– Non avresti dovuto sposarmi.
– Non potevo fare altrimenti, anche Leni si è subito innamorata di te. Tutti quelli che ti hanno conosciuto si sono innamorati di te, Guido.
– Non me ne sono mai accorto, ho sempre creduto di essere un uomo respingente.
Abbasso la testa, le chiedo scusa per il male che le ho fatto.
– Lui dov'è?
– Forse non mi ha mai amato.
– Ma tu hai amato lui... Può bastare, credimi.

Tornammo in autobus, Izumi posò la testa sulla mia spalla, chiuse gli occhi. Guardai da solo quel viaggio di ritorno, le luci che brillavano in alto sui grattacieli, il movimento delle strade. Soltanto quando l'autobus si fermò mi accorsi che era svenuta.

Se ne andò quindici ore più tardi al London Bridge Hospital. Feci in tempo ad avvertire Leni e tutto si svolse nel silenzio, nel bianco. Non ero in grado di sopportare quell'evento. Non ce la facevo neanche a guardarla, mi misi in fondo al suo letto e le tenni i piedi, storti, induriti dalla malattia. Aveva avuto un ictus e non riprese mai conoscenza. I kami danzavano intorno a lei e la sostenevano. E questo accadde, a un certo punto della notte una incredibile forza entrò nella stanza e io davvero vidi capovolgersi i mondi, Izumi era molto più viva di me. Mi alzai, e le baciai la bocca. Leni arrivò all'alba con un volo da Casablanca. Posò il suo corpo svuotato su quello della madre, non smise mai di carezzarle i capelli.

Chiudemmo le sue ceneri in un'urna rossa. Sette giorni dopo organizzammo una festa funebre con azuki e spaghetti. Comprammo l'occorrente, spago, carta colorata, pezzetti di compensato, e costruimmo una grande lanterna. Sulla carta scrivemmo tanti pensieri e Leni tracciò infinite croci per infiniti baci e il motto preferito della madre: *chiedere è vergogna di un minuto, non chiedere è vergogna di una vita.*

Scendemmo sull'argine del Tamigi, c'era vento e non fu facile accendere la nostra fiaccola e adagiarla sulle acque. Tememmo che affogasse subito, che s'impigliasse al fango filamentoso, alla sporcizia. Tornò indietro un paio di volte, sembrò capovolgersi. Ma poi invece fece tutto da sola, trovò la sua strada sul fiume e si allontanò lentamente traballando sotto il Waterloo Bridge, senza mai spegnersi. Leni filmò con la sua cinepresa quella piccola obon londinese. Più tardi i Doors cantavano *Riders on the Storm* e noi due dondolavamo abbracciati in salone. Izumi attraversò il fiume e raggiunse l'aldilà del cielo e delle montagne.

Quando le persone rappresentative se ne vanno, assumi il loro insegnamento, naturalmente. Allora capisci che questo è il senso, che i vecchi guanti trovano sempre una nuova mano. Io e Leni divenimmo premurosi, quasi paranoici con la sua memoria. Non potevamo più permetterci i nostri giochetti, smettemmo di colpo di essere ruffiani con noi stessi. Parlammo come se Izumi fosse seduta davanti a noi e potesse vederci e giudicare ogni nostra futura intenzione. Trascorremmo giornate intere chiusi in casa a guardare i filmati che aveva riportato dalla Costa d'Avorio, i bambini serpente, i fiumi malarici, i riti animistici, il canto dei giovani seminaristi all'alba. Quel mondo primitivo e tragico così vicino all'essenza innalzò il nostro lutto. La guardavo e sentivo l'ebbrezza della sua giovane vita, e questa fioritura mitigava la mia resa. Aveva avuto un'offerta per montare il suo documentario a New York, ma non si decideva a partire. Aveva un assurdo blocco psicologico. In America i suoi nonni erano stati rinchiusi in un campo di prigionia, non voleva tradire la memoria della sua famiglia. Anche Izumi era sempre rimasta tenacemente antiamericana. Litigammo furiosamente, per la prima volta in tanti anni. Non cercavo la sua amicizia, cercavo la sua riuscita. Mi insultò, mi disse che avevo preso in giro sua madre, che l'avevo fatta morire di dolore, che ero l'ultima persona al mondo dalla quale lei poteva accettare un consiglio, ero un estraneo, un frocio, e un assassino. Fu tutto molto prevedibile e romantico. Ci riappacificammo davanti a un pollo tandoori. Leni salì su un Jumbo e io affidai la casa a una graziosa agente di zona della Foxtons che si occupò di affittarla ai turisti, così che lei potesse studiare cinema, vagabondare con lo spirito contando su una regolare entrata mensile.

Lasciai l'università al culmine della mia carriera accademica, nello stupore generale. Tornai al mio vecchio lavoro nella casa d'aste. Mi piaceva, era un ambiente più promiscuo, più allettante. A una certa età cominci a prediligere le scappatelle fuori porta, i luoghi lontani dagli atenei. In ogni caso non avevo più nulla da insegnare, la pulsante vena del filantropo culturale già da un pezzo si era atrofizzata. Abbandonai i dattiloscritti di tutti i miei corsi, raccolsi giusto qualche appunto e i piccoli ricordi, buttai tutto in una borsa che sarei tornato a prendere più tardi. Ebbi la solita festa, i soliti canti autunnali. Lasciai la mia cattedra alla reggenza provvisoria della giovane Olivia Cox, ma in ogni caso c'erano già molti gladiatori pronti a battersi per quel posto. Geena non venne alla festa d'addio, ma disse che ogni venerdì verso le sette avrebbe messo due bicchieri nella nostra postazione davanti al camino spento.

Intanto era arrivata la terribile crisi economica, il mondo della finanza pattinava su ghiacciai che si liquefacevano, le sue teste impomatate somigliavano agli irresistibili cattivi di Gotham City nell'ultimo Batman. L'Irlanda e la Spagna erano disseminate di moderne rovine, ridenti villette lasciate a lugubri scheletri di cemento.

La casa d'aste era un intrigante osservatorio dell'humus sociale. Si respirava un clima di arrembaggio postbellico. Il mio era un lavoro pulito, silenzioso, facevo le perizie, riempivo le mie schede di expertise. Imperturbato, assistevo allo scenario della smobilitazione in atto nelle dimore di mezza Europa.

Mi comprai una motocicletta, una tuta di cuoio e un casco scintillante. Non ero un grande guidatore, ero prudente. Mi piaceva la mia figura magra, stretta nella pelle, anche se sotto ero un vecchietto. Potevo sentirmi l'attore protagonista di un altro film, un giovane centauro che si sta allontanando dalla civiltà per vivere con coraggio. Nelle buone giornate andavo fino a Whitstable a mangiare frutti di mare. Posavo il casco sulla sedia accanto a me, mi godevo la luce, il vino, poi ripartivo.

Soffrivo d'insonnia. Alle tre di notte ero sveglio e tonico come se avessi appena fatto un bagno nelle acque dell'Atlantico. Scivolavo sulle strade fasciate dalle luci notturne con il volto coperto in sella alla mia Harley Davidson. Qualche lunedì gay mi capitò di rallentare davanti allo Heaven, con i ragazzi che entravano e gli indecisi che curiosavano... ma anche quando in più d'una occasione entrai al Freedom, al Barcode o negli altri locali gay di Soho, fu soltanto per scambiare due chiacchiere con amici un po' più sfrenati di me. Mi piaceva guardare i loro baci, le loro mani tra le gambe. Era il mio mondo, ma non potevo farne parte. Era troppo tardi.

Incontrai un uomo italiano, Donato. Alzò la mano per comprare un piccolo quadro del Realismo sovietico. Senza conoscerlo, istintivamente, feci il tifo per lui, per quella testa brizzolata, quella camicia scura, quella mano che si sollevava composta in fondo alla sala rumorosa. Non si aggiudicò il quadro, ma una settimana più tardi facemmo una gita in moto a Canterbury. Era un uomo eccentrico ma discreto. Parlava lentamente con una voce pastosa e rassicurante e quando era il mio turno mi ascoltava concentrato. Arrossiva se restavo troppo a lungo in silenzio. Per il resto era molto maschile, non aveva pose, nessun gesto superfluo. Era stato brevemente sposato con una donna inglese, non aveva figli. E nonostante avesse una decina d'anni meno di me, aveva l'aria disinvolta delle persone che hanno già raggiunto gli obiettivi e guardano oltre. Sapeva divertirsi ma non era affatto superficiale. Mi piacevano i suoi occhi, le sue cravatte alla Scott Fitzgerald. Per un po' riuscì a sollevarmi dalla putredine. Formavamo una specie di coppia, due uomini intelligenti ma timidi accomunati da una certa grazia, e un po' fuori dal tempo. Ero davvero felice di avere un nuovo amico che soffiava sulle pale del mio stanco mulino.

Poi un giorno cominciò a prendermi in giro, a darmi addosso per le mie idiosincrasie, a maltrattarmi vellutatamente. Allora capii che era innamorato di me. Volevo lasciarmi andare, dargli almeno una possibilità, Donato lo meritava, anch'io per un attimo avevo cullato l'idea di una vecchiaia mite, di un compagno, di escursioni culturali e culinarie, ma di fatto mi tenni con un piede fuori. Cominciai a guardarlo da lontano. Ad analizzarlo attraverso *quella* lente. Vedevo i difetti, le ammaccature dell'omosessuale. Cominciai a usarlo come la carta moschicida per i miei turbamenti psichici. Vedevo flash della mia vita passata. Godendo della stupida forza di chi non ama e sa che non amerà mai più, gli dissi che ero impotente e lui rimase comunque. Lo illudevo e poi lo demoralizzavo. Non era ancora una storia, non era più un'amicizia, era un confronto con me stesso, e lui era il corpo assorbente, il manichino simulatore, come nelle prove d'urto.

Senza darlo a vedere, lo sbranai. Sputai le ossa lontano. Provò a parlarmi, era percettivo e devoto. Simulai una notte di verità. Rimasi appostato a guardare la scena, a giudicare i due uomini, quello all'apparenza forte, l'altro all'apparenza sconfitto. Mi propose di partire per un viaggio in Indocina. Era un bellissimo uomo, quasi uno stereotipo. Provò a baciarmi, chiuse gli occhi. Volevo restare. Se fosse stato una donna forse sarei rimasto. Ma era un uomo. E non era lui. E mai avrebbe potuto esserlo. Fui brusco, eppure mi rimase amico. Continuò a telefonarmi, a preoccuparsi per me. Mi consigliò uno psicoanalista, gli dissi che non avevo nessuna intenzione di dire una singola parola a pagamento.

C'erano cantieri ovunque in città. L'East End era impraticabile, tutti parlavano del nuovo treno shuttle e tutti erano sportivamente galvanizzati dall'arrivo delle Olimpiadi, anche gli alcolisti facevano flessioni o andavano sui pattini al Serpentine e l'allerta sulla sicurezza rendeva la vita difficile ai nottambuli. Volevo fuggire. Contavo di riempire una valigia di libri e di raggiungere il caldo, il rumore del mare.

A Capodanno una cosa buona la feci: portai Donato con me a casa di Knut insieme a una bottiglia di champagne. Finirono a letto quella notte stessa. A giugno, quando si sposarono, nel mio discorso da testimone con una rosa nell'asola di lino ricordai che Knut mi aveva presentato Izumi. Sentii un grande sorriso tornare indietro dalla vita. Uno di quei matrimoni con i barattoli dietro una vecchia macchina color salmone e tanta gente libera che lancia petali.

Costantino è in macchina, guida. Poi si ferma. È notte. Una luna bassa galleggia nel cielo, ghiaccia e confortante. Quelle lune che avvolgono ogni cosa e per un attimo paiono interrompere il ciclo del dolore. Tale luna rende lunare anche la superficie della visione. Costantino apre il bagagliaio della macchina, sposta una cassa di vino, raccoglie la corda. Cammina a piedi nudi sulla terra scalzata... Nel sonno posso sentire il soffice movimento dei suoi passi. Giunge presso un ulivo, guarda in alto le chiome. La sua camicia è aperta davanti e io mi immergo nel respiro del suo petto, per un pezzo rimango con il mio orecchio posato lì. Penso di potergli parlare, di potergli chiedere molte cose. Ma quel petto mette a tacere ogni mia curiosità, come se tutte le risposte mi fossero già arrivate. Non c'è nulla davvero che voglio sapere, che già non so. S'accende una sigaretta, sento l'odore del tabacco nel suo alito. Vedo la brace che arde agitata dal suo respiro. La sua bocca umida, il carbone delle mascelle. La sigaretta finisce e lui prende la corda. Il resto è tutto rapido e meccanico. Ha una buona manualità, è forte e sa fare i nodi. E come nei momenti estremi non sbaglia nulla. Sale con i piedi nudi sul tronco. Lancia la corda, centra subito il ramo che ha mirato, si assicura che tenga. Infila la testa nel cappio, si lascia andare senza nessun ripensamento, come se avesse già pensato e adesso non gli restasse che sbrigarsi. Sento il colpo, il rumore interno delle ossa. Nessuna resistenza, tutto è fluido e necessario. Il corpo di Costantino penzola davanti ai miei occhi. È l'alba, la luna è retrocessa nel suo biancore dall'altra parte della terra.

Non avevo sue notizie da quattro anni.

Mi svegliai con la nuca rigida, non riuscivo a fare la minima torsione. Rimasi a letto, trascorsi molte ore con la testa completamente separata dal resto del corpo, strangolata da un collare di puro dolore. Il sogno sbiadì. Cominciai a temere che il trauma vertebrale fosse salito fino in cima alla colonna. Presi un analgesico, più tardi riuscii a farmi una puntura di cortisone.

Nel pomeriggio stavo decisamente meglio, facevo qualche piccolo movimento. Camminavo tra i banchi gocciolanti al mercato dei fiori in cerca di mimose. Era l'otto marzo, ma trovare mimose a Londra è sempre una discreta impresa. Il cellulare vibrò.

Era Miriam, l'agente della Foxtons. È una ragazza simpatica, studia drama, vorrebbe fare l'attrice. Le chiedo che ruolo le piacerebbe interpretare.

– Sempre e per sempre Lady Macbeth.

– Perché?

– Perché è cattiva.

Invece lei è una vera tenerona, cosce di latte, scarpette zuppe di pioggia, mucchi di chiavi in mano, dentro e fuori da quelle case da locare con la posta ammucchiata sotto la porta sulla moquette sporca.

– Perché non Amleto?

Essere o non essere, questo è il problema: se sia più nobile tollerare le percosse e gli strali di una sorte oltraggiosa o sollevarsi a combattere tutti i nostri triboli e risolutamente finirli... morire, dormire, null'altro...

Ride. Mi ricorda la mia posta. Ogni volta che affitta la raccoglie e la infila in una busta. Pagano loro le utenze, è un vecchio indirizzo, non arrivano altro che opuscoli, pubblicità, inviti scaduti.

– Butta tutto, Miriam.

C'è anche una lettera, mi dice. Sarà un biglietto di condoglianze arrivato in ritardo dal Giappone. Mi dice che è scritto in italiano.

Il mondo d'acqua e di fiori recisi, di gocciolanti steli, si decompone e s'innalza. Di colpo è uno scintillante cimitero. Di nuovo sento la nuca rigida, il corpo bloccato come una macchina con quelle barre giallo vivo, uno di quei tyre clamps che mettono quei maiali della vigilanza stradale, e anche la gola è metallo, il tubo di un vecchio lavandino dove insieme all'acqua scivola la ruggine. Mani nere escono dai muri del passato.

Sono fermo davanti a un bow window dove è esposto un magnifico bonsai d'olivo. Mi incanto a guardare la perfezione dei rami, delle piccole foglie. Il tronco è spaccato in due, come una mano aperta verso il cielo, un artiglio mineralizzato. Penso all'ulivo e alla corda.

La tensione cervicale rende innaturali non solo i miei gesti, ma anche i miei pensieri, mi sento uno di quegli automi del Mechanical Theatre, con una remota voce interna.

Uscii dal mercato e fermai un cab. In Wardour Street incontrammo una manifestazione di donne, ragazze con le facce dipinte, arabe con il velo, delegazioni di donne del Darfur, del Congo, egiziane con maschere antigas avanzavano allegre cantando, battendo le mani, dietro a uno striscione con la scritta NO MORE SILENCE NO MORE VIOLENCE. Mi fermai a guardare quel fiume di donne colorate, energiche, che mi diedero una forte carica... una sorta di scossa elettrica emotiva. Mi lasciai contagiare da quella energia. Di colpo ero grato a tutte quelle ribelli che marciavano contro i soprusi del mondo, senza astio. Avevo voglia di applaudirle... Non è donna la terra, la luna, la casa? E non c'è uomo, anche il più bastardo, il più misogino e solo, che non abbia sentito almeno una volta il desiderio di inginocchiarsi davanti a una donna. Per tutta la fatica svolta nella grande rete della vita.

Imbruniva quando mi mescolai tra la folla a Victoria Station e presi un treno nel senso contrario ai pendolari. Mi ritrovai in una carrozza vuota, in una corsa che emanava un certo terrore.

Dovevo riprendere un po' di scartoffie che avevo lasciato nella vecchia sede universitaria, ma più che altro mi stavano a cuore un paio di vecchie scarpe da trekking con cui ero solito fare qualche passeggiata nei boschi lì intorno durante la buona stagione. Le avevo comprate in un negozietto modesto, senza quasi sceglierle, ma poi si erano rivelate di una leggerezza e insieme di una solidità rara. Mi mancavano quelle vecchie scarpe valorose. Forse proprio perché erano entrate nella mia vita per caso, come tutte le cose migliori, e io non le avevo considerate se non molto più tardi, quando le avevo sostituite con nuove scarpe molto più tecnologiche che erano risultate deludenti e non avevano mai veramente camminato con me. No, scarpe a parte, ero lì per Geena, volevo farle una sorpresa, sedermi accanto a lei davanti a quel camino spento.

Alla fine ero riuscito a trovare le mimose, avevo tirato su da un secchio tutte quelle che c'erano. Nel treno, lo scompartimento si era riempito di quell'odore denso e dolciastro che dava alla testa. Non avevo mai conosciuto un fiore più puzzolente. Geena avrebbe avuto un attacco di panico amoroso nel vedermi comparire come un vecchio studente nostalgico con quel tremulo fascio giallo per lei. Ero sceso dal treno e avevo camminato incespicando nei pensieri, proprio come un ragazzo, intimidito, quasi ridicolo, fasciato in un liquido reticolo di emozioni... Vedevo il volto di Geena scomporsi, arrossarsi, i suoi tenui occhi viola barbagliare tra le piccole vene. Il pensiero di quell'offerta gonfiava e inorgogliva il mio cuore. In quei pochi passi mi sentii un uomo diverso, capace di vero amore, zoppicante come un puro, ingenuo ragazzo.

Il custode venne ad aprirmi. Mi salutò con un cenno, *ah è lei*, era mezzo sordo, aveva una radiolina incollata all'orecchio con un vecchio sketch dei Monty Python a volume altissimo.

Nelle aule i computer erano spenti e c'era il consueto disordine del venerdì sera, i cestini traboccanti di cartacce. Mi fermai davanti all'aula C e diedi un'occhiata all'interno, la parete di pelle imbottita, la lavagna infarinata di cancellature, la pedana dove avevo consumato quasi vent'anni di scarpe, camminando su e giù, agitandomi platealmente. C'era un odore residuo, ancora denso di calore corporale. Le ragazze dell'impresa di pulizie tra poche ore avrebbero spalancato le finestre. Entrai e mi sedetti, guardai il semicerchio dei banchi deserti. Sentii lo sfarfallio delle mie parole tornare indietro dal passato, crosciavano come una violenta pioggia nell'irreale silenzio. Provai di nuovo quel fecondo piacere che mi aveva accompagnato per tutti i miei anni in quell'aula... la cova dei nuovi spiriti, lo sradicamento delle giovani personalità. Ed ecco che l'aula si riempiva davanti ai miei occhi fissi, fiumi di ragazzi entravano e uscivano. Trisha Owen, John Savage, il piccolo Soloma Begum e la sua gemella Patty, Jerry Cook, il paralitico... e tanti altri, tutti, i migliori e i fannulloni, le tartarughe e i falchi. Anni e anni di corsi ammassati in un unico sguardo. Anche le personalità più sbiadite per un attimo tornarono a imprimersi. Adesso tutti lanciavano il cappellino in aria, tutti mi guardavano, senza accorgersi di me.

Camminando nel corridoio sentii il peso di quello svuotamento, onde di ragazzi che si agitavano e poi sparivano ingoiati nei cardini della società, un ciclo canonico eppure violento. Era stato facile per tutti loro andarsene, due lacrime da coccodrillo, un brindisi in un pub. Canaglie avide di vita sventolavano il loro attestato sulla mia testa. Mi ricacciavano indietro, una sagoma ritagliata sul vecchio annuario della società accademica.

Un piccolo gruppo di studenti era ancora al lavoro intorno a un tavolo, non riconobbi nessuno, così non ebbi l'obbligo di fermarmi, di salutare.

La stanza di dipartimento era vuota, posai le mimose sul basso tavolo davanti al caminetto eternamente spento. Guardai la vetrina, la chiave infilata nella piccola serratura con il suo pendaglio di raso, i nostri due bicchieri lì dentro, accanto alla bottiglia.

Probabilmente Geena stava facendo il giro delle luci nell'altra ala del college. L'aspettai alla finestra, il buio era ancora soffice e non del tutto opaco. Guardai le sagome dei campi da tennis, il terriccio levigato, i pennacchi lungo la rete si muovevano appena. Le ultime finestre illuminate una dopo l'altra si spensero.

Maureen entrò, disturbò la mia attesa con i suoi passi strascicati. Una delle tante precarie, una creatura raffazzonata, forse addirittura con un lieve ritardo, una disperata opera di bene di Mark. Mi riconobbe solo quando mi voltai, vidi il suo volto cadente come quei cani con troppa pelle. Stringeva un pesante malloppo di carta nelle mani insieme alla borsa e all'ombrello. Era vicinissima a far cadere tutto in terra, così mi avvicinai per aiutarla. Sbuffò. Cominciò a lamentarsi del suo sacrificio quotidiano. Non mi chiese perché fossi lì, probabilmente non si era nemmeno accorta che avevo lasciato il college da ormai due anni. Aprì rumorosamente uno degli armadietti e rimase piantata lì.

Possedeva uno di quei respiri sonori che paiono rimproverare eternamente la vita stessa. Cominciò a darmi sui nervi, a soggiogarmi con una strana allerta interiore. Vide le mimose sulla poltrona, nonostante io cercassi di coprirle con il mio corpo. Non erano per lei, ma era comunque una donna e nessuno doveva averle mai portato una sola mimosa in tutta la sua vita, così, pur disprezzandola con tutto me stesso, mi sentii in imbarazzo. Tirò fuori una voce stiracchiata e fasulla.

– Che meraviglia! Per chi sono? Per una bella ragazza?

Erano per una vecchia signora senza onorificenze, quindi mi sentii sollevato, certo di non offenderla troppo.

– Sono per Geena Robinson.

Mi venne vicino, molto vicino. Cominciò a fissarmi, a scrutarmi come un mostro con i suoi piccoli occhi ebeti sepolti dalle lenti. Forse soltanto adesso si era accorta che non tornavo lì da tempo. Di colpo mi sentii un fantasma, una presenza evanescente. Ebbi l'impulso di scappare, di disperdermi nei boschi. Istintivamente feci un passo indietro per liberarmi dall'insensatezza di quello sguardo.

– Non dirmi che non lo sai.

Deglutii perché adesso di colpo lo sapevo. Anche nell'ala sinistra l'ultima luce era stata spenta, un battito nel buio.

– È morta. Sono già due mesi.

Non curvai la schiena, ricevetti il colpo sopra l'armatura, senza apparentemente risentirne. Feci un piccolo rutto, chiesi scusa.

Assistetti estraneo allo sfavillio di Maureen, che adesso si era colorita, era incredibilmente eccitata. Il ferale compito, capitatole per caso, la poneva su un pulpito da messaggera sofoclea. La lama del suo racconto fu dettagliata e inesorabile.

Raggiunsi l'armadietto, afferrai la borsa, trovai le vecchie scarpe e le buttai dentro. Lasciai le chiavi sul tavolo.

– Puoi dire a Mark che l'ho liberato.

Mi aveva chiamato non so quante volte con una scusa o con l'altra per avere indietro quel fetido scomparto di metallo.

Lasciai le mimose a Maureen, che senso aveva trascinarsele dietro come un pennacchio funebre fino al primo cassonetto? Non fui così cortese, e forse mi vergognavo del gesto un po' macabro.

– Le vuoi? Take them!

Le porsi il mazzo frustando l'aria, lo schiaffo che non le avevo dato poco prima. Maureen si portò una mano alla bocca, per contenere un pudico stupore, esattamente come se io fossi entrato in un fioraio londinese e mi fossi mosso da Victoria Station per farle quel presente. Simulò che tutto l'amore che mai doveva avere ricevuto fosse lì davanti a lei, in quelle spampanate efflorescenze giallastre.

– Are you sure, my dear?

Il suo muso da shar pei rivelò un languido bagliore, attinto alla più bella, la più fortunata delle donne. Raccolse il mazzo con grazia, se lo mise tra le braccia nella postura con cui si tengono i neonati. Allora mi accorsi di quanto grande fosse la sua nostalgia, e di che sfacelo sia la vita, se anche un rospo del genere nel suo orribile silenzio osava desiderare l'infinito che mai le sarebbe toccato.

Tornai a casa. Misi due bicchieri sul pavimento, li riempii. Li svuotai dando un sorso ora all'uno ora all'altro. Li pienai di nuovo, di nuovo alternai le sorsate. Geena era davanti a me e mi guardava con la solita intesa, una monella che conosce la strada. Mi spogliai completamente, sfilai la cinta dai pantaloni, me la misi intorno al collo, passandola nella fibbia. Tra un bicchiere e l'altro davo una tirata, mi strozzavo un po'.

Si era impiccata.

Che una vecchia morisse era piuttosto scontato, che si togliesse le ciabattine e s'appendesse all'unico albero del suo giardino era piuttosto inconsueto. Forse aveva scoperto di essere malata, *gli ultimi tempi confondeva un po' le cose,* aveva cercato di addolcire la disgrazia Maureen. Era uscita dalla sua vita con un colpo di scena, una caustica sorpresa. Per tutti, ma non per me. Conoscevo la sua grande passione per i fuoripista.

Dunque era lei l'impiccato.

Ero passato da Miriam a ritirare la lettera di Costantino. L'avevo tenuta in tasca. Solo adesso trovavo il coraggio di aprirla. Poche parole. Si scusava del lungo silenzio. *Rapportarsi con la gravità degli eventi* era stato molto difficile, ma ora stava bene. Aveva desiderio di rivedermi, di ricongiungersi a me. C'era la sua firma e un indirizzo, una frazione di campagna.

Ritrovai quella calligrafia panciuta, senza lance. Istintivamente annusai la lettera, mi infilai la carta nelle narici. Non aveva nessun odore, sembrava scritta sotto dettatura. Come quando faceva il militare, non traspariva nessuna emozione. Magari era su una sedia a rotelle, inebetito, ingrassato di dieci chili. Oppure aveva un cancro, uno di quei fiori neri lì. C'era un terminal in quella lettera, potevo leggerlo nell'inchiostro invisibile... ma non avrei saputo dire quale. Accesi la candela e bruciai la lettera e la cenere s'alzò e volò un po'.

Tutte le madri della mia vita erano dall'altra parte del fiume... Georgette, Izumi, e adesso Geena... lavavano il bucato insieme nelle acque delle bianche ombre. Ero molto stanco. Avevo subito troppe perdite.

La mia ponderata vita senile era costruita su una sorta di follia che adesso denudava il folle. Sentivo che avrei potuto chiudermi in casa, ricominciare a trascinarmi come un animale, un tossico. Ero stanco di sopravvivere a tutto. Chi avrebbe sentito la mia mancanza? Nessuno ormai. Era tempo di andare, di lasciare lo spazzolino da denti al suo dentifricio, il pettine alla sua custodia, l'ordine alla sua follia.

Ho aperto la borsa e l'ho svuotata per terra, ho calzato le mie scarpe da trekking, ancora con il fango sotto... Nel mucchio di inutili scartoffie spunta la copia di *The Dream of a Ridiculous Man*, quel libro simbolico che Geena mi regalò per un mio compleanno, appena qualche anno fa, ma sembrano secoli... Non l'ho mai letto, leggo le prime pagine. La stella che Fëdor vede e che sembra incitarlo al suicidio... E mi chiedo se Geena ne abbia vista una simile, nel suo giardino, se la sua morte non sia altro che un sogno. Ma adesso sono io l'uomo ridicolo, piango mentre leggo quella vecchia dedica. *Non vergognarti del viaggio.*

Mi guardo nello specchio, nudo, solo le scarpe ai piedi. Resto lì a rimirarmi come uno splendido scampolo. Cerco di organizzare i miei pensieri, ma il campo di battaglia è disordinato e le facce dei morti troppo simili a quelle dei vivi.

All'alba mi sono vestito. Ho pensato qualcosa di assurdo.

Ho guardato la vetrata e ho pensato di sradicare un lavandino, correre verso il vetro e spaccarlo e lanciarmi e liberarmi di questa pazzia.

Ho guardato la mia tiepida età. Ho toccato le mie braccia tenere, ho visto le mie spalle magre, il piccolo ventre da lattante e il pene davvero piccolo e azzurro e perso, appeso nel suo baffo di peli come un pennino stinto. La tuta è nell'armadio, rigida come la corazza di un fantoccio. Non credo di farcela con le mie gambe. E comunque non ho nessuna intenzione di scendere da un taxi con un impermeabile e una cravatta di lana... lo so, sarebbe più consono alla mia età. Voglio una vera armatura.

È una preparazione lenta, le calze, la maglietta di seta, la preparazione di un guerriero. Posso vedere molte età e nessuna è quella giusta. Sono improprio, certo. Mi guardo nello specchio e vedo un vecchietto bardato, ma non riesco a sentirmi ridicolo. Sono stato infinite volte ridicolo, ma non adesso. Le mie gambe sono neri stecchini di cuoio, i miei capelli sono ingrigiti e da un po' li ho lasciati crescere, non sono molti ma non sono male, guardo la mia fronte alta, lignea, posso sembrare una scultura. Ho due orecchini al lobo e una vecchia scimmia tatuata millenni fa. È lei che mi salta sulla schiena. Chiudo la lampo, mi stringo la fascia elastica intorno ai reni. Mi guardo allo specchio, sono vissuto in attesa di questo momento.

Il cellulare canta, rispondo in ritardo, non c'è nessuno dall'altra parte, solo il buio delle cose mancate. Resto lì come incollato a una conchiglia in cerca di qualche sussurro cosmico nell'iPhone. Allora penso che è Geena che è passata accanto a Sirio e ha raggiunto l'Eden dove non ci sono cortili, né recinti sessuali, né legami dolorosi, mi chiama dall'aldilà per augurarmi buon viaggio.

Ho chiamato la mia motocicletta River. Per via del fiume della vita e in onore dell'attore Phoenix, cresciuto nella setta dei Children of God, morto per una speedball che non voleva prendere quella sera, voleva tornare a casa a scrivere una canzone.

River è nel garage sotto il supermercato, parcheggiata lì da un po' di tempo, come un insetto impolverato. Non l'ho più presa per via della schiena. Ho faticato un po' a tirarla fuori, è una bella bestia, il tipo unto di grasso ha spostato un assurdo pick-up. River era lì, imprigionata, mi ha sorriso con i suoi occhi sporchi di mesi. Felice che l'avessi liberata. Ho acceso il motore, i fari.

– Andiamo, vecchio fiume.

Ho sentito la sua voce. E quel gorgoglio ha davvero tracimato tanta vecchia acqua e una spinta in salita e il gas che davo lo davo a me stesso, ed era un turbine succulento, fantastico.

Naturalmente per un viaggio così avrei avuto bisogno di una vera preparazione. Aspettare l'apertura dei negozi, scaricare una di quelle applicazioni satellitari per iPhone. Consultarmi su un blog con altri centauri, rivedere l'attrezzatura. E dire che pensavo di vendere River, di mettere l'annuncio, invece non l'ho fatto. Ci stavo cadendo, quest'inverno, con il ghiaccio.

Sotto il casco ho guardato la strada nell'alba. Londra sembrava deserta e azzurra. Una città stampata nell'acqua. Ho sentito che si staccava da me, che restava indietro. Come se tutto il fondale fosse impresso nella pellicola e io solo fossi reale. Come nei camera car fasulli, con il vento spinto dai ventilatori. Le mani nei guanti sui manubri. Ho visto angoli, crocevia, luoghi noti, ristoranti nei quali ho mangiato. Mi sembra di lasciare indietro solo periferia.

Un ragazzo è aggrappato al mio corpo, guarda la strada nei miei occhi, incredulo almeno quanto me, mentre mi allontano da Londra. Il cielo è un grande lago, indietro si torna, indietro nel fiume.

Attraversare l'Europa non è esattamente come fare un giro fuori porta. Avrei dovuto perlomeno informarmi sul meteo e cose così, ma non ho avuto il tempo. Ho una buona tuta, con le protezioni adatte, e un casco integrale. L'importante è scegliere, dopo devi soltanto dare gas.

Ho tirato parecchio, come non ho mai tirato. Dopo il bivio per Canterbury, ho visto qualcosa che mi correva incontro sull'asfalto, un pezzo caduto da una macchina, l'ho schivato per poco. Me la sono vista brutta, ma nemmeno tanto.

Quando comincio a pensare che è una follia, che la mia schiena non reggerà, che non conosco le strade, che troverò la neve, i lupi, gli spettri è troppo tardi. Urlo. Non esistono scorciatoie per i viaggi importanti. I tornanti sono sfere del destino, ferri di cavallo caduti a molti cavalli. Macchie di luce oltre i boschi. La ruota spiffera, mi piego tanto, quasi fino a toccare giù. Cinghie meccaniche, fasce di muscoli non ancora da buttare. Delirio di morte, delirio di vita. Sete, tanta sete. E dentro, di nuovo, questo turbamento. Ho saputo preservarmi. Una torre, uno stemma araldico, un maniero, antiche vite, antiche storie di cavalieri e dame, di battaglia e d'amore. In questa foresta. Cos'è che la vita non ci ha ancora rivelato? Una sorgente ci sarà, il bianco unicorno apparirà. Fate ed elfi e Woden e Thunor e un basso villaggio, una vecchietta disordinata dal vento che è andata a mungere i suoi animali.

Delle prime cento miglia quasi non mi sono accorto. Una leggera pioggia, poi di nuovo sole. Solo una volta mi tolgo il casco per respirare e per pisciare. Sento l'odore del vento di macchia e dei cervi. Guardo le scogliere di Dover, il loro strapiombo come bianchi fogli di roccia. Penso *vorrei avere una fune e calarmi, vorrei scrivere qualcosa, un messaggio che qualcuno vedrà solo dal mare.* Ma naturalmente non ho nessuna fune e nessun messaggio.

Carico River sul traghetto per passare la Manica, la lascio in basso nel puzzo di nafta, salgo scale scivolose. Rimango all'esterno. Comincia a fare buio e il bianco della vecchia nave è blu, la ruggine è rossa. Mi sgranchisco le gambe. Bevo una birra. Una sorta di felicità vibra nelle mie mani sporche che si reggono a una stanga unta di salsedine. Vedo frange di viola e il mare scivola nella grande morte del mare. Perché questo capita nel buio. Non ho avuto nessun pensiero. Ho staccato la spina, l'Inghilterra è rimasta dietro. Addio, splendente Impero Britannico.

A Calais ho cercato un albergo, il primo che ho trovato, a pochi metri dal porto. Ho mangiato una grande sogliola, un ottimo cadavere ricoperto di burro alle erbe. Ho chiesto una bottiglia del loro blanc, me la sono portata in camera. Ho aperto la cartina su un anonimo letto, ho dato un'occhiata all'itinerario. L'ho fatto con il dito, l'ho segnato con la penna. Per un lungo attimo mi sono sentito Bruce Chatwin. Ho aperto la finestra, ho lasciato entrare un banco d'aria francese. Ho sorriso come uno scoiattolo, come qualche animale così, che si affaccia e gode di una novità, di un primato olfattivo. Ho dormito senza sogni, e anche la schiena non dava problemi.

All'alba ho salutato i *Borghesi* di Rodin, con una bella colazione al caldo nello stomaco. Guardo il mio viso negli specchietti, le spalle imbottite nel cuoio nero. Sono ancora un bel pezzo di legno, ti dispiacerebbe buttarlo nel fuoco.

La cenere mi insegue per un po', stanno bruciando rami e fogliame. Un incendio aromatico.

Passo accanto a mulini a vento. Sorgono dalla campagna netta, cilindrici e nivei, prati che prendono vento, erbe medicinali che fanno le onde e i vortici. E le pale lassù muovono illusioni, le impastano con altre illusioni e nel vento sale una voce d'oro. Tu sei soltanto ciò che credi di essere in questo preciso istante.

River è il miglior affare della mia vita, dopo mia moglie. Devi soltanto assecondare la sua sete di futuro, buca il mondo per te, puoi comportarti come un extraterrestre, un turista cosmico. Scendere e lodare paesaggi sconosciuti. È grandioso per un vecchietto sentirsi un tale motore giovane sotto i reni. La Francia mi piace, solleva in me una simpatica vanità interiore.

L'escursione termica fa paura, di giorno sudo, la maglietta sotto la tuta è bagnata, di notte il freddo è duro da sopportare, ti entra nelle ossa, te le rompe, non bastano due maglie e la cerata. Il casco dentro è sporco e gli occhi sono fari rossi. Gli insetti battono come grandine, s'appiccicano come sputi.

Guardo davanti a me, cose di me che so di non aver mai visto. Posso dormire senza scendere da River. Basta stendere le gambe indietro, sui pedalini posteriori. E ancora vedo pezzi che non riesco a ricomporre. Ma forse dormo anche mentre guido. Sogno. Adesso so che ho comprato questa moto per fare questo viaggio.

Mi fermo al distributore, un cane abbaia. Ho paura di non riuscire più a scendere, a drizzare le gambe. Il corpo si è indurito, non ho mai pensato di guidare tante ore. Lo spirito è lieve, pezzi cascano da me, dal vecchio pupazzo. Ascolto i Rem e i Red Hot Chili Peppers, in onore di River.

Nella cittadella dello champagne faccio tappa per dissetarmi... Guardo le bollicine, le svuoto, le pongo dentro di me come farfalle, altre spumeggiano nel calice. E adesso il corpo è davvero arreso, un cencio di tramonto spazzola l'orizzonte viola. Adesso vedo bene il cerchio. Sono al centro. La vita è tutta insieme, in questa mano, in un occhio che s'abbassa tiepido e bagnato. Sono io il falò. Un hotel ignoto, di ignoto charme, una cupoletta che pare un fienile. Solo sulle lenzuola, la tuta posata sulla sedia. Dovrei essere distrutto, arrugginito, stanco come una pietra. Invece sono un angelo. Mi giro sul lenzuolo. Sarà vecchio, sarà grasso, sarà morente? Gli dirò *vieni a fare un giro in moto ragazzo, è ora d'andare,* lo caricherò dietro di me.

Passo accanto a una centrale nucleare, le torri di raffreddamento sono armi puntate nel cielo.

Tiro fino al confine, e quel cartello che separa la Francia dall'Italia è davvero una bandiera posta sulla vetta più alta del tuo malandato cuore che adesso è davvero in affanno. Salgo i tornanti del Piccolo San Bernardo, l'aria squarcia il petto che adesso è una dura lastra verticale dove si arrampicano pensieri vergini come il nuovo ossigeno che respiri. Ci sono altri motociclisti sulla vetta e due camper. Famiglie che mangiano. Guardo il ghiacciaio, sembra davvero l'occhio di un mondo capovolto, pensi che lì sotto potrebbero esserci tante storie come la tua. E ti chiedi come è stato, e come andrà a finire.

C'è un'aquila, uno di quegli uccelli finali che amano le vette. Pensi ai suoi occhi, a un suo occhio da vicino, le ciglia, il movimento delle pupille, il tremore della palpebra.

Chilometri duri, imperterriti come la mia volontà.

C'è tanta autostrada ancora da bucare. Camion e tunnel che sono filari di luci, raffiche di shock. Hai paura, stai arrivando e vorresti rallentare e intanto tiri più che puoi. E di nuovo senti quell'impulso contrario. Ti stai avvicinando a lui, dev'essere quello. Di nuovo la morte e la vita, poi soltanto il polso, guardi l'orologio. Un camion fa lo scemo, sfiori la faccia dell'autista, sta parlando al telefono, sta bevendo una birra, si sta facendo una sega... La faccia di uno lontano anni luce dalla coscienza.

Piove. Hai la cerata sulle gambe e l'acqua che si separa come mare sulla visiera. Cammini su una statale flaccida. Dopo la curva c'è una moto in terra. Una bestia capovolta. Hai quel terribile brivido, la frustata del diavolo. L'ultima, forse. Potrebbe essere la tua River, potresti essere tu, ma no, non è ancora il tuo destino. Anche se per un attimo lo pensi che di nuovo è un'occasione mancata, che sarebbe bello crepare adesso, a un passo dall'Idaho. Pensi di nuovo al destino, a quel cappotto, quello che tutti ci tiriamo addosso, e non sai quanto sarà corto. Comunque vada ce l'hai fatta a invecchiare, da ragazzo credevi di no, invece ti sei sbagliato. Hai creduto di essere caro agli dèi, di essere destinato al trionfo.

Pensi a River Phoenix, *My Own Private Idaho* è uno dei primi film che hai visto a Londra, fu Knut a portarti. Pensi a quei due ragazzi che vanno verso la grande illusione, stretti sulla moto. Sono insieme a te sulla tua River, stai portando anche loro. Porti con te tanti ragazzi, tutti quelli che hanno cercato un proprio Idaho. Ed è sempre la stessa storia che si ripete. Ma è per quella che in fondo si vive.

Capisci che quella motocicletta sull'asfalto, tra le luci rosse e la pioggia, è una rappresentazione teatrale. Una scena che si mostra a te, e che la tua mente molto stanca ma ancora molto forte può immaginare e scomporre e comporre. Quella scena ti sta dicendo qualcosa. Ma neanche questo è vero. E se fosse vero non t'interessa. Hai fatto tutte le supposizioni possibili, ormai lo sai, sei un pessimo detective, fratello.

Mancano duecento chilometri ed è già mezzanotte, ti fermi a dormire in un motel. Rubi un Buondì dal cesto della prima colazione già pronto nel buio. Lo squallore è semplicemente il miglior posto possibile. Camionisti che scopano extracomunitarie, gente e posti così. Carne ingorda, carne piena zeppa di fatica. Toglierti la tuta è un problema, sei distrutto, bagnato come un sommozzatore. La incolli al termosifone, poi ti accorgi che è spento. Guardi la tv. Ti stendi sul letto e vedi un angelo che si china su di te, un'ombra bianca che veglia sul tuo corpo.

È un paese di tufo, con gli orti e le gabbie, le lamiere sui casotti. Un bar, un giornalaio, un frantoio. L'ultimo tratto di strada, l'ultimo pasto di moscerini e insetti. Mi fermo in un bar, bevo un caffè, pessimo ahimè, entro nel cesso, mi sciacquo la faccia, le ascelle. Faccio una specie di toeletta. Tiro fuori dallo zaino una camicia. *La* camicia. Quella che ho tenuto per lui. Quella stinta, rossa che adesso è quasi rosa, stropicciata dal viaggio, ma questa stropicciatura è la sua ennesima bellezza. La riconoscerà? Mi riconoscerà? Mi guardo la faccia, stanca, travagliata, con i segni degli occhiali e dei chilometri. Di questo viaggio, di questo trip che dura da una infinità di anni. Le maioliche si muovono, cambiano colore. Gli occhi ballano, pulsano lontani e vicini. Sono io. Inequivocabilmente io. Attaccato al lavandino, mi commuovo. È l'ultimo gesto di coraggio. E naturalmente nasce da una sterminata paura. Svuotato e lieve attraverso la soglia. Sono pronto a presentarmi a lui come la prima volta. Un corpo vecchio ma ancora bianco, dove ancora si possono scrivere tante strepitose cose. Un cancello aperto. Un casale che si vede dalla strada tra i campi. Un viale, un frutteto.

Mi tolgo il casco. Sudato in fronte, tra le gambe. Sollevo lo sguardo sui campi, un lungo spazio di luce, un orizzonte raccolto.

Sono di fronte a un grande edificio di pietra con degli annessi, un borgo rurale. Sullo spiazzo di ghiaia alcune figure si muovono e parlano. Un cane mi viene incontro abbaiando, poi scodinzola, gli porgo le mani, lo carezzo. Faccio qualche passo. Bambini che giocano su un'area attrezzata, s'arrampicano all'incontrario su uno scivolo sporco di fango, una pozza d'acqua piovana residua in fondo, la terra consumata sotto le altalene. Una donna curva allaccia le scarpe a un paraplegico. Seduto intorno a un tavolo di pietra un gruppo di persone che non mi conoscono mi salutano. Agito la mano, resto lì. Un uomo con un golf nero mi viene incontro. Una faccia consumata che ricorda quella di Charles Bronson.

– Ciao, io sono Alessio.

Mi sorride, sembra sapere chi sono, mi aspettavano, dice *ah, sì?*, guarda la moto. Gli sembra incredibile che abbia fatto un viaggio così lungo. Mi fa un po' di domande. Ha il collare bianco dei preti sotto il golf. Anche i bambini sono intorno alla mia River. Il prete si china e prende in braccio il più piccolo, gli altri lo seguono come galline intorno alle gambe di un contadino. Entriamo in una stanza spoglia, il pavimento di cotto è velato dal salnitro, un crocefisso di legno chiodato, alto come un uomo, riempie il muro. Attraversiamo un corridoio, ci fermiamo in un grande refettorio, disegni infantili alle pareti. Pennarelli, acquarelli. Case storte, corpi lunghi, fuori asse. Padre Alessio mi dice di aspettare lì. Mi piego sulle gambe, sento il rumore delle giunture, un vero e proprio crack.

Lo riconosco da lontano... riconosco il corpo. Cerco di tenere su le spalle, mi riempio il petto d'aria, poi lo svuoto di getto.

Costantino entra, attraversa la piccola porta, la luce alle spalle. Non sta su una sedia a rotelle, cammina con le sue gambe verso di me.

– Guido.

– Ehilà...

Si ferma, mi guarda... fa un piccolo scatto, sorride.

– Come stai?

– Sopravvissuto, sì...

Apre le braccia, una stretta solida, forte. M'appoggio a lui. Tutto quello che ho nel mio corpo mi porta giù. Sono completamente vuoto. Ho il naso sul suo collo, per un attimo. Non faccio in tempo a catturare un odore preciso. Si stacca, mi guarda. Vestito di pelle come un vecchio rocker, le rughe e il mio sorriso stremato.

– Sei venuto in motocicletta... da Londra?

– Sì...

– Quanti chilometri sono?

– Duemila.

– Non ci posso credere.

Credici, Costantino. Credici, unico e santo amore mio. Dolore e gioco delle notti proibite dei giorni d'angoscia. E un flipper parte dentro di me, una pallina che rotola e tira dritto in tutti i buchi e i funghi luminescenti... in tutti gli ultimi anni, le bare che ho visto, l'amore che ho perduto...

– Ho chiuso la casa di Londra, sai.

– Ah, sì?

E vorrei semplicemente prenderlo e portarlo via con il motore ancora caldo. Che posto è questo, un ostello, un agriturismo? Salirà in camera a fare la sua borsa e via, proseguiremo insieme, lì dove la nostra vita si è interrotta, prenderemo quella benedetta nave, raggiungeremo il nostro Idaho. Ricordo la sua mano la prima volta, ricordo il suo petto e i suoi sogni. Ci abbiamo girato un po' intorno, però eccomi qui, sono trascorsi... quanti?, quarant'anni quasi, ma che importa, cazzo. Che importa, frocio.

– Quanti anni hai?

– Come te, ragazzo.

Lo guardo... è ingrassato ancora un po', è invecchiato, non così tanto. È un po' in disordine, è lui. È qui accanto a me. Il tempo non è trascorso, si è semplicemente interrotto. Posso scavare tutti i suoi volti. Sono l'unico che può farlo.

– Ciao Costanti'.

– Benvenuto Guido.

Mi saluta come un boy scout, ha quell'aria lì, di uno troppo grande in un ruolo troppo piccolo. Ma ancora non riesco a guardarlo, perché ancora vedo raffiche di passato. Sto facendo quel lavoro lì, del mosaico, dei pezzi che si ricompongono. Disordinatamente, violentemente.

Mi tende le mani, sono verdi. Stava lavorando nell'orto, mi dice, per questo è sudato... Respiro un odore di tufo e cucina spenta. L'odore di quel posto.

Sembra una scuola serale o un dopolavoro, uno di quei mesti circoli di gente anonima che si riunisce e finge di avventurarsi ed entusiasmarsi. Cerco un po' di privatezza nei suoi occhi, ma lui si è voltato... Ci sono altre persone intorno, me le presenta, amici, dice, uomini e donne, coppie abbastanza giovani. Gente di cui a me non importa nulla, che nemmeno vedo. Mi sorridono, ricambio stonato, allarmato, perché adesso sto vedendo qualcosa, e non so ancora cosa... C'è una rete in un campo, un piccolo torneo di pallavolo...

Guardo Costantino che parla con questa gente... Non ascolto quello che dice, guardo la bocca che si muove... il viso è gonfio, i suoi lineamenti sembrano più rilassati, meno incisi. Gli guardo la testa, i capelli sono capelli ricresciuti, diversi, più lisci, meno fitti. Una chiazza di pelle più rosata e lucida gli lambisce l'orecchio. Sento quella risacca... la nostra notte di polpi sbattuti sulla roccia. Penso a un attimo prima, a quella promessa. Abbassa la testa.

– Tocca pure.

Mi prende la mano e se la porta sulla cute. Sento i grumi delle cicatrici sotto i capelli leggeri. Mi mette un braccio intorno alla spalla.

– Vieni, ti faccio vedere l'orto.

È vestito senza cura, un golf sui pantaloni di una tuta slentata. La sua mano pencola accanto alla gamba.

C'è un grande albero d'ulivo al centro dell'orto e guardo quello, le fronde di piccole foglie argentee. Il tronco tortuoso è separato in due ceppi che salgono verso l'alto, sembra una porta. Ho voglia di attraversarla con lui e di sparire. Penso al bonsai d'olivo al mercato dei fiori a duemila chilometri da qui.

– Ho sognato quest'albero, questo ulivo, credo...

– Davvero?

– Ho sognato che avevi preso quella corda.

– Anch'io ti ho sognato.

– Ti sei convertito?

– Ho ritrovato la mia strada, certo.

Conto di dirgli *stai tranquillo, non sono venuto a turbarti, ma a rinnovare la promessa*. Ma lui è tranquillo, cammina ondeggiando dolcemente. Solleva la mano più volte, per raccontarmi di quel campo seminato... i carciofi, i cardi, le zucche...

– Tu non conosci gli orti, vero?

– No.

– Ti danno tregua.

E quella parola improvvisamente mi sembra così profonda e terribile. Perché tutto mi sembra fermo, prigioniero di un ghiacciaio. Gli racconto di quel ghiacciaio che ho visto. Anche lui ama la montagna, mi dice. Mi dice che questo è il posto dove Francesco parlava con i lupi.

Gli dico che mia moglie è morta di lupus. Che sono vedovo. Si ferma, è commosso. Ricorda quella cena, quella cura.

– Non sai quanto ti ho pensato.

– Anch'io ho pensato a te.

Ancora avanziamo tra muretti a secco e piccole serre. Grossi zucchini spuntano dal fogliame come cazzi verdi, penso che un tempo ci avrebbero sollecitato la vita, avremmo riso come imbecilli. Gli prendo la mano, lui se la lascia prendere, solleva la mia e la bacia, ma poi me la restituisce.

– Sono quasi morto, quella notte, Guido.

Sorride da una strana distanza, come se parlasse di qualcun altro. Il rumore della terra molle sotto le scarpe.

– Ma forse volevo morire, è così, sai.

Sono troppo scombussolato per dire qualcosa... sto mettendo a fuoco qualcosa. Guardo le fronde dell'ulivo che si muovono appena come schiuma di mare. Contavo di dirgli *ti aspetterò, non c'è nessuna fretta, mi sono dimenticato del tempo.*

– L'ho capito stando qui, con loro.

Adesso una voce esce da un altoparlante sul muro, poi il suono di campane registrate si diffonde nei campi circostanti.

– Che posto è questo?

– Una comunità.

C'è anche un ristorante che lavora bene, mi dice.

– Stiamo per avere una stella... una stella in questo posto da lupi...

– Che stella?

E penso di nuovo alla stella dell'uomo ridicolo.

– Michelin, la stella.

Adesso, a marzo, è aperto solo nei fine settimana. Lui è lo chef, oltre all'orto hanno il bestiame. In cucina tanti ragazzi giovani, che lui sta educando.

– Vivi qui?

Insiste per farmi vedere i cavalli, le gabbie dei conigli. Ne tira su uno piccolo e bianco e me lo mette in mano, ride.

– Sono arrivato sconfitto, pieno di perplessità. Non pensare a un luogo chiuso... niente del genere... sono solo persone che si sono messe insieme per aiutarsi...

Torniamo all'interno. Facciamo un giro nelle stanze, piccole, a due letti a castello, dove si fermano a dormire i gruppi di ascolto.

– Le prime sere sono state terribili.

Mi racconta che dormiva con un giovane prete, anche lui incerto e ferito. Mi parla di quel percorso. *Ricostruire la propria identità sessuale.*

Non so di cosa parla... Ma adesso vedo bene il suo volto gonfio e il resto, il corpo sembra un grande sacco soffice e le emozioni sembrano uscire da lì dentro come piume da un cuscino... Sto mettendo a fuoco, ed è una luce fioca che ho già visto... Sembra uno reduce da un coma, un narcolettico, uno che parla e intanto dorme e vive da un'altra parte. La voce straniata... anche il sorriso sembra indotto, è fisso come il resto del volto. Mi accorgo che i sopraccigli non sono più al loro posto, devono essergli ricresciuti storti, sembrano due strane punte perplesse. E anche il resto è suo ma non è esattamente il suo, sembra applicato, posticcio...

– Si può tornare indietro, sai...

– Indietro dove?

Sento uno sparo alle mie spalle, mi volto verso la finestra.

– Sono i cacciatori – dice. – È la stagione dei cinghiali – dice.

Penso alla nostra stagione. Cerco i suoi occhi. Si lascia guardare senza alcun sacrificio. Non mi piace questo burattino, questo ebete santo. Il dolore deve avergli dato alla testa.

– Non credo a una sola parola di quello che dici, Costanti'...

– Guido...

Di colpo provo a baciarlo. A risvegliarlo da questa fioca fissità, da questo macabro incantesimo. Non apre le labbra, ma non mi scaccia. Mi tiene lì attaccato al suo petto con la bocca aperta. Anche il suo sapore non sembra più lo stesso.

– Calmati, dài...

Rido, scuoto la testa.

– Hai dimenticato? Vuoi farmi credere che hai dimenticato?

– Certo che non ho dimenticato.

Socchiude gli occhi, arriccia il naso, quei suoi tic, quel suo modo di scaricare i nervi. È ancora lui, mi dico. Gli hanno buttato addosso la varechina, ma non è bastato. Guardo la Madonna nella teca, remota, stucchevole. Guardo le sue spalle, vorrei salirgli sulla nuca a cavalcioni, come ai tempi del liceo.

– Te la ricordi questa camicia?

Come puoi averla dimenticata, Grande Capo.

– Sono guarito, Guido.

– Guarito da cosa?

– Ho smesso di farmi del male, di farne agli altri...

– Cosa cazzo dici, Costantino? You fuck around with the wrong people...

Ho perso il controllo, sto parlando in inglese, gli do una botta sul culo, lo spintono. Voglio semplicemente che reagisca, che si sbamboli... Può prendere per il culo gli altri, ma non me. Io l'ho visto, ricordo ogni segmento di istante in cui è stato con me... e mi ha chiesto tutto e soltanto una cosa, di essere se stesso. Devo portarlo via da questa prigione, sradicare un lavandino, rompere il vetro di questa lobotomia.

Grande Capo, rispondi, io solo so che non sei muto e che puoi sentirmi.

È semplicemente rimasto troppo a lungo lontano da me... sembra reduce da un coma, da un'amnesia... ma io gli farò ricordare tutto... sarò molto meglio di un acido... gli aprirò le porte del cervello... gli farò scivolare dentro di nuovo e per sempre la vita...

Nella sala adesso stanno organizzando la merenda, una lunga tavola posata sui cavalletti con tovaglie di carta. Entrano nuove persone, ragazzi, coppie, tutti si abbracciano. Ognuno di loro posa sul tavolo qualcosa da mangiare, cibi preparati in casa, torte salate, insalata di riso ricoperta dalla pellicola. Nessuno ancora si toglie il cappotto. È una specie di anticamera. Il prete con il golf fa un piccolo discorso augurale. Tutti sollevano i bicchieri di plastica. Un brindisi per Luisa. Chi è Luisa? Ah, sì, è quella ragazza con pochi capelli e la giacca a vento sporca come il manto di un piccione.

Lo perdo perché si disperde tra gli altri. Dev'essere questo il senso di questa comunità, mischiarsi e approdare insieme. Una piazza di uccelli che si muovono all'unisono, si sollevano, si disperdono. Costantino mi passa davanti trascinando un banco a quattro mani con un altro ragazzo. Vedo una striscia della sua carne sotto il golf troppo corto. So che lì ha delle smagliature, so di averle attraversate con la lingua. Ma è accaduto in un'altra vita. Le porte sono aperte. C'è freddo, ma nessuno sembra avvertirlo. Il rumore è quello di un *Miserere* dimenticato in un altoparlante.

In pochissimo tempo sbaraccano tutto, buttano i piatti sporchi nei sacconi grigi. Raccolgono gli avanzi. Rimango solo in un angolo, su una sedia da scuola. Una figura si avvicina, mi chiama per nome. Rossana mi tende una mano. È lei che mi abbraccia, mi tira verso il suo corpo carico di profumo. È più elegante degli altri, ha un cappotto di nylon sagomato, gli occhiali da sole sulla testa come fermacapelli.

– Grazie, Guido. Non sai che regalo gli hai fatto a venire.

Guardo Giovanni dietro di lei. È cresciuto in maniera impressionante. Spaventa, così alto. Ha la barba in faccia, si dà un pugno in testa. I denti sporchi e grandi del bambino. Lo stesso sguardo liquido. Mi sembra l'unico che non è cambiato.

– Te lo ricordi Guido, l'amico di papà? Salutalo, dài, salutalo! Dagli un bacio, dài, un bacio!

Rossana urla e non capisco perché. Giovanni si porta le mani sulle orecchie, muove la testa come un cavallo bardato. Dev'essere quello il modo in cui l'hanno addestrato. Lo bacio. Odora di saliva. Anch'io ho voglia di tapparmi le orecchie e di sbatacchiare la testa.

Ma sento che devo restare calmo. Sono solo in un mondo trasmutato. Sono tutti insetti intorno a me. E vogliono farmi credere che l'insetto sono io. Devo mantenere i nervi saldi. *Si può tornare indietro...* C'è un solo luogo dove io e lui possiamo tornare.

Costantino si avvicina, stringe un braccio intorno alla vita della moglie, si scambiano un bacio volante. Sono lì con la mia tuta da motociclista annodata sulla vita, la mia camicia rossa stinta. Sono fuori fuoco, è tutto fuori fuoco. Perché sono qui? Convocato per cosa? Che c'entro io con questo teatro dell'assurdo.

Giovanni s'incolla al padre, Costantino lo accoglie naturalmente. Ma è una naturalezza diversa. Carezza il figlio come poco fa carezzava i conigli. Mi sento circondato dall'ambiguità... È un gesto che tutti fanno in questo posto, accolgono, tengono una mano su una spalla, su una testa. Ma io non avverto un vero calore umano, solo lo strofinio delle bestie quando entrano nella stalla e si scaldano, si accumulano.

Un giorno ho smesso di soffrire, mi ha detto. Dev'essere stato questo il modo per non soffrire e salvarsi dall'oscenità. Spogliarsi di ogni intimità, togliere ai gesti d'amore la privatezza, allargarli a chiunque. Rinunciare alla propria personalità sessuale, a ogni energia creativa.

Tante braccia aperte sono quelle che vedo dentro la stanza delle riunioni, con una pedana e un microfono e un tavolo che forse farà da altare. I corpi sono davvero tanti, assiepati come in un concerto, molti sono in piedi, i più giovani seduti in terra con le gambe incrociate. Io ho un discreto posto d'onore, in prima fila. Mi lascio guidare. Dev'essere una setta, un recinto così, come i Children of God... Gli hanno fatto il lavaggio del cervello. Due ragazzi con la chitarra a tracolla suonano un gospel, guardano il soffitto invocando uno spirito d'amore. Non lo lascerò in balia di questa burla. Sono qui con i miei anni e la mia divisa da ribelle. Ha riso di me, *sembri Lou Reed*, ha detto.

Allungo le gambe. Il prete con il golf prende il microfono, scherza, ha un accento emiliano e la felicità carnale di un tortello che gracida nel brodo. Fa una piccola omelia, onestamente toccante, dice che amare è semplicemente fare il bene altrui. Poi invita una ragazza a salire su quel piccolo palcoscenico. Una liturgia, non proprio, testimonianze come terapia. Sofferte figure si alternano sullo scranno, snocciolano calvari umani attingendo liberamente al loro immaginario di superstiti.

Costantino si alza, si strofina le mani sui pantaloni come se fossero sudate, sorride al ragazzo che lo ha preceduto, prende il microfono in quella staffetta.

– Sono raffreddato, scusate per la voce.

C'è Giovanni accanto a lui. Non l'ho mai visto parlare in pubblico. Non credevo che fosse in grado di farlo, di non abbassare gli occhi. Guarda la platea, si stringe alla platea come gli altri che lo hanno preceduto... riceve il fluido di quella gente ammassata, affamata, che sembra tutta sotto l'effetto di qualcosa... imbottita di una dolcezza indefinita. La bonarietà dei tossici, di chi ha reciso i nervi che legano al dolore, ma anche alla vita.

È una voce sorda, atona. Non è una confessione, è una tenia, un grande verme bianco che si gonfia al suo interno, che mangia e geme per lui.

– Ero il figlio del portiere.

Comincia così. Ha le mani incrociate a guscio, davanti, sulla patta dei pantaloni. Un lungo fiume di parole senza nessun ardore, nessun vortice, come se fossero state ripetute già molte volte, una lezione masticata. Il corpo ingrassato e sereno è composto, la cera di una grossa candela che cola pacifica.

– Aiutavo mio padre dopo la scuola, piccoli servizi per i condomini...

Racconta la sua infanzia, di suo padre e sua madre, del suo carattere chiuso... Si ferma, irrigidisce le mandibole, apre la bocca e prende l'aria dura di chi ingoia nel canale sbagliato.

Adesso è un invertito... l'inversione è questa, questa strada all'indietro, questo dietrofront psichico. Vedo il suo nome scritto all'incontrario... *onitnatsoC*.

Parla di una estate.

– Avevo quattordici anni, passavo dalle medie alle superiori...

Non ho bisogno di scavare. Parla di quell'estate lì. Come posso dimenticare quell'estate. Quella spiaggia isolata, quell'uomo nudo che mi chiamava a sé. Quel capovolgimento... Puoi dimenticare tutto della vita, ma non il carceriere che ti ha aperto le porte del carcere.

– Sono stato abusato.

Stringo le gambe. Granchi e mare cattivo, sporco di alghe e sangue, di sommersa infamità.

– Era un critico d'arte, un uomo alto, elegante...

E adesso tutto è scritto all'incontrario... Mi concentro su un punto lontano... quel guerriero acheo... Costantino che ricompone con le pinzette i tasselli di pietra di quel mosaico che io ho lanciato dalla finestra... Vedo l'occhio mancante che rotola verso di me.

Si sofferma sui dettagli, senza inquietudine, senza mai scivolare con la voce. Dev'essere la tecnica che ha appreso. È molto chiaro, molto esplicito. Non sembra parlare di se stesso e nemmeno di un congiunto. Ma di un ragazzo lontano ed estraneo, sospeso in un'altra vita. Ma io sono vivo come il mio sguardo che tenta di restare in piedi, presente, quando parla delle mutande, quando racconta che se le toglieva e le lavava di nascosto da sua madre, le metteva sul termosifone. Sono l'unico testimone. Io conosco quel termosifone, quella madre, conosco quelle povere mutande comprate ai Magazzini allo Statuto.

I trip cattivi a distanza di anni possono ancora tornare. Infilarti dentro quella pallina che rotola nel tuo corpo e sbanca punti. Ecco il jackpot. La mano s'infila e trascina, butta tutto quello che sei fuori da te. Guardi l'animale che sta mangiando i tuoi organi interni buttati sulla strada. Sono pezzi di un mosaico organico, pieni di sangue e nervi. Sei un bambino in piedi sulla finestra, ti stai buttando nel vuoto.

Uno spauracchio, né più né meno, che i panni della vita hanno fatto muovere col vento e somigliare di sguincio a un uomo. Questo sono io. Un bastone stecchito, la testa di paglia d'una scopa rovesciata, piantata in un campo di uccellini affamati.

Gli fanno un applauso lungo, crosciante. Rossana si asciuga una lacrima che deve essere uscita molte volte. Costantino ringrazia, non smette mai di stringere la mano del figlio, come se cercasse di trarre forza da quell'infelice. È quello il prossimo miracolo che chiederà a Dio padre, riportare indietro Giovanni dalla terra dell'inerzia. Ma forse, mi accorgo, non è così, nessuno di loro vuole tornare indietro, sanno che non sarà possibile, gli basta ripetere il mantra della buona volontà, stringersi in quella catena. In molti piangono. La zappa cade nell'orto comune, solleva le zolle per la pacciamatura. Libero sia il dolore.

Del resto capisco poco. Eppure mi riguarda. Costantino continua il racconto. La nostra storia, i nostri incontri da adulti. L'aggressione, il coma e la voglia di non tornare.

– Ma sono tornato.

La sua voce che mi chiama per nome, la sua mano pastorale che mi invita ad alzarmi, a raccogliere l'applauso destinato a me.

– Ecco, lui è Guido, volevo presentarvelo.

Mi guarda, sono un uccello impagliato messo lì per ricordare la morte e la sua caccia. Mi chiede scusa davanti a tutti. Per questo mi ha voluto qui.

– Tutta la vita ho cercato di vendicarmi.

Ma io so che non è vero, non sono stato l'oggetto di una vendetta, ma di un amore. Guardo i pantaloni di quella tuta molle che indossa. Mi sollevo e non so con quali gambe, vorrei darmi fuoco. Tento un piccolo inchino. Sto lì, con la mia armatura da motociclista, la mia camicia per la festa. Precipito di nuovo sulla sedia. Continuano. Altre facce giovani e afflitte prendono il microfono, per raccontare la loro tragica trama. *Dio che ci implori e salvi, Dio che capovolgi la nostra sorte, il delitto in bottino d'amore. Dio che restituisci la speranza. Radioso Dio eterno, umano e trino, cavie saremo del tuo splendore.*

E infine lo vedo, questo opaco splendore, inginocchiarsi di fronte a me e battezzarmi. Tutti hanno cominciato a lavarsi i piedi tra loro, a passarsi bacinelle per quel rito di sottomissione, di umiltà. Costantino mi toglie le scarpe, arrotola i calzini intorno alle caviglie, li sfila. Passa le mani tra le dita, la spugna sulla ferita bianca della gamba più magra dove ho portato il gesso.

– Grazie, Guido.

Nessuna rivelazione negli occhi, e vedo la sua morte e la sua polvere raggranellarsi e poi tornare a essere questo suo corpo. Quindi è vero, è morto. Per non amarmi mai più. E comprendo la lotta che ha affrontato, solo, quella notte e tutta la vita. Abbiamo sbagliato a non morire sulla soglia.

Guardo la sua nuca china mentre mi lava i piedi... Quante volte mi ha chiesto di strangolarlo mentre facevamo l'amore... Quante volte mi ha chiesto aiuto e io non me ne sono accorto.

Passano con le ostie. Apre la bocca, chiude gli occhi, come non li ha mai chiusi con me, come se davvero stesse ricevendo qualcosa di irraggiungibile, l'essenza stessa della vita. Di un'altra vita, ripulita, vergine, senza quel bambino tragico, senza quello stupro. Qualcosa che io non potrò mai più offrirgli.

Fuori imbrunisce, torniamo nell'orto e ancora camminiamo. Di nuovo vedo quell'ulivo.

– Mia madre lo ha mai saputo?

Fa un piccolo passo indietro, si volta.

– Ci vide, Guido, entrò nel suo studio. Non poteva non aver visto... Pregai che lo dicesse a mia madre, che quella storia finisse. Poi s'ammalò.

S'appoggia a quell'ulivo, a quel tronco aperto, a quella porta...

– Tua madre beveva, Guido...

Non ho niente da dire, nulla di possibile e umano, ombre profonde passano, lontano, nel telaio di uno scafo sommerso. Mia madre che nasconde le bottiglie sotto il lavandino. La domestica che la guarda e si fa beffa di lei. La sua borsa sempre piena di mentine, pescavo nel fondo... un dono per me, credevo, invece foderava il suo alito.

Costantino mi accompagna, parla ancora un po', si tocca la testa. Dice che ogni tanto gli fa ancora male. Mi chiede di Leni. Sua figlia ha un bambino, è nonno. È sereno con sua moglie, è stata il suo angelo custode. Ci avviciniamo a River, al suo scheletro luccicante.

Sorride, vedo per l'ultima volta il suo fiato bianco nell'azzurro sotto le chiome dell'ulivo. *Ciao onitnatsoC.*

Guido fino a Roma. Alle tre del mattino sono davanti alla gradinata dell'Altare della Patria, a pochi metri dalle due staffette ferme ai lati della ghirlanda d'alloro posta sul sarcofago del milite ignoto. La fiamma eterna sventola trascinando il suo fumo nero. Guardo quei due ragazzi giovanissimi e impassibili che forse vogliono dirmi di andarmene, ma non possono lasciare il loro posto di picchetti di carne. Penso a lui vestito da militare, a quella lunga giornata che trascorremmo nella nebbia. Aveva sempre desiderato essere un martire ignoto.

Vedo la notte scansarsi lentamente dalle cose e il sole uscire dal bianco siero dell'alba. Eleonora mette il suo occhio nello spioncino, apre nel silenzio. Mio padre dorme ancora. Non dice nulla, è un po' intontita. Toglie il chiavistello alla porta, le vado dietro slombato come un operaio che rientra dal turno notturno.

– Ti faccio il caffè.

In cortile vola la luce turgida di quell'ora anticipata, si sentono gli uccelli. Il traffico del Lungotevere è ancora sporadico. Eleonora mette sul gas la moka.

– Sei stato da lui?

– Sì.

– Sta bene, hai visto?

– Ho visto.

Ma sembra chiederlo a me, anche lei non pare affatto convinta.

– Si è liberato, alla fine ce l'ha fatta a liberarsi...

Il caffè è uscito e lei lo versa. Fisso il cortile.

– Non mi ha mai detto niente.

– Come faceva a dirtelo, Guido?

– Solo a me poteva dirlo.

Mi mette una mano sulla spalla.

– Tua madre ci faceva tutti quei regali, mi ha trovato il lavoro... E poi chi gli avrebbe creduto? Non è come oggi... E anche noi eravamo più forti, l'infanzia forse neanche esisteva.

Mio padre entra in cucina, la canottiera sotto il pigiama aperto. Eleonora mi stringe il braccio, sussurra.

– Non sa nulla di questa storia, gliel'ho risparmiato. Ha due pacemaker, lo sai...

Ho odiato questa donna per tanto tempo, l'ho disprezzata.

Appena mi vede s'aggiusta i capelli, s'infila gli occhiali. Lo abbraccio. Tasto la sua carcassa di ottantenne.

– Ciao papà.

Georgette Ida Leonetta Salis, questo era il nome di mia madre. Mi sono seduto sotto il suo loculo insieme a mio padre, è la gita che abbiamo fatto insieme io e lui. È contento di fare un giro in moto con me. È leggero dietro. Parla. Mi racconta che ha visto due mummie romane davanti al supermercato, avevano aperto l'asfalto e sotto c'era una piccola necropoli, nessuno ha toccato niente per un bel pezzo.

– Andavi a fare la spesa e vedevi quei due lì sotto, perfetti, mummificati, una coppia, un uomo e una donna, un po' più piccini di noi... Mi hanno fatto compagnia. Questa è Roma...

Non lo ricordavo così loquace, ma forse non gli ho mai dato modo di esserlo. Sono un giudice che ha sbagliato sentenza. Questo piccolo uomo vanitoso, senza una speciale intelligenza, senza medaglie al petto, è l'unico innocente.

Georgette Ida Leonetta Salis, citavi Benjamin Franklin, *insegna a tuo figlio a tacere: a parlare imparerà da solo.*

Georgette Ida Leonetta Salis. Hai lasciato che il mio amore fosse preso per il collo.

Quante strade ci sono nel mondo, quanti sbarramenti e salite, quante tenere discese. Dovremmo chiuderci in una chimerica torre e lì restare, perché vivendo si è troppo nuociuto.

Chiedo a mio padre cosa fa tutto il giorno.

– Vado ancora allo studio ogni tanto...

Penso a che rapporto con il tempo deve avere un uomo della sua età... se continua a vivere in attesa di qualcosa, oppure se le giornate diventano lunghe bende orizzontali.

Georgette Ida Leonetta Salis, il tuo loculo. I tuoi poveri resti.

Scopro che papà viene spesso, che non t'ha mai lasciata sola, mai trascurata. I fiori nello stelo di vetro sono ancora piuttosto freschi.

– Com'era bella, Guido... Il collo, ti ricordi che collo che aveva?

Osservo la sua povera faccia liquefarsi e ricomporsi indietro, la stessa espressione che doveva avere quel giorno quando si conobbero davanti alle mute subacquee nel magazzino delle Sorelle Adamoli.

In tutta la vita non mi ha mai dato nessun consiglio, nessuna indicazione. Non gliene ho dato la possibilità. Un dermatologo, uno che si ferma lì. Ho davvero poca confidenza con lui. Un fatto naturale, interno, di odore diverso credo. Sensazioni che non puoi aggiustare in una mezza mattinata. Fatico, ma mi impongo di dirglielo.

– Ti voglio bene, papà.

Anche se in questo preciso momento non è vero, so che sarà vero. Che un giorno sentirò la sua mancanza.

– Non m'importa di quello che sei...

Mi cerca con i suoi occhi piccolini.

– Mi dispiace che soffri, Guido. Il resto sono affari tuoi.

E adesso vedo le lacrime.

– Chissà quanto hai penato, e non me ne sono accorto... Eri un bambino così allegro, così spiritoso...

– Io?

– Sì, ci facevi divertire così tanto... Hai rallegrato quella famiglia di mummie.

Parla di un bambino che io non conosco, ma che forse è davvero esistito. La sua mano vecchia sulla mia faccia invecchiata per un lungo attimo è nuovamente paterna.

Dovrei provare nostalgia di tutto, di ogni possibilità perduta, di ogni beffa. Ma non sento nulla. Non gli ho mai dato nessuna vera opportunità e ormai sono troppo lontano dall'amore per rimpiangere il suo.

Si curva a strappare un ciuffo d'erba da un'altra tomba, scambia una battuta calcistica con il custode, *non possiamo giocare con questa difesa*. Lo lascio lì tra i secchi di crisantemi e di garofani dei fiorai del Verano.

Il ragazzo mi taglia la strada. L'ho visto spuntare dal nulla. Trascina uno zaino mezzo vuoto, non dev'esserci nemmeno entrato, a scuola. La testa bassa, un corpo stralunato che simula il movimento della vita. Un piccolo topo fuggito da uno dei tanti condomini appestati. Scatole su scatole di rabbia.

È la strada del mare. Rotaie camminano accanto all'asfalto. Remote fermate di autobus. Ragazzi che al mattino si sollevano da tane senza amore, s'infilano i jeans nel freddo ed escono senza un saluto, una benedizione.

Si ferma per grattarsi un braccio. Tira su la manica. C'è un cubo di cubi neri, un capannone industriale con un grosso tubo di alluminio, il disegno rosso di un muscolo sanguinolento, una scritta satirica, CERVELLO UMANO VENDESI, POCO USATO. Una discoteca chiusa.

È molto giovane, un volto soave che potrebbe essere straordinariamente bello se soltanto fosse raggiunto dal conforto. Forse va a cercarsi un po' di roba. L'ho visto frugarsi nelle tasche, contare gli spiccioli.

Ha il cappuccio in testa e i reni scoperti, uno di quei giovani corpi che si adattano a ogni accidente termico. È la rabbia a riscaldarlo, quel bollore interno che lo priva di ogni sensibilità fisica. Lo vedo schiumare solo, cammina strappando pezzi di manifesti. Come se cercasse di snidare qualcosa, il grumo di larve che divorano le sue piccole viscere.

Dà un calcio a un cassonetto abbandonato, un check point, tra la sabbia e i palazzi.

La testa bassa, il soffice scodinzolio di chi annega. Si volta con uno sguardo furbo nel dolore, come se una parte di coscienza lo portasse ancora a cercare qualcosa intorno a sé. Non sembra vedermi.

Cosa c'è di più triste d'un ragazzo solo che cammina lungo il tetro muro di un campo da calcio abbandonato?

Deve avere fame, i ragazzi hanno fame mentre crescono. Vorrei pagargli un panino, sedermi accanto a lui e ascoltare la sua voce farfugliante, le sue profezie di ragazzo. Dirgli semplicemente, ragazzo non c'è nulla che valga il prezzo del tuo dolore. Se le ferite dell'anima potessero vedersi sui nostri volti, lo so, tu saresti un mostro deforme, pieno di crateri, di pustole sanguinanti.

Adesso va molto veloce, come se avesse preso un ritmo assurdo, non una vera e propria corsa ma la marcia forzata dei condannati. Non c'è nessuna barriera tra la sua carne e il resto. Attraversa senza cautela la ferrovia.

Sterzo, entro nel sottopassaggio. Odore di cloaca marina.

È un sentiero di basse rocce, di ginestre spoglie. Sguscio, salto, vorrei arrivare fino al bagnasciuga, mi piacerebbe poter entrare in acqua in sella a River. Ma la sabbia ha muri, dune morbide accumulate dal maltempo. La ruota s'inabissa.

Mi fermo davanti al blu.

Blu del mio cuore, blu dei miei sogni, diceva Derek Jarman in quel suo film blu. *Tre volte rinnegato dal canto del gallo, alle prime luci dell'alba. Ti sei messo il vestito a rovescio.*

È fuori stagione la spiaggia, la vita.

Guardo dietro di me, il reticolo dei miei passi, come quelli degli insetti di sabbia, c'è vento di pioggia. Una lunga onda ferma di alghe attraversa longitudinalmente la spiaggia. Le schiume rotolano, il mare si accartoccia. Mare alla deriva dell'inverno. L'aria è tutta salata.

Un bacherozzo fa piccole spirali sulla sabbia, buchetti. È un grande lavoro questo minuscolo lavoro. Ci gioco con la mano, passo intorno le dita.

Raccolgo qualcosa, una stella marina rotta, il guscio rosato e puntinato. Un pezzo di medusa. Flaccido. Un pacchetto di sigarette.

Il ragazzo si è seduto sulla spiaggia accanto a una barca capovolta, la felpa in testa, vedo solo il corpo, la schiena arcuata. Una sagoma attraversata dal vento. Uno di quei puledri che si sono appena messi in piedi, il pelo appiccicato, le zampe troppo lunghe. Forse si è fatto un acido, uno schizzo, sta lì ad aspettare che il mondo migliori, che i colori tornino, che si muovano tutti incontro a lui, intorno a lui come angeli. E come un angelo lo sollevino e lo cullino. Uno di quei ragazzi che vanno male a scuola, che restano indietro, che disturbano.

Nessun disturbo per il mare.

Gli passo accanto, solleva appena il mento. Vedo i suoi occhi sottili. Forse è soltanto un ragazzo innamorato, seduto davanti alla sua fame.

Sono già venuto su questa spiaggia da ragazzo.

Davanti a questa fame.

Dovrei vedere tutte le cose dall'alto, è questo che capita dopo la tempesta. Guardo le nuvole, i loro sacchi fosforescenti. Nuova acqua cadrà.

Resto a guardare la risacca, lembi di plastica spuntano dalla sabbia e svolazzano. Un fustino di varechina incatramato, il gambo arrugginito di un ombrellone.

Mi sono tolto gli stivali, li fisso. Fanno una certa impressione. Tutte le cose lasciate sulla spiaggia fanno paura.

Vedo il mio sentiero dall'alto, piedi sul bagnasciuga che appaiono e se ne vanno, orme. Guardo la frittura del sale. L'acqua è ghiaccia e piacevole. I piedi sono pesci artici.

Raccolgo pezzi di legno, un fuoco è quello che vorrei fare adesso. Un vecchio pneumatico slabbrato, potrei incendiare quello. Non sarebbe male sedersi, alle spalle un fuoco.

C'è un posto, oltre il mare.

Aspetterò le navi, seduto in uno di quei bar lungo il porto, un cortile di calce bianca, ouzo e mezedes e quei biscotti impastati di miele e mandorle... sentirò quei dolci sapori. E aspetterò. Seduto su una seggiola azzurra aspetterò. Vedrò cambiare le stagioni del cielo con un libro aperto sul cuore. Il cielo cambia in fretta vicino al mare. La vita si concentra davanti a questa porta spalancata.

Conosci la Grecia, ragazzo? Penserai a quell'immagine sporca, sconfitta, quella che passano in tv gli esperti dell'Europa, ma tu non fidarti di loro. La Grecia è il cardine e il passaggio. E non hai idea il fulgore della vegetazione, aranci, ulivi, melograni.

C'è un posto, lì, un'insenatura minore, senza attrattive, in fondo al Peloponneso, troppo brulla per il grande turismo, ci portano i ragazzi in gita scolastica. Poche costruzioni scialbate, sbilenche, l'una sull'altra, come se il vento le avesse ammucchiate tutte sullo stesso versante, guardano il mare aperto, l'Oriente.

La sabbia è un cratere di vita, tritume di conchiglie e pesci fossili, ma anche ossa di uomini antichi, di mostri marini. Sì, laggiù tutto odora di leggenda. Sai cos'è una leggenda, ragazzo? L'immaginazione che diventa beneficio terrestre. Grotte acquatiche ardono di anemoni rossi come fuochi sommersi, passaggi segreti conducono a un anfiteatro marino. Il vento ha scolpito le rocce come volti, e il suono certe notti è così fondo e cuneo da sollevare gli uomini al di sopra di se stessi. Non so come sarà l'inverno laggiù, ma lo immagino mite, sdrucciolato dal sale. Ricordo la primavera, il vento filamentoso carico di miele.

Alla spiaggia si arriva attraverso un passaggio aperto nella macchia, stordente di odori e di crepitii. Una spiaggia ruvida, un dorso d'asino grigiastro, un'antica plaga, la forma di un candido osso mascellare. E anche le rocce che la delimitano sono levigate e raccolte come scheletri animali: due ippogrifi che fanno la guardia.

C'è una baracca su quella spiaggia, un punto di ristoro abbandonato molti mesi all'anno, una bombola a gas, un gruppo elettrogeno. Lo rimetterò in sesto, un piccolo ristorante semplice per scabri turisti, naturalisti, viaggiatori dello spirito. Vedo quei tavoli sulla spiaggia, l'incannucciata, il frigorifero con le bibite. Costantino sarà grasso, ragazzo, sarà un vecchio ciccione, con un piccolo grembiule con un pesce scolorito. Taglieremo pomodori e feta, raccoglieremo asparagi marini. Un vecchio gommone sulla spiaggia... al tramonto, con le magliette rotte, seguiremo il sentiero del sole nelle acque calme, getteremo le lenze, ci stenderemo sui paioli in attesa di prosperità. Lui cucinerà, sudato, scorbutico, discuteremo, ragazzo, sicuro che discuteremo, è permaloso. Cammineremo sulla sabbia con un bastone e piccole pagliette da pensionati. A notte fonda usciremo alticci a pescare totani... vedremo quelle luci filtrare sul fondo, barbagliare sui nostri volti. Verrà l'inverno, ci basterà un golf sui pantaloni di tela, raccoglieremo legni bianchi come ossa, accenderemo un fuoco, sposteremo l'amaca all'interno, ci riposeremo come gli animali e leggeremo libri come gli uomini. Vivremo, semplicemente vivremo.

Il ragazzo è fermo accanto alla barca, mi guarda.

Forse ha paura di me. Di questo uomo che si spoglia e sfida il mare di marzo, fuori dalla stagione dei bagni.

C'è un posto, al di là del mare.

Arriverà, sai, ragazzo. Aspetterò vicino al porto, con quella gente randagia che odora di reti sporche, di grotte marine, quelli che affittano i gommoni ai turisti... gommoni sgonfi in inverno, grotte dove puoi entrare per fare semplici chiacchiere sul tempo, su quello che resta dell'arzilla vita.Tra quelle bianche strade, la mia figura al tramonto che rincasa sbilenca e ancora sognante sarà piuttosto bella. Ancora ardita. Verrà la luna. Quel ciondolo sulla nera gola. Verranno tempeste e acque così ferme da sembrare morte.

E un giorno arriverà. Scenderà da una di quelle navi, sarà un vecchio uomo con pantaloni di lino stropicciati, sporchi di nave, tirerà uno di quei trolley sul ponte di ferro, ci sarà ruggine. Mi darà la sua mano piena di vene dure, il suo corpo sarà incerto, avrà smesso di farsi domande.

Ciao, ragazzo.

Attraverseremo il ponte di ferro insieme. Non sarà una sorpresa vederlo, sarà naturale. Ci siederemo in uno di quei bar, a bere. Lontane luci, scatole elettriche ricomposte. Un uccello si fermerà a mangiare sul nostro tavolo, beccherà violento, molto più forte di noi. Quell'uccello con i muscoli tesi della giovinezza, della lotta nel cielo.

Arriverà, ragazzo. Nulla impedirà al blu di raggiungerci. Scenderà da quella nave fuori stagione, da un pontile vuoto, si guarderà intorno. Chiederà notizie di me, del professore fisso al bar del porto. Parlerà con i miei amici... con la donna che impasta i biscotti, con il ciclope che intreccia le reti, con il ragazzino greco a cui do lezioni d'arte in cambio d'uova e miele. Saranno loro a portarlo sul luogo fiorito, sullo strapiombo del sale. Ha scelto lui il posto, diranno. *Perché da qui si vedono le navi che entrano nel porto.* Gli diranno che sono rimasto su una di quelle seggiole colorate e spagliate, sempre la stessa, a discutere, a filosofare, diranno che li ho fatti ridere e piangere, e che sono caduto sul campo di battaglia, con la cirrosi e una sigaretta tra le dita gialle, a bicchiere bevuto e gli occhi fissi sul pontile, sulla porta aperta del mare.

Non c'è niente di meglio che fermarsi davanti a una barriera viva.

Il ragazzo è un puntino. La tuta nera sulla spiaggia è una sagoma, una corazza deposta. Accanto a gusci di cozze mangiate. River in cima alle dune guarda il mio estuario nel mare.

Ho bevuto una bottiglia di sambuca, ragazzo, onestamente, mi sono fermato in un bar scadente. Ma non sono ubriaco. Ho solo un po' di caldo dentro. E se barcollo un po' è solo perché sono felice.

Da quella notte non sono più entrato nel mare. Tengo gli occhi aperti e anche le retine sono lame.

È un guanto di ghiaccio. Mi stringe e tutto il mio involucro si rattrappisce, mentre tutto s'allarga. Ho freddo ma posso farcela. Posso infilarmi nel mio bianco guscio, del mio bianco pulcino.

Il mio cuore batte così forte.

C'è un luogo, al di là del mare.

Non è quello che abbiamo sempre sognato? Quello che tutti i ragazzi vorrebbero, prima di corrompersi, prima che il mondo li imprigioni nella sua rete. Cosmonauti marini saremo. Il sussurro delle onde, così disciplinato. Un nuovo ordine verrà. Mi volto a salutare la spiaggia. Oh, se Leni fosse lì sulla spiaggia a filmare questa scena, il mio corpo raggrinzito nell'acqua come una magra scimmietta.

Siamo sempre obbligati a rinascere in un remoto luogo dell'universo.

Quelle mani grosse, docili, quelle mani che usava per riparare biciclette, per impastare, per accudire... quelle mani stringono il mio collo.

L'acqua è ghiaccia, ma io vedo bene il fondo... amo di più la natura, sai, un pezzo di carne spontanea, che tutta l'arte che ho visto e consumato.

Cosa sento? Nulla, credo, solo un tiepido sussurro di labbra, e l'ultimo raggio è criptato. La fragile mitomania di ogni vita che si seppellisce. Le parole tacciono, rovesciate. Dovrei tornare nel punto dove la mia vita cominciò, la serratura cadde e la porta si aprì. Nell'estate della bellezza. Vedo un mazzo di mimose, è questo che vedo in fondo alla stanza, dove le ultime cose vanno e vengono isteriche come donne che devono partire. Sai come chiamano le mimose, ragazzo? Il fiore che si vergogna. Sono di buon augurio a chi si mette in viaggio. Adesso scendono nell'acqua, battezzano il blu. Ma tu non vergognarti del viaggio. La vita, credimi, non è un fascio di speranze perdute, un puzzolente ricamo di mimose, la vita raglia e cavalca nel suo incessante splendore.

Ringraziamenti

Grazie ai miei figli, vi ho tolto tempo, vi ho cucinato in fretta.
A Giulia Ichino (con Alessandra e Paolo), Antonio Franchini, Renata Colorni, Cristiana Moroni, Rosaria Carpinelli. Grazie, amici, di questo splendore.

Arnoldo Mondadori Editore S.p.A.

Questo volume è stato stampato
presso ELCOGRAF S.p.A.
Stabilimento - Cles (TN)

Stampato in Italia - Printed in Italy